P9-CDN-746

WITHDRAWN FROM
LORAS COLLEGE LIBRARY

TYPES
of the
FRENCH SHORT STORY

TYPES OF THE FRENCH SHORT STORY

Nineteenth Century

Selected and Edited by
HAROLD MARCH
Assistant Professor of French, Yale University

THOMAS NELSON AND SONS
NEW YORK
1933

Reprinted, March, 1933

PRINTED IN THE UNITED STATES OF AMERICA

PREFACE

This collection is intended rather for a literary study of the French short story than for intensive language drill. The stories vary considerably in difficulty, but none is too long to be read in a single assignment by a student of three or more years' reading experience. The notes explaining difficulties of language are reduced to a minimum, and the vocabulary is selective (see page 229). Such literary and biographical material as is necessary to an appreciation of the story is to be found in the introduction. The stories are all complete, except for a slight reduction of length in *L'Esquisse mystérieuse*, and a still slighter modification in *Nausicaa*.

Some of the stories have not previously been edited for classroom use, but no attempt has been made to include only such stories. The aim has been rather to include those of length suitable for treatment in a single recitation and of subject matter that lends itself readily to classroom discussion.

The editor wishes to express his appreciation of helpful suggestions and criticisms received from many colleagues.

H. M.

October, 1930.

CONTENTS

INTRODUCTION

Attention has frequently been called to various differences between the American short story and the French *conte* and *nouvelle*; but most of these can be reduced to one fundamental distinction: the French story as a whole does not, like the American, attempt to conform to any rigid set of technical standards. In America, the short story as a *genre* has been taken very seriously; a certain national pride has been displayed in the codification of rules for its composition, based on the work of native writers of unquestionable skill in the art. In France, on the other hand, the *conte* and *nouvelle*, although practised almost from the beginning of the language, have been considered more as genial diversions, fit for whiling away an idle hour, but scarcely worthy of the consideration due to the tragedy in Alexandrines, for example, or even to the novel, whose standing as a serious *genre* is little more than a hundred years old. A few writers, among them Mérimée and Maupassant, have attracted critical attention to the short story by specializing in it; but most of the great writers of the past century are remembered in France for literary achievements of other types. Gautier is primarily a poet; Daudet, a novelist, and his *Lettres de mon moulin*, so popular in English-speaking countries, are charming, but not really important; Zola is the author of the *Rougon-Macquart* series; Flaubert is the creator of *Madame Bovary*; Jules Lemaître, the impressionistic critic and dramatist; and so on.

The result has been that the French short story has escaped rules; in subject matter and in technique it defies classification, and in the matter of length it is extremely elastic. The American story strains after an ideal. "to produce a single narrative effect with the greatest economy of means that is consistent with the utmost emphasis,"[1] and submits to the resultant requirements of unity of point of view, logical and step-like plot development, elimination of superfluous detail, climax, and rapid *dénouement*. In France there are examples of this type of story, partly as a result of the theories and practice of Poe, and partly as a parallel but inde-

[1] Hamilton, *Materials and Methods of Fiction,* N. Y., 1908, p. 173.

pendent development.[2] Indeed, some of Maupassant's stories are favorite subjects for dissection by theorists on technique, and Erckmann-Chatrian, Villiers de l'Isle-Adam, and some others furnish examples of the technically regular story; but the majority of French *conteurs* quietly ignore the American rules.

We need not regret this irregular character. The American story at its best is impressive, but its rapidity and concision are often fatiguing; while the reading of a series of stories of impeccable technique certainly becomes monotonous. The unhampered French story has no difficulty in avoiding these drawbacks. The *conteur* need be in no great hurry to get his story under way; he permits himself interesting but not strictly essential details; and as for the sacred plot, with its development, climax and *dénouement*, he does not hesitate on occasion to abandon it altogether, and still makes bold to call his effort a *conte*. As a result, his medium is supple, capable of great charm and diverse effects. In the nineteenth century, which saw the full flowering of the *conte* and *nouvelle*, and which alone is represented in this collection, we find stories of fantasy and mystery, of battle and disaster; we have legends, fables, miracles, parables; satires of regional or occupational types; pleasant pastorals and anecdotes about the amiable parish priest; stories of the irony of situation, of hidden tragedies in commonplace lives; the exotic story; the psychological study; the short prose poem; and so many more that a complete enumeration is impossible. And the variety in technique, in spirit, in length, and in style is no less bewildering.

A few general currents, however, may be traced in this broad flood of fiction. We find that the chief literary movements of the century are either directly expressed or paralleled in some way by the short story. The Romantic movement of the first half of the century we associate with a revolt against the classic traditions, with a taste for the gloomy, the diabolic, the "gothic," with an enthusiasm for local color and the picturesque, with a preference for subjects from medieval or modern history as opposed to those of Greek and Roman times; these tendencies find expression in the fantastic story, the exotic and picturesque setting, the historical and pseudo-historical episode and battle story. Classical mythology and history as literary material, neglected by the Romantic poets, was restored to favor in the glittering and impersonal lines of the Parnassians; and short story writers also returned to the elaboration of classic themes. Positivism and the growth of the scientific spirit found its literary counterpart, after the middle of the century,

[2] For the coincidence of this simultaneous but unrelated development, see Horatio Smith, *The Brief-Narrative Art of Théophile Gautier,* in *Modern Philology,* 1917, XIV, 137, and note 2.

in Realism, with its attempt at exact observation and impersonal recording, and in Naturalism, a further development along the same line; and Realism and Naturalism, though chiefly expressed in the novel, had their exponents in the short story also. The fantastic story, deserting such subjects as vampires, devils, and phantom loves, took on a scientific air more in keeping with the spirit of the times. When there arose skeptics who dared to question the religion of Science, short stories appeared that ridiculed excessive scientific pretensions. The Symbolist poets, in reaction against the formal impassivity of the Parnassians, called for more mystery in poetry, a restoration of the haunting quality, a suggestion of other artistic mediums by means of words; and Symbolist prose, pursuing a parallel course and displaying a wealth of harmonies and suggestions, offered a sharp contrast to the brutally matter-of-fact fiction of the Naturalists. The taste for the bizarre and the morbid, the desire to shock, that we associate with decadence, find characteristic expression in short stories.

But it is easy to go too far in analysis of literary movements, and by an enthusiasm for classification try to explain too much, force writers into ill fitting categories. For the appreciation of a story as a specimen of narrative art, some conception of the literary movements and theories to which it is related is of value; but of more importance is the individuality of the writer himself.

THÉOPHILE GAUTIER (1811-1872) was a native of the south of France, but spent the greater part of his life, when not embarked on one of his frequent journeys in search of the picturesque, in Paris. He was conspicuously present at the stormy first night of Hugo's *Hernani* in 1830, vigorously supporting the Romantics in their battle with the Classicists. At the time he was an art student; but he shortly abandoned his ambitions to be a painter for a literary career, and having begun as a champion of the cause of Romanticism and an active lieutenant of Hugo, he lived to see the decline of the movement, Hugo in exile, and himself saluted as master and "poète impeccable" by a new generation of poets. In the history of French literature his principal importance is conceded to be as the great exponent of the theory of art for art's sake and as the poet of transition between the subjective expansions of the Romantic poets and the meticulous versification and grave splendor of the Parnassians. His prose writings, however, are of much greater extent than his poetry; and if, written as they were under journalistic pressure, many of them betray the carelessness of haste, at least his reputation as a newspaper *feuilletoniste* was such that he felt his standing as a poet threatened. In the field of the short story, with which we are here chiefly concerned, he wrote a series of fantastic tales in which extravagant imagination skilfully avoided the absurd.

The fantastic element in French Romanticism was largely an importation from abroad. The "romans noirs," or tales of terror of the English school of Anne Radcliffe, Lewis, and Maturin, contained supernatural elements, though in the stories of Mrs. Radcliffe they were usually explained at the end. These novels had a great vogue in France during the Empire and Restoration periods, and exerted a strong influence on French Romanticism. But the chief impulse to the fantastic short story came from Germany, through the translated writings of E. T. A. Hoffmann.[3] His influence began anonymously in 1823, when H. de Latouche published a flagrant plagiarism of one of his tales which he had read in a German paper. In 1828 the Paris *Globe* published an article by J.-J. Ampère on Hoffmann; in 1829 a large number of the fantastic stories appeared in translation, and were received with great interest, and in the same year the publication of a collected edition was begun.

It is unnecessary to follow the theorizing of Ampère, Nodier, Gautier, and others on the exact nature of the fantastic; but it is well to note that Ampère, and other critics after him, laid considerable stress on an aspect of Hoffmann's work which largely accounts for its acceptability to the rational French mind: it was, in the phrase of Ampère, the "merveilleux naturel." Extraordinary phenomena were introduced in realistic settings and in connection with everyday characters, in such a way that the credulity of the reader was completely enlisted.

Gautier's debt to Hoffmann is clear. At the age of nineteen he expressed in an article his admiration for the German; and throughout his fantastic writings there is the evidence both of resemblance and of direct allusion. The impression Gautier wished to produce in his fantastic stories is revealed in a phrase of his *Arria Marcella*: he speaks of "le simple récit d'une aventure bizarre et peu croyable, quoique vraie." In his stories he gives us events that are indeed "peu croyables;" but he also takes great care that they be acceptable to the reader for the purposes of the story. The dream technique is one of his favorite methods of securing this result, as in *Le Pied de momie* (the story reproduced in this collection), *La Pipe d'opium, Le Club des hachichins, La Cafetière,* and others. Obviously, anything can happen if it is passed off as a dream, either natural or induced by wine, opium, or hashish; or as a hallucination, as in *Arria Marcella,* where the resuscitation of Pompei is explained by a self-hypnosis, resulting from the brooding of the

[3] For Hoffmann in France, see two articles by Marcel Breuillac, *Revue d'histoire littéraire de la France,* 1906, p. 427; 1907, p. 74.

hero over the ruins of the city. But there sometimes remains some slight point unexplained, which leaves the reader in a state of doubt and musing, and which greatly adds to the power of the story. In *Le Pied de momie* the whole episode seems to be satisfactorily and completely explained as a dream, when suddenly, at the very end, doubt is reawakened by the discovery that the mummy's foot has disappeared and has been replaced by the amulet which in the dream Hermonthis gave to the author. Incidentally, by this turn Gautier achieves the surprise ending so beloved of O. Henry and so valued by other American writers of short stories.

Another means by which Gautier touches upon the wholly incredible without falling into the absurd is the lightness of his manner. There is, not precisely humor, but a certain absence of seriousness, a touch of *blague*, in his narration which forestalls the ridicule of the reader. In the old curiosity dealer of *Le Pied de momie*—an excellent fantastic figure of the Hoffmann type, by the way—he wishes to suggest something sinister and supernatural. The old wizard seems to have some curious private joke about the daughter of Pharaoh, and in the dream we are told that he wished to marry the princess; but all this is quite incredible, and the author knows it. He therefore hastens to make fun of his own hints: "Vous en parlez comme si vous étiez son contemporain [de Pharaon]; quoique vieux, vous ne remontez cependant pas aux pyramides d'Égypte." The fantastic suggestion remains, but it is protected against ridicule. Again, there is something deliberately ludicrous in the consternation of Xixouthros at learning the author's paltry age of twenty-seven, as compared with his daughter's thirty centuries: "Si tu avais seulement deux mille ans. . . . je t'accorderais bien volontiers la princesse, mais la disproportion est trop forte, et puis il faut à nos filles des maris qui durent, vous ne savez plus vous conserver." Several other touches of the same sort can be observed in this story.

The theme of phantom love, lightly treated in *Le Pied de momie*, is a favorite fantastic element in Gautier, and recurs in *Omphale, La Pipe d'opium, La Toison d'or, La Morte amoureuse,* and *Spirite.*

Two characteristics of Gautier's style should be noted: its abundance of exotic, semi-technical, and other unfamiliar words; and its remarkable pictorial and plastic qualities. In his prose and in his verse Gautier was still busily painting pictures; he himself confessed: "Par suite d'une première éducation et d'un sens particulier, nous sommes plutôt plastique que littéraire." Only rarely did he venture into psychological analysis, and then ineffectively; and his character delineation was practically non-existent.

Le Pied de momie was first published in the *Musée des familles* in September, 1840, a date at which the influence of Edgar Allan

Poe on the technique of the short story in general and the fantastic tale in particular had not yet begun in France.[4] In the collaborative work of ÉMILE ERCKMANN (1822-1899) and ALEXANDRE CHATRIAN (1826-1890), however, this influence is marked. The two Alsatians began to collaborate in 1849, shortly after Poe began to be known in France, and for several years wrote chiefly in the fantastic vein. *L'Esquisse mystérieuse,* included in this collection, appeared in *Contes fantastiques* in 1860.

Erckmann-Chatrian followed the precepts of Poe in the logical and climactic development of their plots; and as for the character of their fantastic material, it is well described by the term "miraculeux scientifique," applied by the Goncourt brothers to the tales of Poe. The subjects of their choice dealt with that borderland of the supernatural which is inexplicable and therefore terrifying, but which is generally admitted to be possible and seems capable of ultimate scientific explanation; such as dual personality, thought transference, the powers of suggestion, and the like. As in Poe, the emotions of fear, suspense, and horror are elaborated with great care and skill.

At the same time, Erckmann-Chatrian retained in the characters, background, and general atmosphere of their stories much of the weird atmosphere of Hoffmann. Typically they give us a setting that is at once realistic and poetic: a quiet German village, neat and well-kept, with children playing in the open, chickens pecking here and there in the streets, placid women sewing and humming songs on their thresholds. There are simple-hearted musicians and artists, barmaids, humorously sketched figures of burgomasters and tavern hosts. But beneath the tranquil and friendly appearances there is a suggestion of superstitious horror: an old witch with a baleful eye, a sinister street where a stranger has hanged himself beneath the overhanging superstructure of an old house, a highly respected citizen who is seized by night with a hideous blood lust and crawls like a cat over steep roofs and in through attic windows.

The combination of the technique of Poe with the atmosphere of Hoffmann results in a story that is rapidly moving, exciting, credible, and richly atmospheric. Erckmann-Chatrian may have written their fantastic tales by formula, but it was an exceedingly good formula.

ALPHONSE DAUDET (1840-1897) was a writer of totally different stamp. A *Méridional* by birth, and a poet by temperament, he came to Paris at the age of seventeen to try his literary fortunes. A volume of graceful but tenuous verse (*Les Amoureuses,* 1858)

[4] For Poe in France, see C. P. Cambiaire, *The Influence of Edgar Allan Poe in France,* N. Y. 1927.

brought him no success; but his series of stories *Lettres de mon moulin*, written from a retreat in Provence, and first published in the Paris newspaper *L'Événement* in 1866, brought him sudden popularity. *Tartarin de Tarascon* (1872), an amiable satire of his fellow countrymen of the south of France, and *Contes du lundi* (1873), a collection of stories chiefly concerning the Franco-Prussian war, added to his reputation.

In Paris Daudet became associated with the Naturalists, a group of novelists who aspired to a fiction more scientific than Realism. Observation was not enough for them; documentation and scientific method were required. Interpretation of observations was not the novelist's function; rather, he should perform scientific experiments upon his materials. The subjects of the Naturalists tended to be sordid, and their manner brutal and pessimistic.

Daudet, although he strove to write novels after the Naturalist pattern, was not at heart a Naturalist. *Fromont jeune et Risler aîné, Le Nabab, Sapho, L'Évangéliste,* are interesting and powerful novels, but the credit is due to Daudet himself more than to the half-heartedly followed system. Throughout his writings two manners are clearly evident: the one highly personal, humorous and pathetic by turns, fanciful, poetic; the other serious and objective. The first is the manner of the *Lettres de mon moulin*, the *Tartarin* series, and some of the *Contes du lundi*; the other, that of the Naturalist novels and some short stories. In the earlier of his Naturalist novels he made some attempt to blend the two manners, and to relieve the dark progress of a tragic story by the insertion of whimsical chapters; but the effort was not wholly successful, and in his later works he kept the two manners more distinct.

The stories in this collection, both from *Contes du lundi*, form an interesting contrast. *La Partie de billard,* while it lacks the impersonal pessimism of the true Naturalist, is a bitter satire, unrelieved by a touch of humor; *La Pendule de Bougival* is also a satire, but without a grain of seriousness. The whole piece is a light-hearted bit of fooling, with gaiety and charm in every line.

This "charm" of Daudet's light manner is a quality that all critics seem to be willing to concede, but it is none the less hard to define. We note the recurrence of a humorous or sentimental motif in connection with a character: "C'est bien le cas de le dire", "les yeux noirs", (*Le Petit Chose*); the informality of the style: "Ces diables de penseurs, ça ne se brosse jamais", (*Lettres de mon moulin, Installation*); the innumerable questions and addresses to the reader, the exclamations, the apostrophes; the use of onomatopoeia: "Pan! pan!" to indicate knocking at a door or rifle fire, "cra, cra" for the scratching of a steel pen on paper, "frrt!" for the sudden flight of a group of rabbits, "hou, hou," for an owl;[5] the whimsical personifications, of a French clock in *La Pendule de Bougival*, of a coach in *La Diligence de Beaucaire*, or the attribution of human faculties to animals, as in the deliberations of birds migrating over Tarascon in *Tartarin*. Yet all this is only mechanism—if one may use so chilling a word in connection with so warm a quality; the real essence of Daudet's charm remains elusive. It seems to reside in the spirit of the writer and to overflow in his written words without consciousness of technique. The light manner of Daudet is his most individual contribution to literature; others have written strong satires and tragic novels, but *Tartarin* and *Lettres de mon moulin* remain inimitable.

ÉMILE ZOLA (1840-1902), chief of the Naturalists, was like Daudet a *Méridional* transplanted to Paris. His book on the *Roman expérimental* (1880), in which he compared the novelist to the scientist in his laboratory, was the most important expression of extreme Naturalist theory; and his series of novels in twenty volumes, *Les Rougon-Macquart, histoire naturelle et sociale d'une famille sous le second Empire*, was intended to be the practical application of his theories. Certain units of this depressing series, notably *L'Assommoir* and *Germinal*, are extraordinarily impressive novels; but as it was in the case of Daudet, the interest and the strength of Zola's work have little to do with his manifestly unsound theories. For however much he laid claim to being a scientist, Zola, once confronted with his characters and situations, was carried away by a lyricism of temperament.

Lacking in the subtlety, the wit, the delicate precision of word and phrase, of which so many great French writers have been masters, and which are so justly associated with the French genius, Zola dealt with subjects in the large. His effects are cumulative, his manner at its best epic. Mass movements, mobs, large pictures of a social class, the gradually accumulating tragedy of a sordid existence—in the handling of such themes he excels.

An author of this sort is seriously cramped in the short story. His masterly *Attaque du moulin*, published in the collection *Soirées de Médan* (1880), is a *nouvelle* of some 12,000 words, and could scarcely attain its effect in a smaller compass. Few of his other stories, most of which appeared in *Contes à Ninon* (1864) and

[5] The informal style, questions, exclamations, and onomatopoeias are characteristic of the fairy stories of Perrault and madame d'Aulnoy, which abound in "ho!", "ha! ha!", "quoi!", "çà, çà", "toc, toc", and the like. Possibly Daudet, consciously or unconsciously, was seeking to create the naïve atmosphere of the fairy story.

Nouveaux Contes à Ninon (1874), do him justice. The series of stories in this collection, *Les Quatre Journées de Jean Gourdon,* from *Nouveaux Contes à Ninon,* has sufficient continuity and extent to display some of his large qualities.

In several of his novels of the Rougon-Macquart series Zola faithfully reproduces a gutter vocabulary that requires a special dictionary; but when his subject does not call for the jargon of a class, his vocabulary and style are simple to the point of monotony. In *Les Quatre Journées* the repetition of such words as *lumière, clarté, tache (de couleur), chaleur, doux, tiède, langueur,* is conspicuous; he also affects strong color contrasts and such striking expressions as "verdures noires." But in this group of stories what might elsewhere be a fault of style becomes a virtue; for it must be remembered that the narrative is put in the mouth of an educated, but simple-hearted man of the soil, and he speaks in character. There is something movingly elemental in the stories. The warm reek of the soil and the love of the *terroir* permeate them. Large and primitive emotions are dealt with, those concerned with love, fighting, parenthood, prosperity and disaster directly at the hands of Nature, death. It is no artificial and idealized rustic idyll, but a strong picture of both the joys and the sorrows of a life dependent on the Earth. An effective climax is attained in *Hiver,* where the river, with the merciless inevitability of Nature, sweeps away what it has given. There are, perhaps, a few touches that seem unreal, such as the somewhat melodramatic apostrophes of Jean to the Durance; but as a whole the series is moving, sincere, and representative of Zola's best qualities.

FRANÇOIS COPPÉE (1842-1908) made his literary beginnings as a Parnassian poet, but quickly deserted the austere artistic ideals of that group and acquired a popularity with which true Parnassianism was inconsistent. Naturally sympathetic and emotional, he came to feel that pure art was less important than beneficial social effect. In his numerous short stories he shows unfailing grace and narrative skill, but not infrequently mars his effect by moralizing; and his fragile pastels, legends, and touching anecdotes of humble life sometimes betray the tinsel glitter of sentimentality. The stories in this collection, both from *Vingt Contes nouveaux* (1883), are of a stronger type. *La Vieille Tunique,* a battle story with a touch of the fantastic in the suggestion of posthumous revenge, is one of his most effective achievements in the short story field, and is entirely free from either sentimentality or moralizing. *Un Accident* is highly characteristic of Coppée: it uses materials that in other hands might be harrowing, it is told with great effectiveness, and yet we are left with the feeling that the murderer was just a little too noble and too touching.

GUY DE MAUPASSANT (1850-1893) is a familiar figure to English-speaking students of French literature. Handsome, active, athletic, he cut a dashing figure in Paris, in his native Normandy, and on his yacht in the Mediterranean. It was said of him that he was more gratified at being admired as a male than as a literary artist, and he himself declared that his chief objective in writing was financial success; but he will be remembered by posterity as a literary artist of the first rank in his chosen specialty, the short story.

Maupassant learned to write under the tutelage of the meticulous Flaubert, and he contributed to the Naturalist collection *Soirées de Médan*; but neither Realism, nor Naturalism, nor any other school can wholly claim him. He developed a technique and a manner that are peculiarly his own, and although he has been much imitated, he remains unsurpassed in his own line. His literary principles, developed from the counsels of Bouilhet and Flaubert, are expounded in the preface to *Pierre et Jean* (1888), one of his few novels. The writer of fiction, he says, should not attempt to portray real life photographically, but should make a selection among his observations; and in his choice he should prefer the common and the highly probable to the merely possible. It is his business to be more real than reality, to create a complete illusion of truth. "J'en conclus," he says, "que les Réalistes de talent devraient s'appeler plutôt des Illusionnistes." Complete impersonality he admits to be impossible, for to portray a character an author must put himself in that character's place, and his findings are therefore subjective; but he should conceal his ego. "L'adresse consiste à ne pas laisser reconnaître ce *moi* par le lecteur sous tous les masques divers qui nous servent à le cacher." In the matters of observation and description the patient teaching of Flaubert is particularly evident, and is freely admitted by Maupassant. In the commonest object, Flaubert claimed, there is a touch of the unknown, some slight individuality that differentiates it from all similar objects. By patient observation the author must discover this individuality, and by rigorous selection find the precise words to express it.

The fruits of his arduous apprenticeship are evident in the technical brilliance of Maupassant's stories. Frequently he opens with a description of a setting or a character, but it is no unnecessary ornament or purple patch that he gives us. It is exceedingly brief, highly individual, and precise in every word. In other stories his introduction takes the form of a discussion by a group of characters, an incident, an observation, which lead into the story proper, and which provide a theme of which the narrative is an illustration. In such stories the narration is usually put in the mouth of one of his characters, and at the conclusion there is brief comment from one or more of the listeners.

If we leave out of consideration a number of desultory stories in which he seems consciously beneath his best,[6] we may say that Maupassant's faults as a short story writer result from an excess of virtues. He is almost too perfect; only a few of his terse and bitter little masterpieces can be digested successively without a feeling of surfeit.

A rigid classification of Maupassant's ideas and the subjects of his choice would be both difficult and unprofitable, but a few general tendencies and characteristics should be observed. It is noteworthy, first of all, that, while his ideas and preferences are necessarily revealed throughout his writings, he usually keeps his own emotions strictly in the background. On the subject of war he feels so strongly that he occasionally betrays personal indignation or pity; more rarely, a victim of social injustice enlists his sympathy. But normally he presents his situations coldly, and if there is pathos or tragedy there, it is for the reader to see.

In the matter of subjects, we note first the stories of the Franco-Prussian war. Some of these are ironic or humorous, like the early *nouvelle*, *Boule de Suif*, in which mordant observation, skilfully blended with pathos and humor, plays about the character of a plump and amiable lady of easy virtue; or the frankly comic *Aventure de Walter Schnaffs*; or the satiric *Prisonniers*. *Le Père Milon* and *La Mère Sauvage* are studies of peasants confronted by the disturbing fact of the Prussian invasion, and of the acts of ferocity to which their elemental simplicity and their limited but shrewd intelligence lead them.

A class of stories which editors of school texts have, for obvious reasons, been reluctant to represent, but which are none the less characteristic of Maupassant, is that which deals outspokenly with sex. Many of these are frank *gauloiseries*, of the broadly humorous school of Paul de Kock. Fortunately for those whose conception of Maupassant is based exclusively on text books and editions "pour la jeunesse", few of these stories are really first class.

Many of Maupassant's stories may be classified as portraits of types: gnarled Norman peasants, stubborn, slow, avaricious, with a sharp eye for profit; petty clerks, with their wretchedly pinched *ménages*, their ambitious and complaining wives, their helpless weariness relieved only in the cherishing of some wholly chimeric

[6] Particularly in the collection *La Main gauche*, whose title is significant.

dream of future prosperity; simple people of various classes whose quiet and commonplace exterior conceals some powerful drama.

The ironic situation was a favorite with Maupassant. A poor bourgeois family find compensation for their poverty in dreams of the wealth which will be theirs when brother Jules returns from America; suddenly they discover him as a bedraggled oyster vendor, and their bubble bursts. A government clerk obtains a coveted invitation to a Ministry ball; his wife borrows a diamond necklace; it is lost; when all their savings and ten years of the bitterest economy have accomplished the restitution, they discover that the necklace was false. Another poor clerk treats his family to a *partie de campagne,* and shows off his horsemanship to his admiring wife and children; he runs down an old woman; she is reduced to a chronic, if somewhat questionable, invalidism, and he is obliged to support her for the rest of her days. The ironic situation is represented in this collection by *Aux Champs,* from *Contes de la bécasse* (1883).

The story of romantic love, so popular in American magazines, is a rarity among French short story writers. It is somewhat surprising, therefore, to find that Maupassant, sophisticated and disillusioned man of the world though he was, wrote several stories based on poetic and highly idealized love situations. Perhaps it was because the subject seemed unusual to him, although this would be in defiance of his own principles of realism. But Maupassant's love stories, unlike the popular American type, are nearly always concerned with the romance of unfulfilment, with "le bonheur coudoyé." It is what might have been that haunts his characters, and that leads to the sentimental retrospect in which these stories are characteristically cast.

As Maupassant's career advanced, he showed a growing tendency to desert purely exterior observation for psychological analysis, an art in which he showed himself thoroughly competent. *Un Lâche,* in this collection, a story from *Contes du jour et de la nuit* (1885), is of this type; and it is a proof of his skill in following step by step the development of fear that he is able to make plausible what seems so impossible: the suicide of a man through fear of a duel.

Other studies of fear—*La Peur, L'Auberge, Sur l'eau*—led Maupassant increasingly into the realm of the fantastic; and it is here that we are confronted with some of the most remarkable of his stories. His achievements in this class have little of the external paraphernalia of horror, but they are imbued with the most deadly sort of mental panic. There is a fearsome seriousness about the fantastic of Maupassant—never a light and relieving touch, such as we find in Gautier and Erckmann-Chatrian. *Fou?* and *Le Horla* make the reader feel an uneasy disinclination to let himself be absorbed by the author's speculations; especially is this true when he realizes that these stories are autobiographical documents in the progress of the madness in which Maupassant's life was to end.

VILLIERS DE L'ISLE-ADAM (1840-1889)—le comte Jean Marie Mathias Philippe Auguste Villiers de l'Isle-Adam, if one must have his full name—was a proud and impoverished gentleman of ancient lineage. He began to publish poetry at the age of sixteen, and later contributed to the *Revue fantaisiste* (1861) and the first *Parnasse contemporain* (1866); but it was as a prose writer, and in the decade of Maupassant's great success, that he made his most lasting mark. He had an active intellectual curiosity, a passionate love of beauty, and a no less fervent hatred of the commonplace; scorning the praise of the masses, he was appreciated in his lifetime by only a select few, and his reputation is wider today than at his death.

Many influences are to be observed in the work of Villiers de l'Isle-Adam: Flaubert with his artistry in words and his contempt for bourgeois mentality; Baudelaire with his interest in the extravagant and the morbid; the "miraculeux scientifique" and the literary theories of Poe, to whose works he was introduced by Baudelaire, and some of whose stories he could recite verbatim; the occultism of Hegel; the music of Wagner. Yet with it all he was truly original. There was in his complex nature the mystic and the cynic, the scientist and the idealist, the ironist and the romantic; but nothing banal or predictable is to be expected from his pen. He developed a remarkable prose style which the Symbolists enthusiastically claimed as their own. As might be expected, the beauties of this style are not of the obvious sort. The reader is at once struck by the abundance of unusual words, the departures from normal order, the italics, the parentheses, the suspensions, the exclamations; but from these startling materials are drawn rare harmonies and rhythms.

The titles of his short story collections are significant: *Contes cruels* (1883), *Histoires insolites* (1888), and *Nouveaux Contes cruels et Propos d'au delà* (1888). The two stories in this collection, both from *Histoires insolites*, are excellent examples of the author's delight in startling the reader, his restless search for the new and the curious, and his sardonic humor. In both is exemplified his mockery of the extravagant devotion of certain votaries of the religion of Science.

JULES LEMAÎTRE (1853-1914) was another of the supple and intellectually curious spirits that flourished in the late nineteenth century. He attained distinction as a poet, lecturer, dramatist, and short story writer, and politics and public questions also consumed a share of his time; but it is as the impressionistic critic of the *Journal des Débats* and the *Revue bleue* that he is chiefly remembered, and he himself declared that he found criticism the best medium for the expression of his ideas on books, men, and events. The lightness of his touch, his wit, his facility in the picturesque phrase, and the wide range of his interests caused him to be suspected of dilettantism; but his brilliance had a solid foundation of learning and judgment.

His versatility is shown in the diverse manners and subjects of his short stories. He told little tales of sentiment with the delicacy —perhaps excessive—of Coppée; he wrote penetrating and satiric studies of contemporary life with the objectivity of Maupassant; he retold legends with a grace that only Anatole France could surpass. The selections in this collection, from *Myrrha* (1894), are each of a different type: *L'Imagination* is a psychological and at the same time an ironic study of the power of suggestion; *Hermengarde* is a satire on the snobbishness of the poor but socially elect; and *Nausicaa* belongs to a class that may be described by the title he chose for a later collection: *En Marge des vieux livres*, in other words the elaboration of old themes, with ironic or parabolic intent.

RÉMY DE GOURMONT (1858-1915), philosopher, critic, poet, novelist, and short story writer, occupies a commanding position among the intellectuals of the late nineteenth century. An exponent and defender of Symbolism, he was not dominated by the theories and schools of his day, but ranged with disinterested and discriminating intelligence through wide fields of literature, philosophy, science, and history. Like Villiers de l'Isle-Adam he was the enemy of banality and the traditional belief, and much of his writing was directed toward what he called the "dissociation" of ideas. Yet this extreme intellectual, who lived almost wholly in books and ideas, was a worshipper of beauty in all its forms, and showed himself more respectful of instinct and the joys of the senses than of reason.

Jose et Josette (*D'un Pays lointain*, 1897), the only representative of his works in this collection, can give but the slightest idea of all that this wise and learned man stood for; but it belongs to a class of stories of which he wrote several, and which are conspicuous in Symbolist prose. It is a little parable, of the utmost simplicity of form, but filled with suggestion and impregnated with the irony so characteristic of his mind. His distaste for conventional ideas is well exemplified in his caricature of the schoolmaster who lectures the boy and girl on how to play.

The place in literature of ANATOLE FRANCE (Jacques-Anatole-François Thibault, 1844-1924) is still undetermined. He has been acclaimed as a great philosopher and a supreme artist in prose; and he has been called a flagrant plagiarist, and his vaunted style a "beau vide." It is unquestionable that a large part of his ideas and the subjects for his books is borrowed; but since all books and ideas have sources, the question of originality or the lack of it is merely a matter of the immediacy of the sources and the degree to which they are enriched and transformed by the borrower. That Anatole France did infuse his borrowed materials with his own amiably ironic viewpoint seems clear enough; and that he was a master of sonorous and rhythmic prose, of subtlety, and of wit is undeniable. Admired and venerated throughout Europe in the early years of the twentieth century, he has seen a marked decline in fame since the war, particularly in France. To what extent he will recover his position remains to be seen.

In his thinking Anatole France bears many resemblances to his contemporary Rémy de Gourmont. He has the same curiosity of mind, the same wide acquaintance with literature, history, and ideas. Like Gourmont his Voltairian intelligence is balanced by a veneration for beauty; and he has the same respect for instinct, coupled with the same distrust of reason. In impartiality and serenity of judgment Gourmont must be reckoned the superior; for Anatole France is often an ardent partisan and a determined enemy, and as such is prejudiced; there is in him an impish spirit of perverseness which leads him to delight in paradoxes and in the support of views contrary to accepted opinion, not always with sufficient regard for the merits of the case.

He wrote poetry after the model of the Parnassians, though he was not, on his own admission, essentially a poet; a few plays; impressionistic criticism—"adventures of the soul among masterpieces", he called it; personal reminiscences; history; political and social polemics; and a large amount of fiction. Most of his long works of fiction are less novels than engaging revelations of his own personality and ideas. From the rich diversity of his short stories we have three selections in this collection: one, *L'Ermitage du Jardin des Plantes,* a chapter from *Le Livre de mon ami* (1885), one of his loosely consecutive collections of semi-autobiographical fiction; the other two, from *L'Étui de Nacre* (1892). The Irony and Pity he invoked as the judges of human life are clearly evident in *L'Ermitage*; it is a characteristic specimen of his kindly wit, precision of phrase, and the inimitable tenderness and whimsicality with which he imbued his personal reminiscences. *Gestas* first appeared in *Le Temps* on April 19, 1891, under *La Vie littéraire,* and was ostensibly a review of the newly published *Bonheur* of

Paul Verlaine; but as published in *L'Étui de Nacre* it bore no indication of the identity of the character portrayed. None is really necessary, so clearly does the story, particularly in its opening paragraph, point to the master lyric poet and naïvely disreputable man. *Le Jongleur de Notre Dame* is an example of Anatole France's graceful retelling of medieval legends; in its complete simplicity there seems to be no trace of satire, not even of the gentle mockery with which he often treated similar material. It is to be noted that the opera of the same name, with words by Maurice Léna and music by Massenet, does not derive directly from the story of Anatole France, but from a common source, the old French fabliau *Del Tumbeor Nostre Dame*.[7]

As a group, the stories in this collection represent only a few of the types of the French story between 1840 and 1897. In nearly all the narrative element is strongly predominant, a statement which certainly cannot always be made of the French *conte*. But they represent some of the literary currents and some of the striking personalities of this fertile period, and offer an interesting contrast to the more standardized story of American tradition.

[7] Cf. Lévy ed. of *Œuvres complètes*, V, 481.

LE PIED DE MOMIE

Théophile Gautier

J'étais entré par désœuvrement chez un de ces marchands de curiosités dits marchands de bric-à-brac dans l'argot parisien, si parfaitement inintelligible pour le reste la France.

Vous avez sans doute jeté l'œil, à travers le carreau, dans quelques-unes de ces boutiques devenues si nombreuses depuis qu'il est de mode d'acheter des meubles anciens, et que le moindre agent de change se croit obligé d'avoir sa *chambre moyen âge*.[1]

C'est quelque chose qui tient à la fois de la boutique du ferrailleur, du magasin du tapissier, du laboratoire de l'alchimiste et de l'atelier du peintre; dans ces antres mystérieux où les volets filtrent un prudent demi-jour, ce qu'il y a de plus notoirement ancien, c'est la poussière; les toiles d'araignées y sont plus authentiques que les guipures, et le vieux poirier y est plus jeune que l'acajou arrivé hier d'Amérique.

Le magasin de mon marchand de bric-à-brac était un véritable Capharnaüm;[2] tous les siècles et tous les pays semblaient s'y être donné rendez-vous; une lampe étrusque de terre rouge posait sur une armoire de Boule,[3] aux panneaux d'ébène rayés de filaments de cuivre; une duchesse du temps de Louis XV[4] allongeait nonchalamment ses pieds de biche sous une épaisse table du règne de Louis XIII,[5] aux lourdes spirales de bois de chêne, aux sculptures entremêlées de feuillages et de chimères.

Une armure damasquinée de Milan[6] faisait miroiter dans un coin le ventre rubané de sa cuirasse; des amours et des nymphes de biscuit, des magots de la Chine, des cornets de céladon et de craquelé, des tasses de Saxe et de vieux Sèvres[7] encombraient les étagères et les encoignures.

Sur les tablettes denticulées des dressoirs, rayonnaient d'immenses plats du Japon, aux dessins rouges et bleus, relevés de hachures d'or côte à côte avec des émaux de Bernard Palissy,[8] représentant des couleuvres, des grenouilles et des lézards en relief.

Des armoires éventrées s'échappaient des cascades de lampas glacé d'argent, des flots de brocatelle criblée de grains lumineux par un oblique rayon de soleil; des portraits de toutes les époques souriaient à travers leur vernis jaune dans des cadres plus ou moins fanés.

Le marchand me suivait avec précaution dans le tortueux passage pratiqué entre les piles de meubles, abattant de la main l'essor hasardeux des basques de mon habit, surveillant mes coudes avec l'attention inquiète de l'antiquaire et de l'usurier.

C'était une singulière figure que celle du marchand: un crâne immense, poli comme un genou, entouré d'une maigre auréole de cheveux blancs que faisait ressortir plus vivement le ton saumon-clair de la peau, lui donnait un faux air de bonhomie patriarcale, corrigée, du reste, par le scintillement de deux petits yeux jaunes qui tremblotaient dans leur orbite comme deux louis d'or sur du vif-argent. La courbure du nez avait une silhouette aquiline qui rappelait le type oriental ou juif. Ses mains, maigres, fluettes, veinées, pleines de nerfs en saillie comme les cordes d'un manche à violon, onglées de griffes semblables à celles qui terminent les ailes membraneuses des chauves-souris, avaient un mouvement d'oscillation sénile, inquiétant à voir; mais ces mains agitées de tics fiévreux devenaient plus fermes que des tenailles d'acier ou des pinces de homard dès qu'elles soulevaient quelque object précieux, une coupe d'onyx, un verre de Venise[9] ou un plateau de cristal de Bohême;[10] ce vieux drôle avait un air si profondément rabbinique et cabalistique qu'on l'eût brûlé sur la mine, il y a trois siècles.[11]

"Ne m'achetez-vous rien aujourd'hui, monsieur? Voilà un kriss malais dont la lame ondule comme une flamme; regardez ces rainures pour égoutter le sang, ces dentelures pratiquées en sens inverse pour arracher les entrailles en retirant le poignard; c'est une arme féroce, d'un beau caractère et qui ferait très-bien dans votre trophée;[12] cette épée à deux mains est très-belle, elle est de Josepe de la Hera,[13] et cette cauchelimarde à coquille fenestrée, quel superbe travail!

—Non, j'ai assez d'armes et d'instruments de carnage; je voudrais une figurine, un objet quelconque qui pût me servir de serre-papier, car je ne puis souffrir tous ces bronzes de pacotille que vendent les papetiers, et qu'on retrouve invariablement sur tous les bureaux."

Le vieux gnome, furetant dans ses vieilleries, étala devant moi des bronzes antiques ou soi-disant tels, des morceaux de malachite, de petites idoles indoues ou chinoises, espèce de poussah de jade, incarnations de Brahma ou de Wishnou[14] merveilleusement propre à cet usage, assez peu divin, de tenir en place des journaux et des lettres.

J'hésitais entre un dragon de porcelaine tout constellé de verrues, la gueule ornée de crocs et de barbelures, et un petit fétiche mexicain fort abominable, représentant au naturel le dieu Witziliputzili,[15] quand j'aperçus un pied charmant que je pris d'abord pour un fragment de Vénus antique.

Il avait ces belles teintes fauves et rousses qui donnent au bronze cet aspect chaud et vivace, si préférable au ton vert-de-grisé des bronzes ordinaires qu'on prendrait volontiers pour des statues en putréfaction: des luisants satinés frissonnaient sur ses formes rondes et polies par les baisers amoureux de vingt siècles; car ce devait être un airain de Corinthe,[16] un ouvrage du meilleur temps, peut-être une fonte de Lysippe![17]

"Ce pied fera mon affaire, dis-je au marchand, qui me regarda d'un air ironique et sournois en me tendant l'objet demandé pour que je pusse l'examiner plus à mon aise."

Je fus surpris de sa légèreté; ce n'était pas un pied de métal, mais bien un pied de chair, un pied embaumé, un pied de momie: en regardant de près, l'on pouvait distinguer le grain de la peau et la gaufrure presque imperceptible imprimée par la trame des bandelettes. Les doigts étaient fins, délicats, terminés par des ongles parfaits, purs et transparents comme des agathes; le pouce, un peu séparé, contrariait heureusement le plan des autres doigts à la manière antique, et lui donnait une attitude dégagée, une sveltesse de pied d'oiseau; la plante, à peine rayée de quelques hachures invisibles, montrait qu'elle n'avait jamais touché la terre, et ne s'était trouvée en contact qu'avec les plus fines nattes de roseaux du Nil et les plus moelleux tapis de peaux de panthères.

"Ha! ha! vous voulez le pied de la princesse Hermonthis,[18] dit le marchand avec un ricanement étrange, en fixant sur moi ses yeux de hibou: ha! ha! ha! pour un serre-papier! idée originale, idée d'artiste; qui aurait dit au vieux Pharaon que le pied de sa fille adorée servirait de serre-papier l'aurait bien surpris, lorsqu'il faisait creuser une montagne de granit pour y mettre le triple cercueil peint et doré, tout couvert d'hiéroglyphes avec de belles peintures du jugement des âmes, ajouta à demi-voix et comme se parlant à lui-même le petit marchand singulier.

—Combien me vendrez-vous ce fragment de momie?

—Ah! le plus cher que je pourrai, car c'est un morceau superbe; si j'avais le pendant, vous ne l'auriez pas à moins de cinq cents francs: la fille d'un Pharaon, rien n'est plus rare.

—Assurément cela n'est pas commun; mais enfin combien en voulez-vous? D'abord je vous avertis d'une chose, c'est que je ne possède pour trésor que cinq louis;—j'achèterai tout ce qui coûtera cinq louis, mais rien de plus.

"Vous scruteriez les arrière-poches de mes gilets, et mes tiroirs les plus intimes, que vous n'y trouveriez pas seulement un misérable tigre à cinq griffes.

—Cinq louis le pied de la princesse Hermonthis, c'est bien peu, très-peu en vérité, un pied authentique, dit le marchand en hochant la tête et en imprimant à ses prunelles un mouvement rotatoire.

"Allons, prenez-le, et je vous donne l'enveloppe par dessus le marché, ajouta-t-il en le roulant dans un vieux lambeau de damas; très-beau, damas véritable, damas des Indes, qui n'a jamais été reteint; c'est fort, c'est moelleux," marmottait-il en promenant ses doigts sur le tissu éraillé par un reste d'habitude commerciale qui lui faisait vanter un objet de si peu de valeur qu'il le jugeait lui-même digne d'être donné.

Il coula les pièces d'or dans une espèce d'aumônière moyen âge pendant à sa ceinture, en répétant:

"Le pied de la princess Hermonthis servir de serre-papier!"

Puis, arrêtant sur moi ses prunelles phosphoriques, il me dit avec une voix stridente comme le miaulement d'un chat qui vient d'avaler une arête:

"Le vieux Pharaon ne sera pas content, il aimait sa fille, ce cher homme.

—Vous en parlez comme si vous étiez son contemporain; quoique vieux, vous ne remontez cependant pas aux pyramides d'Égypte, lui répondis-je en riant du seuil de la boutique."

Je rentrai chez moi fort content de mon acquisition.

Pour la mettre tout de suite à profit, je posai le pied de la divine princesse Hermonthis sur une liasse de papier, ébauche de vers, mosaïque indéchiffrable de ratures: articles commencés, lettres oubliées et mises à la poste dans le tiroir, erreur qui arrive souvent aux gens distraits; l'effet était charmant, bizarre et romantique.[19]

Très-satisfait de cet embellissement, je descendis dans la rue, et j'allais me promener avec la gravité convenable et la fierté d'un homme qui a sur tous les passants qu'il coudoie l'avantage ineffable de posséder un morceau de la princesse Hermonthis, fille de Pharaon.

Je trouvai souverainement ridicules tous ceux qui ne possédaient pas, comme moi, un serre-papier aussi notoirement égyptien; et la vraie occupation d'un homme sensé me paraissait d'avoir un pied de momie sur son bureau.

Heureusement la rencontre de quelques amis vint me distraire de mon engouement de récent acquéreur; je m'en allai dîner avec eux, car il m'eût été difficile de dîner avec moi.

Quand je revins le soir, le cerveau marbré de quelques veines de gris de perle,[20] une vague bouffée de parfum oriental me chatouilla délicatement l'appareil olfactif; la chaleur de la chambre avait attiédi le natrum, le bitume et la myrrhe dans lesquels les *paraschites* inciseurs de cadavres avaient baigné le corps de la princesse; c'était un parfum doux quoique pénétrant, un parfum que quatre mille ans n'avaient pu faire évaporer.

Le rêve de l'Égypte était l'éternité: ses odeurs ont la solidité du granit, et durent autant.

Je bus bientôt à pleines gorgées dans la coupe noire du sommeil; pendant une heure ou deux tout resta opaque, l'oubli et le néant m'inondaient de leurs vagues sombres.

Cependant mon obscurité intellectuelle s'éclaira, les songes commencèrent à m'effleurer de leur vol silencieux.

Les yeux de mon âme s'ouvrirent, et je vis ma chambre

telle qu'elle était effectivement; j'aurais pu me croire éveillé, mais une vague perception me disait que je dormais et qu'il allait se passer quelque chose de bizarre.

L'odeur de la myrrhe avait augmenté d'intensité, et je sentais un léger mal de tête que j'attribuais fort raisonnablement à quelques verres de vin de Champagne que nous avions bus aux dieux inconnus et à nos succès futurs.

Je regardais dans ma chambre avec un sentiment d'attente que rien ne justifiait; les meubles étaient parfaitement en place, la lampe brûlait sur la console, doucement estompée par la blancheur laiteuse de son globe de cristal dépoli; les aquarelles miroitaient sous leur verre de Bohême; les rideaux pendaient languissamment: tout avait l'air endormi et tranquille.

Cependant, au bout de quelques instants, cet intérieur si calme parut se troubler, les boiseries craquaient furtivement; la bûche enfouie sous la cendre lançait tout à coup un jet de gaz bleu, et les disques des patères semblaient des yeux de métal attentifs comme moi aux choses qui allaient se passer.

Ma vue se porta par hasard vers la table sur laquelle j'avais posé le pied de la princesse Hermonthis.

Au lieu d'être immobile comme il convient à un pied embaumé depuis quatre mille ans, il s'agitait, se contractait et sautillait sur les papiers comme une grenouille effarée: on l'aurait cru en contact avec une pile voltaïque; j'entendais fort distinctement le bruit sec que produisait son petit talon, dur comme un sabot de gazelle.

J'étais assez mécontent de mon acquisition, aimant les serre-papiers sédentaires et trouvant peu naturel de voir les pieds se promener sans jambes, et je commençais à éprouver quelque chose qui ressemblait fort à de la frayeur.

Tout à coup je vis remuer le pli d'un de mes rideaux, et j'entendis un piétinement comme d'une personne qui sauterait à cloche-pied. Je dois avouer que j'eus chaud et froid alternativement; que je sentais un vent inconnu me souffler dans le dos, et que mes cheveux firent sauter, en se redressant, ma coiffure de nuit à deux ou trois pas.

Les rideaux s'entr'ouvrirent, et je vis s'avancer la figure la plus étrange qu'on puisse imaginer.

C'était une jeune fille, café au lait très foncé, comme la bayadère Amani,[21] d'une beauté parfaite et rappelant le type égyptien le plus pur; elle avait des yeux taillés en amande avec des coins relevés et des sourcils tellement noirs qu'ils paraissaient bleus, son nez était d'une coupe délicate, presque grecque pour la finesse, et l'on aurait pu la prendre pour une statue de bronze de Corinthe, si la proéminence des pommettes et l'épanouissement un peu africain de la bouche n'eussent fait reconnaître, à n'en pas douter, la race hiéroglyphique des bords du Nil.

Ses bras minces et tournés en fuseau, comme ceux des très-jeunes filles, étaient cerclés d'espèces d'emprises de métal et de tours de verroterie; ses cheveux étaient nattés en cordelettes, et sur sa poitrine pendait une idole en pâte verte que son fouet à sept branches faisait reconnaître pour l'Isis,[22] conductrice des âmes; une plaque d'or scintillait à son front, et quelques traces de fard perçaient sous les teintes de cuivre de ses joues.

Quant à son costume il était très-étrange.

Figurez-vous un pagne de bandelettes chamarrées d'hiéroglyphes noirs et rouges, empesés de bitume et qui semblaient appartenir à une momie fraîchement démaillotée.

Par un de ces sauts de pensée si fréquents dans les rêves, j'entendis la voix fausse et enrouée du marchand de bric-à-brac, qui répétait, comme un refrain monotone, la phrase qu'il avait dite dans sa boutique avec une intonation si énigmatique:

"Le vieux Pharaon ne sera pas content; il aimait beaucoup sa fille, ce cher homme."

Particularité étrange et qui ne me rassura guère, l'apparition n'avait qu'un seul pied, l'autre jambe était rompue à la cheville.

Elle se dirigea vers la table où le pied de momie s'agitait et frétillait avec un redoublement de vitesse. Arrivée là, elle s'appuya sur le rebord, et je vis une larme germer et perler dans ses yeux.

Quoiqu'elle ne parlât pas, je discernais clairement sa pensée: elle regardait le pied, car c'était bien le sien, avec une expression de tristesse coquette d'une grâce infinie; mais le pied sautait et courait çà et là comme s'il eût été poussé par des ressorts d'acier.

Deux ou trois fois elle étendit sa main pour le saisir, mais elle n'y réussit pas.

Alors s'établit entre la princesse Hermonthis et son pied, qui paraissait doué d'une vie à part, un dialogue très-bizarre dans un cophte très-ancien, tel qu'on pouvait le parler, il y a une trentaine de siècles, dans les syringes du pays de Ser:[23] heureusement que cette nuit-là je savais le cophte en perfection.

La princesse Hermonthis disait d'un ton de voix doux et vibrant comme une clochette de cristal:

"Eh bien! mon cher petit pied, vous me fuyez toujours, j'avais pourtant bien soin de vous. Je vous baignais d'eau parfumée, dans un bassin d'albâtre; je polissais votre talon avec la pierre-ponce trempée d'huile de palmes, vos ongles étaient coupés avec des pinces d'or et polis avec de la dent d'hippopotame, j'avais soin de choisir pour vous des thabebs brodés et peints à pointes recourbées, qui faisaient l'envie de toutes les jeunes filles de l'Égypte; vous aviez à votre orteil des bagues représentant le scarabée sacré, et vous portiez un des corps les plus légers que puisse souhaiter un pied paresseux."

Le pied répondit d'un ton boudeur et chagrin:

"Vous savez bien que je ne m'appartiens plus, j'ai été

acheté et payé; le vieux marchand savait bien ce qu'il faisait, il vous en veut toujours d'avoir refusé de l'épouser; c'est un tour qu'il vous a joué.

"L'Arabe qui a forcé votre cercueil royal dans le puits souterrain de la nécropole de Thèbes[24] était envoyé par lui, il voulait vous empêcher d'aller à la réunion des peuples ténébreux, dans les cités inférieures. Avez-vous cinq pièces d'or pour me racheter?

—Hélas! non. Mes pierreries, mes anneaux, mes bourses d'or et d'argent, tout m'a été volé, répondit la princesse Hermonthis avec un soupir.

—Princesse, m'écriai-je alors, je n'ai jamais retenu injustement le pied de personne: bien que vous n'ayez pas les cinq louis qu'il m'a coûté, je vous le rends de bonne grâce; je serais désespéré de rendre boiteuse une aussi aimable personne que la princesse Hermonthis."

Je débitai ce discours d'un ton régence et troubadour[25] qui dut surprendre la belle Égyptienne.

Elle tourna vers moi un regard chargé de reconnaissance, et ses yeux s'illuminèrent de lueurs bleuâtres.

Elle prit son pied, qui, cette fois, se laissa faire, comme une femme qui va mettre son brodequin, et l'ajusta à sa jambe avec beaucoup d'adresse.

Cette opération terminée, elle fit deux ou trois pas dans la chambre, comme pour s'assurer qu'elle n'était réellement plus boiteuse.

"Ah! comme mon père va être content, lui qui était si désolé de ma mutilation, et qui avait, dès le jour de ma naissance, mis un peuple tout entier à l'ouvrage pour me creuser un tombeau si profond qu'il pût me conserver intacte jusqu'au jour suprême où les âmes doivent être pesées dans les balances de l'Amenthi.[26]

"Venez avec moi chez mon père, il vous recevra bien, vous m'avez rendu mon pied."

Je trouvai cette proposition toute naturelle; j'endossai

une robe de chambre à grands ramages, qui me donnait un air très-pharaonesque; je chaussai à la hâte des babouches turques, et je dis à la princesse Hermonthis que j'étais prêt à la suivre.

Hermonthis, avant de partir, détacha de son col la petite figurine de pâte verte et la posa sur les feuilles éparses qui couvraient la table.

"Il est bien juste, dit-elle en souriant, que je remplace votre serre-papier."

Elle me tendit sa main, qui était douce et froide comme une peau de couleuvre, et nos partimes.

Nous filâmes pendant quelque temps avec la rapidité de la flèche dans un milieu fluide et grisâtre, où des silhouettes à peine ébauchées passaient à droite et à gauche.

Un instant, nous ne vîmes que l'eau et le ciel.

Quelques minutes après, des obélisques commencèrent à pointer, des pylônes, des rampes côtoyées de sphinx se dessinèrent à l'horizon.

Nous étions arrivés.

La princesse me conduisit devant une montagne de granit rose, où se trouvait une ouverture étroite et basse qu'il eût été difficile de distinguer des fissures de la pierre si deux stèles bariolées de sculptures ne l'eussent fait reconnaître.

Hermonthis alluma une torche et se mit à marcher devant moi.

C'étaient des corridors taillés dans le roc vif; les murs, couverts de panneaux d'hiéroglyphes et de processions allégoriques, avaient dû occuper des milliers de bras pendant des milliers d'années; ces corridors, d'une longueur interminable, aboutissaient à des chambres carrées, au milieu desquelles étaient pratiqués des puits, où nous descendions au moyen de crampons ou d'escaliers en spirale; ces puits nous conduisaient dans d'autres chambres, d'où partaient d'autres corridors également bigarrés d'éperviers, de serpents roulés en cercle, de tau, de pedum, de bari mystiques, prodigieux travail que nul œil ne devait voir, interminables légendes de granit que les morts avaient seuls le temps de lire pendant l'éternité.

Enfin nous débouchâmes dans une salle si vaste, si énorme, si démesurée, que l'on ne pouvait en apercevoir les bornes ; à perte de vue s'étendaient des files de colonnes monstrueuses entre lesquelles tremblotaient de livides étoiles de lumière jaune: ces points brillants révélaient des profondeurs incalculables.

La princesse Hermonthis me tenait toujours par la main et saluait gracieusement les momies de sa connaissance.

Mes yeux s'accoutumaient à ce demi-jour crépusculaire, et commençaient à discerner les objets.

Je vis, assis sur des trônes, les rois des races souterraines: c'étaient de grands vieillards secs, ridés, parcheminés, noirs de naphte et de bitume, coiffés de pschents d'or, bardés de pectoraux et de hausse-cols, constellés de pierreries avec des yeux d'une fixité de sphinx et de longues barbes blanchies par la neige des siècles: derrière eux, leurs peuples embaumés se tenaient debout dans les poses roides et contraintes de l'art égyptien, gardant éternellement l'attitude prescrite par le codex hiératique; derrière les peuples miaulaient, battaient de l'aile et ricanaient les chats, les ibis et les crocodiles contemporains, rendus plus monstrueux encore par leur emmaillotage de bandelettes.

Tous les Pharaons étaient là, Chéops, Chephrenès, Psammetichus, Sésostris, Amenoteph; tous les noirs dominateurs des pyramides et des syringes ; sur une estrade plus élevée siégeaient le roi Chronos et Xixouthros, qui fut contemporain du déluge, et Tubal Caïn,[27] qui le précéda.

La barbe du roi Xixouthros avait tellement poussé

qu'elle avait déjà fait sept fois le tour de la table de granit sur laquelle il s'appuyait tout rêveur et tout somnolent.

Plus loin, dans une vapeur poussiéreuse, à travers le brouillard des éternités, je distinguais vaguement les soixante-douze rois préadamites avec leurs soixante-douze peuples à jamais disparus.

Après m'avoir laissé quelques minutes pour jouir de ce spectacle vertigineux, la princesse Hermonthis me présenta au Pharaon son père, qui me fit un signe de tête fort majestueux.

"J'ai retrouvé mon pied! j'ai retrouvé mon pied! criait la petite princesse en frappant ses petites mains l'une contre l'autre avec tous les signes d'une joie folle, c'est monsieur qui me l'a rendu."

Les races de Kemé,[28] les races de Nahasi, toutes les nations noires, bronzées, cuivrées, répétaient en chœur:

"La princesse Hermonthis a retrouvé son pied!"

Xixouthros lui même s'en émut.

Il souleva sa paupière appesantie, passa ses doigts dans sa moustache, et laissa tomber sur moi son regard chargé de siècles.

"Par Oms, chien des enfers, et par Tmei, fille du Soleil et de la Vérité,[29] voilà un brave et digne garçon, dit le Pharaon en étendant vers moi son sceptre terminé par une fleur de lotus.

"Que veux-tu pour ta récompense?"

Fort de cette audace que donnent les rêves, où rien ne paraît impossible, je lui demandai la main d'Hermonthis. La main pour le pied me paraissait une récompense antithétique d'assez bon goût.

Le Pharaon ouvrit tout grands ses yeux de verre, surpris de ma plaisanterie et de ma demande.

"De quel pays es-tu et quel est ton âge?

—Je suis Français, et j'ai vingt-sept ans, vénérable Pharaon.

—Vingt-sept ans! et il veut épouser la princesse Hermonthis, qui a trente siècles! s'écrièrent à la fois tous les trônes et tous les cercles de nations."

Hermonthis seule ne parut pas trouver ma requête inconvenante.

"Si tu avais seulement deux mille ans, reprit le vieux roi, je t'accorderais bien volontiers la princesse, mais la disproportion est trop forte, et puis il faut à nos filles des maris qui durent, vous ne savez plus vous conserver: les derniers qu'on a apportés il y a quinze siècles à peine, ne sont plus qu'une pincée de cendre; regarde, ma chair est dure comme du basalte, mes os sont des barres d'acier.

"J'assisterai au dernier jour du monde avec le corps et la figure que j'avais de mon vivant; ma fille Hermonthis durera plus qu'une statue de bronze.

"Alors le vent aura dispersé le dernier grain de ta poussière, et Isis elle-même, qui sut retrouver les morceaux d'Osiris,[30] serait embarrassée de recomposer ton être.

"Regarde comme je suis vigoureux encore et comme mes bras tiennent bien," dit-il en me secouant la main à l'anglaise, de manière à me couper les doigts avec mes bagues.

Il me serra si fort que je m'éveillai, et j'aperçus mon ami Alfred qui me tirait par le bras et me secouait pour me faire lever.

"Ah çà! enragé dormeur, faudra-t-il te faire porter au milieu de la rue et te tirer un feu d'artifice aux oreilles?

"Il est plus de midi, tu ne te rappelles donc pas que tu m'avais promis de venir me prendre pour aller voir les tableaux espagnols de M. Aguado?[31]

—Mon Dieu! je n'y pensais plus, répondis-je en m'habillant; nous allons y aller: j'ai la permission ici sur mon bureau."

Je m'avançai effectivement pour la prendre; mais jugez de mon étonnement lorsque à la place du pied de momie que j'avais acheté la veille, je vis la petite figurine de pâte verte mise à sa place par la princesse Hermonthis!

L'ESQUISSE MYSTÉRIEUSE

Erckmann-Chatrian

I

En face de la chapelle de Saint-Sébalt, à Nuremberg,[1] s'élève une petite auberge, étroite et haute, le pignon dentelé, les vitres poudreuses, le toit surmonté d'une Vierge en plâtre. C'est là que j'ai passé les plus tristes jours de ma vie. J'étais allé à Nuremberg pour étudier les vieux maîtres allemands; mais, faute d'espèces sonnantes, il me fallut faire des portraits . . . . et quels portraits! De grosses commères, leur chat sur les genoux, des échevins en perruque, des bourgmestres en tricorne, le tout enluminé d'ocre et de vermillon à plein godet.

Des portraits je descendis aux croquis, et des croquis aux silhouettes.

Rien de pitoyable comme d'avoir constamment sur le dos un maître d'hôtel, les lèvres pincées, la voix criarde, l'air impudent, qui vient vous dire chaque jour: "Ah! çà! me payerez vous bientôt, monsieur? savez-vous à combien se monte votre note? Non, cela ne vous inquiète pas. . . . Monsieur mange, boit et dort tranquillement. . . . Aux petits oiseaux le Seigneur donne la pâture. La note de Monsieur se monte à deux cents florins et dix kreutzer . . . . ce n'est pas la peine qu'on en parle."

Ceux qui n'ont pas entendu chanter cette gamme, ne peuvent s'en faire une idée; l'amour de l'art, l'imagination, l'enthousiasme sacré du beau se dessèchent au souffle d'un pareil drôle. . . . Vous devenez gauche, timide; toute votre énergie se perd, aussi bien que le sentiment de votre dignité personnelle, et vous saluez de loin, respectueusement, M. le bourgmestre Schnéegans!

Une nuit, n'ayant pas le sou, comme d'habitude, et menacé de la prison par ce digne maître Rap, je résolus de lui faire banqueroute en me coupant la gorge. Dans cette agréable pensée, assis sur mon grabat en face de la fenêtre, je me livrais à mille réflexions philosophiques, plus ou moins réjouissantes. . . . Je n'osais ouvrir mon rasoir, de peur que la force invincible de ma logique ne m'inspirât le courage d'en finir. Après avoir bien argumenté de la sorte, je soufflai ma chandelle, renvoyant la suite au lendemain.

Cet abominable Rap m'avait complètement abruti. Je ne voyais plus, en fait d'art, que des silhouettes, et mon seul désir était d'avoir de l'argent, pour me débarrasser de son odieuse présence. Mais cette nuit-là, il se fit une singulière révolution dans mon esprit. Je m'éveillai vers une heure, je rallumai ma lampe, et, m'enveloppant de ma souquenille grise, je jetai sur le papier une rapide esquisse dans le genre hollandais . . . . quelque chose d'étrange, de bizarre, et qui n'avait aucun rapport avec mes conceptions habituelles.

Figurez-vous une cour sombre, encaissée entre de hautes murailles décrépites. . . . Ces murailles sont garnies de crocs, à sept ou huit pieds du sol. On devine, au premier aspect, une boucherie.

A gauche s'étend un treillage en lattes; vous apercevez à travers, un bœuf écartelé, suspendu à la voûte par d'énormes poulies. De larges mares de sang coulent sur les dalles et vont se réunir dans une rigole pleine de débris informes.

La lumière vient de haut, entre les cheminées, dont les girouettes se découpent dans un angle du ciel grand comme la main, et les toits des maisons voisines échafaudent vigoureusement leurs ombres d'étage en étage.

Au fond de ce réduit se trouve un hangar . . . . sous

le hangar un bûcher, sur le bûcher des échelles, quelques bottes de paille, des paquets de corde, une cage à poules et une vieille cabane à lapins hors de service.

Comment ces détails hétéroclites s'offraient-ils à mon imagination? . . . . Je l'ignore; je n'avais nulle réminiscence analogue, et pourtant, chaque coup de crayon était un fait d'observation fantastique à force d'être vrai. Rien n'y manquait!

Mais à droite, un coin de l'esquisse restait blanc . . . . je ne savais qu'y mettre. . . . Là quelque chose s'agitait, se mouvait. . . . Tout à coup j'y vis un pied, un pied renversé, détaché du sol. Malgré cette position improbable, je suivis l'inspiration sans me rendre compte de ma propre pensée. Ce pied aboutit à une jambe . . . . sur la jambe, étendue avec effort, flotta bientôt un pan de robe. . . . Bref, une vieille femme, hâve, défaite, échevelée, apparut successivement, renversée au bord d'un puits, et luttant contre un poing qui lui serrait la gorge. . . .

C'était une scène de meurtre que je dessinais. Le crayon me tomba de la main.

Cette femme, dans l'attitude la plus hardie, les reins pliés sur la margelle du puits, la face contractée par la terreur, les deux mains crispées au bras du meurtrier, me faisait peur. . . . Je n'osais la regarder. Mais l'homme, lui, le personnage de ce bras, je ne le voyais pas. . . . Il me fut impossible de le terminer.

"Je suis fatigué, me dis-je, le front baigné de sueur, il ne me reste que cette figure à faire, je terminerai demain. . . . Ce sera facile."

Et je me recouchai, tout effrayé de ma vision. Cinq minutes après je dormais profondément.

Le lendemain j'étais debout au petit jour. Je venais de m'habiller, et je m'apprêtais à reprendre l'œuvre interrompue, quand deux petits coups retentirent à la porte.

"Entrez!"

La porte s'ouvrit. Un homme déjà vieux, grand, maigre,

vêtu de noir, apparut sur le seuil. La physionomie de cet homme, ses yeux rapprochés, son grand nez en bec d'aigle surmonté d'un front large, osseux, avait quelque chose de sévère. Il me salua gravement.

"M. Christian Vénius, le peintre? dit-il.

—C'est moi, monsieur."

Il s'inclina de nouveau, ajoutant:

"Le baron Frédéric Van Spreckdal."

L'apparition, dans mon pauvre taudis, du riche amateur Van Spreckdal, juge au tribunal criminel, m'impressionna vivement. Je ne pus m'empêcher de jeter un coup d'œil dérobé sur mes vieux meubles vermoulus, sur mes tapisseries humides et sur mon plancher poudreux. Je me sentais humilié d'un tel délabrement . . . . mais Van Spreckdal ne parut pas faire attention à ces détails, et s'asseyant devant ma petite table:

"Maître Vénius, reprit-il, je viens. . . ."

Mais, au même instant, ses yeux s'arrêtèrent sur l'esquisse inachevée . . . . il ne termina point sa phrase. Je m'étais assis au bord du grabat, et l'attention subite que ce personnage accordait à l'une de mes productions, faisait battre mon cœur d'une appréhension indéfinissable.

Au bout d'une minute, Van Spreckdal levant la tête:

"Êtes-vous l'auteur de cette esquisse? me dit-il le regard attentif.

—Oui, monsieur.

—Quel en est le prix?

—Je ne vends pas mes esquisses. . . . C'est le projet d'un tableau.

—Ah!" fit-il, en levant le papier du bout de ses longs doigts jaunes.

Il sortit une lentille de son gilet, et se mit à étudier le dessin en silence.

Le soleil arrivait alors obliquement dans la mansarde. Van Spreckdal ne murmurait pas un mot; son grand nez se recourbait en griffe, ses larges sourcils se contractaient, et son menton, se relevant en galoche, creusait mille petites rides dans ses longues joues maigres. Le silence était si profond que j'entendais distinctement le bourdonnement plaintif d'une mouche, prise dans une toile d'araignée.

"Et les dimensions de ce tableau, maître Vénius? fit-il enfin sans me regarder.

—Trois pieds sur quatre.

—Le prix?

—Cinquante ducats."

Van Spreckdal déposa le dessin sur la table, et tira de sa poche une longue bourse de soie verte, allongée en forme de poire; il en fit glisser les anneaux. . . .

"Cinquante ducats! dit il, les voilà."

J'eus un éblouissement.

Le baron s'était levé, il me salua, et j'entendis sa grande canne à pomme d'ivoire résonner sur chaque marche jusqu'au bas de l'escalier. Alors, revenu de ma stupeur, je me rappelai tout à coup que je ne l'avais pas remercié, et je descendis les cinq étages comme la foudre; mais, arrivé sur le seuil, j'eus beau regarder à droite et à gauche, la rue était déserte.

"Tiens! me dis-je, c'est drôle! . . . ."

Et je remontai l'escalier tout haletant.

II

La manière surprenante dont Van Spreckdal venait de m'apparaître me jetait dans une profonde extase: "Hier, me disais-je en contemplant la pile de ducats étincelant au soleil, hier je formais le dessein coupable de me couper la gorge, pour quelques misérables florins, et voilà qu'aujourd'hui la fortune me tombe des nues. . . . Décidément, j'ai bien fait de ne pas ouvrir mon rasoir, et si jamais la tentation d'en finir me reprend, j'aurai soin de remettre la chose au lendemain."

Après ces réflexions judicieuses, je m'assis pour terminer l'esquisse; quatre coups de crayon, et c'était[2] une affaire faite. Mais ici m'attendait une déception incompréhensible. Ces quatre coups de crayon, il me fut impossible de les donner; j'avais perdu le fil de mon inspiration, le personnage mystérieux ne se dégageait pas des limbes de mon cerveau. J'avais beau l'évoquer, l'ébaucher, le reprendre; il ne s'accordait pas plus avec l'ensemble qu'une figure de Raphaël dans une tabagie de Téniers. . . .[3] J'en suais à grosses gouttes.

Au plus beau moment, Rap ouvrait la porte sans frapper, suivant sa louable habitude, ses yeux se fixèrent sur ma pile de ducats, et d'une voix glapissante il s'écria:

"Eh! eh! je vous y prends. Direz-vous encore, monsieur le peintre, que l'argent vous manque. . . ."

Et ses doigts crochus s'avancèrent avec ce tremblement nerveux que la vue de l'or produit toujours chez les avares.

Je restai stupéfait quelques secondes.

Le souvenir de toutes les avanies que m'avait infligées cet individu, son regard cupide, son sourire impudent, tout m'exaspérait. D'un seul bond je le saisis, et le repoussant des deux mains hors de la chambre, je lui aplatis le nez avec la porte.

Cela se fit avec le cric-crac et la rapidité d'une tabatière à surprises.

Mais dehors le vieil usurier poussa des cris d'aigle:

"Mon argent! voleur! mon argent!"

Les locataires sortaient de chez eux et demandaient:

"Qu'y a-t-il donc? Qu'est-ce qui se passe?"

Je rouvris brusquement la porte, et dépêchant, dans l'échine de maître Rap, un coup de pied qui le fit rouler plus de vingt marches:

"Voilà ce qui se passe!" m'écriai-je hors de moi. Puis je refermai la porte à double tour, tandis que les éclats de rire des voisins saluaient maître Rap au passage.

J'étais content de moi, je me frottais les mains. . . . Cette aventure m'avait remis en verve, je repris l'ouvrage et j'allais terminer l'esquisse lorsqu'un bruit inusité frappa mes oreilles.

Des crosses de fusil se posaient sur le pavé de la rue. . . . Je regardai par ma fenêtre et je vis trois gendarmes, la carabine au pied, le chapeau à claque de travers, en faction à la porte d'entrée.

"Ce scélérat de Rap se serait-il cassé quelque chose?" me dis-je avec effroi.

Et voyez l'étrange bizarrerie de l'esprit humain: moi qui voulais la veille me couper la gorge, je frémis jusqu'à la moelle des os, en pensant qu'on pourrait bien me pendre, si Rap était mort.

L'escalier s'emplissait de rumeurs confuses. . . . C'était une marée montante de pas sourds, de cliquetis d'armes, de paroles brèves.

Tout à coup on essaya d'ouvrir ma porte. Elle était fermée!

Alors ce fut une clameur générale.

"Au nom de la loi . . . . ouvrez!"

Je me levai, tremblant, les jambes vacillantes. . . .

"Ouvrez!" reprit la même voix.

Voyant que la fuite était impossible, je m'approchai de la porte en chancelant, et je fis jouer la serrure.

Deux poings s'abattirent sur mon collet. Un petit homme trapu qui sentait le vin, me dit:

"Je vous arrête!"

Il portait une redingote vert bouteille, boutonnée jusqu'au menton, un chapeau en tuyau de poêle . . . . il avait de gros favoris bruns . . . . des bagues à tous les doigts, et s'appelait Passauf. . . .

C'était le chef de la police.

Cinq têtes de bouledogue, à petite casquette plate, le nez en canon de pistolet, la mâchoire inférieure débordant en crocs, m'observaient du dehors.

"Que voulez-vous? demandai-je à Passauf.

—Descendez," s'écria-t-il brusquement en faisant signe à l'un de ses hommes de m'empoigner.

Celui-ci m'entraîna plus mort que vif, pendant que les autres bouleversaient ma chambre de fond en comble.

Je descendis, soutenu sous les bras, comme un phtisique à sa troisième période . . . . les cheveux épars sur la figure, et trébuchant à chaque pas.

On me jeta dans un fiacre, entre deux vigoureux gaillards, qui me laissèrent voir charitablement le bout de deux casse-tête, retenus au poignet par un cordon de cuir . . . . puis la voiture partit.

J'entendais rouler derrière nous les pas de tous les gamins de la ville.

"Qu'ai-je donc fait?" demandai-je à l'un de mes gardiens.

Il regarda l'autre avec un sourire bizarre, et dit:

"Hans . . . . il demande ce qu'il a fait!"

Ce sourire me glaça le sang.

Bientôt une ombre profonde enveloppa la voiture, les pas des chevaux retentirent sous une voûte. Nous entrions à la Raspelhaus . . . . des griffes de Rap je tombais dans un cachot, d'où bien peu de pauvres diables ont eu la chance de se tirer.

De grandes cours obscures; des fenêtres alignées comme à l'hôpital et garnies de hottes; pas une touffe de verdure, pas un feston de lierre, pas même une girouette en perspective . . . . voilà mon nouveau logement. Il y avait de quoi s'arracher les cheveux à pleines poignées.[4]

Les agents de police, accompagnés du geôlier, m'introduisirent provisoirement dans un violon.

Le geôlier, autant que je m'en souviens, s'appelait Kaspar Schlüssel; avec son bonnet de laine grise, son bout de pipe entre les dents, et son trousseau de clefs à la ceinture, il me produisit l'effet du dieu Hibou des Caraïbes.[5] Il en avait les grands yeux ronds dorés, qui voient dans la nuit, le nez en virgule, et le cou perdu dans les épaules.

Schlüssel m'enferma tranquillement, comme on serre des chaussettes dans une armoire, en rêvant à autre chose. Quant à moi, les mains croisées sur le dos, la tête inclinée, je restai plus de dix minutes à la même place. Puis, je regardai ma prison. Elle venait d'être blanchie à neuf, et ses murailles n'offraient encore aucun dessin, sauf dans un coin un gibet grossièrement ébauché par mon prédécesseur. Le jour venait d'un œil-de-bœuf situé à neuf ou dix pieds de hauteur; l'ameublement se composait d'une botte de paille et d'un baquet.

Je m'assis sur la paille, les mains autour des genoux, dans un abattement incroyable. . . .

Presque au même instant, j'entendis Schlüssel traverser le corridor; il rouvrit le violon et me dit de le suivre. Il était toujours assisté des deux casse-tête; aussi j'emboîtai le pas résolûment.

Nous traversâmes de longues galeries, éclairées, de distance en distance, par quelques fenêtres intérieures. J'aperçus derrière une grille le fameux Jic-Jack, qui devait être exécuté le lendemain. Il portait la camisole de force et chantait d'une voix rauque:

"Je suis le roi de ces montagnes!"

En me voyant, il cria:

"Eh! camarade, je te garde une place à ma droite."

Les deux agents de police et le dieu Hibou se regardèrent en souriant, tandis que la chair de poule s'étendait le long de mon dos.

III

Schlüssel me poussa dans une haute salle très sombre, garnie de bancs en hémicycle. L'aspect de cette salle déserte, ses deux hautes fenêtres grillées, son Christ de vieux chêne bruni, les bras étendus, la tête douloureusement inclinée sur l'épaule, m'inspira je ne sais quelle crainte religieuse d'accord avec ma situation actuelle, et mes lèvres s'agitèrent, murmurant une prière.

Depuis longtemps, je n'avais pas prié, mais le malheur nous ramène toujours à des pensées de soumission. . . . L'homme est si peu de chose!

En face de moi, sur un siège élevé, se trouvaient assis deux personnages tournant le dos à la lumière, ce qui laissait leurs figures dans l'ombre. Cependant je reconnus Van Spreckdal à son profil aquilin, éclairé par un reflet oblique de la vitre. L'autre personnage était gros; il avait les joues pleines, rebondies, les mains courtes, et portait la robe de juge, ainsi que Van Spreckdal.

Au-dessous était assis le greffier Conrad; il écrivait sur une table basse, se chatouillant le bout de l'oreille avec la barbe de sa plume. A mon arrivée il s'arrêta pour me regarder d'un air curieux.

On me fit asseoir, et Van Spreckdal, élevant la voix, me dit:

"Christian Vénius, d'où tenez-vous ce dessin?"

Il me montrait l'esquisse nocturne, alors en sa possession. On me la fit passer. . . . Après l'avoir examinée, je répondis:

"J'en suis l'auteur."

Il y eut un assez long silence; le greffier Conrad écrivait ma réponse. J'entendais sa plume courir sur le papier et je pensais: "Que signifie la question qu'on vient de me faire? Cela n'a point de rapport avec le coup de pied dans l'échine de Rap."

"Vous en êtes l'auteur, reprit Van Spreckdal. Quel en est le sujet?

—C'est un sujet de fantaisie.

—Vous n'avez point copié ces détails quelque part?

—Non, monsieur, je les ai tous imaginés.

—Accusé Christian, dit le juge d'un ton sévère, je vous invite à réfléchir. Ne mentez pas!"

Je rougis, et, d'un ton exalté, je m'écriai:

"J'ai dit la vérité.

—Écrivez, greffier," fit Van Spreckdal.

La plume courut de nouveau.

"Et cette femme, poursuivit le juge, cette femme qu'on assassine au bord d'un puits . . . . l'avez-vous aussi imaginée!

—Sans doute.

—Vous ne l'avez jamais vue?

—Jamais."

Van Spreckdal se leva comme indigné; puis se rasseyant, il parut se consulter à voix basse avec son confrère.

Ces deux profils noirs, se découpant sur le fond lumineux de la fenêtre, et les trois hommes, debout derrière moi . . . . le silence de la salle . . . . tout me faisait frémir.

"Que me veut-on? qu'ai-je donc fait?" murmurai-je.

Tout à coup Van Spreckdal dit à mes gardiens:

"Vous allez reconduire le prisonnier à la voiture; nous partons pour la Metzerstrasse."

Puis s'adressant à moi:

"Christian Vénius, s'écria-t-il, vous êtes dans une voie déplorable. . . . Recueillez-vous et songez que si la justice des hommes est inflexible . . . . il vous reste la miséricorde de Dieu. . . . Vous pouvez la mériter en avouant votre crime!"

Ces paroles m'abasourdirent comme un coup de marteau. . . . Je me rejetai en arrière les bras étendus, en m'écriant:

"Ah! quel rêve affreux!"

Et je m'évanouis.

Lorsque je revins à moi, la voiture roulait lentement dans la rue; une autre nous précédait. Les deux agents de sûreté étaient toujours là. L'un d'eux, pendant la route, offrit une prise de tabac à son confrère; machinalement j'étendis les doigts vers la tabatière, il la retira vivement.

Le rouge de la honte me monta au visage, et je détournai la tête pour cacher mon émotion.

"Si vous regardez dehors, dit l'homme à la tabatière, nous serons forcés de vous mettre les menottes.

—Que le diable t'étrangle, infernal gredin!" pensai-je en moi-même. Et comme la voiture venait de s'arrêter, l'un d'eux descendit, tandis que l'autre me retenait par le collet; puis, voyant son camarade prêt à me recevoir, il me poussa rudement dehors.

Ces précautions infinies pour s'assurer de ma personne ne m'annonçaient rien de bon; mais j'étais loin de prévoir toute la gravité de l'accusation qui pesait sur ma tête, quand une circonstance affreuse m'ouvrit enfin les yeux, et me jeta dans le désespoir.

On venait de me pousser dans une allée basse, à pavés rompus, inégaux; le long du mur coulait un suintement jaunâtre, exhalant une odeur fétide. Je marchais au milieu des ténèbres, deux hommes derrière moi. Plus loin apparaissait le clair-obscur d'une cour intérieure.

A mesure que j'avançais, la terreur me pénétrait de plus en plus. Ce n'était point un sentiment naturel: c'était une anxiété poignante, hors nature comme le cauchemar. Je reculais instinctivement à chaque pas.

"Allons donc! criait l'un des agents de police en m'appuyant la main sur l'épaule; marchez!"

Mais quelle ne fut pas mon épouvante, lorsque, au bout du corridor, je vis la cour que j'avais dessinée la nuit précédente, avec ses murs garnis de crocs, ses amas de vieilles ferrailles, sa cage à poules et sa cabane à lapins. . . . Pas une lucarne grande ou petite, haute ou basse, pas une vitre fêlée, pas un détail n'avait été omis!

Je restai foudroyé par cette étrange révélation.

Près du puits se trouvaient les deux juges, Van Spreckdal et Richter. A leurs pieds gisait la vieille femme, couchée sur le dos . . . . ses longs cheveux gris épars

. . . . la face bleue . . . . les yeux démesurément ouverts . . . . et la langue prise entre les dents.

C'était un spectacle horrible!

"Eh bien! me dit Van Spreckdal d'un accent solennel, qu'avez-vous à dire?"

Je ne répondis pas.

"Reconnaissez-vous avoir jeté cette femme, Thérésa Becker, dans ce puits, après l'avoir étranglée pour lui voler son argent?

—Non, m'écriai-je, non! Je ne connais pas cette femme, je ne l'ai jamais vue. Que Dieu me soit en aide![6]

—Cela suffit," répliqua-t-il d'une voix sèche.

Et, sans ajouter un mot, il sortit rapidement avec son confrère.

Les agents crurent alors devoir me mettre les menottes. On me reconduisit à la Raspelhaus, dans un état de stupidité profonde. Je ne savais plus que penser . . . . ma conscience elle-même se troublait; je me demandais si je n'avais pas assassiné la vieille femme!

Aux yeux de mes gardiens, j'étais condamné.

Je ne vous raconterai pas mes émotions de la nuit à la Raspelhaus, lorsque, assis sur ma botte de paille, la lucarne en face de moi et le gibet en perspective, j'entendis le watchmann crier dans le silence: "Dormez, habitants de Nuremberg, le Seigneur veille! Une heure! . . . . deux heures! . . . . trois heures sonnées!"

Chacun peut se faire l'idée d'une nuit pareille.

Le jour vint; d'abord pâle, indécis, il éclaira de ses vagues lueurs l'œil-de-bœuf . . . . les barreaux en croix . . . . puis il s'étoila contre la muraille du fond. Dehors la rue s'animait; il y avait marché ce jour-là: c'était un vendredi. J'entendais passer les charretées de légumes, et les bons campagnards chargés de leurs hottes. Quelques cages à poules caquetaient en passant, et les marchandes de beurre causaient entre elles. La halle en face s'ouvrait . . . . on arrangeait les bancs.

Enfin le grand jour se fit, et le vaste murmure de la foule qui grossit, des ménagères qui s'assemblent, leur panier sous le bras, allant, venant, discutant et marchandant, m'annonça qu'il était huit heures du matin.

Avec la lumière, la confiance reprit un peu le dessus dans mon cœur. Quelques-unes de mes idées noires disparurent; j'éprouvai le désir de voir ce qui se passait dehors.

D'autres prisonniers, avant moi, s'étaient élevés jusqu'à l'œil-de-bœuf; ils avaient creusé des trous dans le mur pour monter plus facilement. . . . J'y grimpai à mon tour, et quand, assis dans la baie ovale, les reins pliés, la tête courbée, je pus voir la foule, le mouvement . . . . des larmes abondantes coulèrent sur mes joues. Je ne songeais plus au suicide . . . . j'éprouvai un besoin de vivre, de respirer, vraiment extraordinaire.

"Ah! me disais-je, vivre, c'est être heureux! . . . . Qu'on me fasse traîner la brouette, qu'on m'attache un boulet à la jambe. . . . Qu'importe! pourvu que je vive! . . . ."

Or, pendant que je regardais ainsi, un homme, un boucher passa, le dos incliné, portant un énorme quartier de bœuf sur les épaules; il avait les bras nus, les coudes en l'air, la tête penchée en dessous. . . . Sa chevelure flottante me cachait son visage, et pourtant, au premier coup d'œil, je tressaillis. . . .

"C'est lui!" me dis-je.

Tout mon sang reflua vers le cœur. . . . Je descendis dans la prison, frémissant jusqu'au bout des ongles, sentant mes joues s'agiter, la pâleur s'étendre sur ma face, et balbutiant d'une voix étouffée:

"C'est lui! Il est là . . . . là . . . . et moi je vais mourir pour expier son crime. . . . Oh Dieu! . . . . que faire? . . . . que faire? . . . ."

Une idée subite, une inspiration du ciel me traversa

l'esprit. . . . Je portai la main à la poche de mon habit! ma boîte à fusain s'y trouvait.

Alors, m'élançant vers la muraille, je me mis à tracer la scène du meurtre avec une verve inouïe. Plus d'incertitudes, plus de tâtonnements. Je connaissais l'homme. . . . Je le voyais. . . . Il posait devant moi.

A dix heures, le geôlier entra dans mon cachot. Son impassibilité de hibou fit place à l'admiration.

"Est-ce possible? s'écria-t-il, debout sur le seuil.

—Allez chercher mes juges," lui dis-je en poursuivant mon travail avec une exaltation croissante.

Schlüssel reprit:

"Ils vous attendent dans la salle d'instruction.

—Je veux faire des révélations," m'écriai-je en mettant la dernière main au personnage mystérieux.

Il vivait; il était effrayant à voir. Sa figure, de face, en raccourci sur le mur, se détachait sur le fond blanc avec une vigueur prodigieuse.

Le geôlier sortit.

Quelques minutes après, les deux juges parurent. Ils restèrent stupéfaits.

Moi, la main étendue et tremblant de tous les membres, je leur dis:

"Voici l'assassin!"

Van Spreckdal, après quelques instants de silence, me demanda:

"Son nom?

—Je l'ignore . . . . mais il est, en ce moment, sous la halle . . . . il coupe de la viande dans le troisième étal, à gauche, en entrant par la rue des Trabans.

—Qu'en pensez-vous? dit-il en se penchant vers son collègue.

—Qu'on cherche cet homme," répondit l'autre d'un ton grave.

Plusieurs gardiens, restés dans le corridor, obéirent à cet ordre. Les juges restèrent debout, regardant toujours l'esquisse. Moi, je m'affaissai sur la paille, la tête entre les genoux, comme anéanti.

Bientôt des pas retentirent au loin sous les voûtes. Ceux qui n'ont pas attendu l'heure de la délivrance et compté les minutes, longues alors comme des siècles . . . . ceux qui n'ont pas ressenti les émotions poignantes de l'attente, la terreur, l'espérance, le doute . . . . ceux-là ne sauraient concevoir les frémissements intérieurs que j'éprouvais dans ce moment. J'aurais distingué les pas du meurtrier, marchant au milieu de ses gardes, entre mille autres. Ils s'approchaient. . . . Les juges eux-mêmes paraissaient émus. . . . Moi, j'avais relevé la tête, et le cœur serré comme dans une main de fer, j'attachais un regard fixe sur la porte close. Elle s'ouvrit . . . . l'homme entra. . . . Ses joues étaient gonflées de sang, ses larges mâchoires contractées faisaient saillir leurs muscles jusque vers les oreilles, et ses petits yeux, inquiets et fauves comme ceux du loup, scintillaient sous d'épais sourcils d'un jaune roussâtre.

Van Spreckdal lui montra silencieusement l'esquisse.

Alors, cet homme sanguin, aux larges épaules, ayant regardé, pâlit . . . . puis, poussant un rugissement qui nous glaça tous de terreur, il écarta ses bras énormes, et fit un bond en arrière pour renverser les gardes. Il y eut une lutte effrayante dans le corridor; on n'entendait que la respiration haletante du boucher, des imprécations sourdes, des paroles brèves, et les pieds des gardes, soulevés de terre, retombant sur les dalles.

Cela dura bien une minute.

Enfin, l'assassin rentra, la tête basse, l'œil sanglant, les mains garrottées sur le dos. Il fixa de nouveau le tableau du meurtre . . . . parut réfléchir, et, d'une voix basse, comme se parlant à lui-même:

"Qui donc a pu me voir, dit-il, à minuit?"

J'étais sauvé!!! . . . .

. . . .

Bien des années se sont écoulées depuis cette terrible aventure. Grâce à Dieu! je ne fais plus de silhouettes, ni même de portraits de bourgmestre. A force de travail et de persévérance, j'ai conquis ma place au soleil,[7] et je gagne honorablement ma vie en faisant des œuvres d'art, le seul but, suivant moi, auquel tout véritable artiste doit s'efforcer d'atteindre. Mais le souvenir de l'esquisse nocturne m'est toujours resté dans l'esprit. Parfois, au beau milieu du travail, ma pensée s'y reporte. Alors, je dépose la palette et je rêve durant des heures entières!

Comment un crime accompli par un homme que je ne connaissais pas . . . . dans une maison que je n'avais jamais vue . . . . a-t-il pu se reproduire sous mon crayon, jusque dans ses moindres détails?

Est-ce un hasard? Non! Et d'ailleurs, le hasard, qu'est-ce, après tout, sinon l'effet d'une cause qui nous échappe?

Qui sait? La nature est plus audacieuse dans ses réalités que l'imagination de l'homme dans sa fantaisie!

LA PARTIE DE BILLARD

Alphonse Daudet

Comme on se bat depuis deux jours et qu'ils ont passé la nuit sac au dos sous une pluie torrentielle, les soldats sont exténués. Pourtant voilà trois mortelles heures qu'on les laisse se morfondre, l'arme au pied, dans les flaques des grandes routes, dans la boue des champs détrempés.

Alourdis par la fatigue, les nuits passées, les uniformes pleins d'eau, ils se serrent les uns contre les autres pour se réchauffer, pour se soutenir. Il y en a qui dorment tout debout, appuyés au sac d'un voisin, et la lassitude, les privations se voient mieux sur ces visages détendus, abandonnés dans le sommeil. La pluie, la boue, pas de feu, pas de soupe, un ciel bas et noir, l'ennemi qu'on sent tout autour. C'est lugubre. . . .

Qu'est-ce qu'on fait là? Qu'est-ce qui se passe?

Les canons, la gueule tournée vers le bois, ont l'air de guetter quelque chose. Les mitrailleuses embusquées regardent fixement l'horizon. Tout semble prêt pour une attaque. Pourquoi n'attaque-t-on pas? Qu'est-ce qu'on attend? . . .

On attend des ordres, et le quartier général n'en envoie pas.

Il n'est pas loin cependant le quartier général. C'est ce beau château Louis XIII[1] dont les briques rouges, lavées par la pluie, luisent à mi-côte entre les massifs. Vraie demeure princière, bien digne de porter le fanion d'un maréchal de France. Derrière un grand fossé et une rampe de pierre qui les séparent de la route, les pelouses montent tout droit jusqu'au perron, unies et vertes, bordées de vases fleuris. De l'autre côté, du côté intime de la maison, les charmilles font des trouées lumineuses, la pièce d'eau où nagent des cygnes s'étale comme un miroir, et sous le toit en pagode d'une immense volière, lançant des cris aigus dans le feuillage, des paons, des faisans dorés battent des ailes et font la roue. Quoique les maîtres soient partis, on ne sent pas là l'abandon, le grand lâchez-tout de la guerre. L'oriflamme du chef de l'armée a préservé jusqu'aux moindres fleurettes des pelouses, et c'est quelque chose de saisissant de trouver, si près du champ de bataille, ce calme opulent qui vient de l'ordre des choses, de l'alignement correct des massifs, de la profondeur silencieuse des avenues.

La pluie, qui tasse là-bas de si vilaine boue sur les chemins et creuse des ornières si profondes, n'est plus ici qu'une ondée élégante, aristocratique, avivant la rougeur des briques, le vert des pelouses, lustrant les feuilles des orangers, les plumes blanches des cygnes. Tout reluit, tout est paisible. Vraiment, sans le drapeau qui flotte à la crête du toit, sans les deux soldats en faction devant la grille, jamais on ne se croirait au quartier général. Les chevaux se reposent dans les écuries. Çà et là on rencontre des brosseurs, des ordonnances en petite tenue flânant aux abords des cuisines, ou quelque jardinier en pantalon rouge promenant tranquillement son râteau dans le sable des grandes cours.

La salle à manger, dont les fenêtres donnent sur le perron, laisse voir une table à moitié desservie, des bouteilles débouchées, des verres ternis et vides, blafards sur la nappe froissée, toute une fin de repas, les convives partis. Dans la pièce à côté, on entend des éclats de voix, des rires, des billes qui roulent, des verres qui se choquent. Le maréchal est en train de faire sa partie, et voilà pourquoi l'armée attend des ordres. Quand le maréchal a commencé sa partie, le ciel peut bien crouler, rien au monde ne saurait l'empêcher de la finir.

Le billard !

C'est sa faiblesse à ce grand homme de guerre. Il est là, sérieux comme à la bataille, en grande tenue, la poitrine couverte de plaques, l'œil brillant, les pommettes enflammées, dans l'animation du repas, du jeu, des grogs. Ses aides de camp l'entourent, empressés, respectueux, se pâmant d'admiration à chacun de ses coups. Quand le maréchal fait un point, tous se précipitent vers la marque ; quand le maréchal a soif, tous veulent lui préparer son grog. C'est un froissement d'épaulettes et de panaches, un cliquetis de croix et d'aiguillettes, et de voir tous ces jolis sourires, ces fines révérences de courtisans, tant de broderies et d'uniformes neufs, dans cette haute salle à boiseries de chêne, ouverte sur des parcs, sur des cours d'honneur, cela rappelle les automnes de Compiègne[2] et repose un peu des capotes souillées qui se morfondent là-bas au long des routes et font des groupes si sombres sous la pluie.

Le partenaire du maréchal est un petit capitaine d'état-major, sanglé, frisé, ganté de clair, qui est de première force au billard et capable de rouler tous les maréchaux de la terre, mais il sait se tenir à une distance respectueuse de son chef, et s'applique à ne pas gagner, à ne pas perdre non plus trop facilement. C'est ce qu'on appelle un officier d'avenir. . . .

Attention, jeune homme, tenons-nous bien. Le maréchal en a quinze, et vous dix. Il s'agit de mener la partie jusqu'au bout comme cela, et vous aurez plus fait pour votre avancement que si vous étiez dehors avec les autres, sous ces torrents d'eau qui noient l'horizon, à salir votre bel uniforme, à ternir l'or de vos aiguillettes, attendant des ordres qui ne viennent pas.

C'est une partie vraiment intéressante. Les billes courent, se frôlent, croisent leurs couleurs. Les bandes rendent bien,[3] le tapis s'échauffe. . . . Soudain la flamme d'un coup de canon passe dans le ciel. Un bruit sourd fait trembler les vitres. Tout le monde tressaille; on se regarde avec inquiétude. Seul le maréchal n'a rien vu, rien entendu: penché sur le billard, il est en train de combiner un magnifique effet de recul; c'est son fort, à lui, les effets de recul! . . .

Mais voilà un nouvel éclair, puis un autre. Les coups de canon se succèdent, se précipitent. Les aides de camp courent aux fenêtres. Est-ce que les Prussiens attaqueraient?

"Eh bien, qu'ils attaquent! dit le maréchal en mettant du blanc. . . . A vous de jouer, capitaine."

L'état-major frémit d'admiration. Turenne endormi sur un affût[4] n'est rien auprès de ce maréchal, si calme devant son billard au moment de l'action. . . . Pendant ce temps le vacarme redouble. Aux secousses du canon se mêlent les déchirements des mitrailleuses, les roulements des feux de peloton. Une buée rouge, noire sur les bords, monte au bout des pelouses. Tout le fond du parc est embrasé. Les paons, les faisans effarés clament dans la volière; les chevaux arabes, sentant la poudre, se cabrent au fond des écuries. Le quartier général commence à s'émouvoir. Dépêches sur dépêches. Les estafettes arrivent à bride abattue. On demande le maréchal.

Le maréchal est inabordable. Quand je vous disais[5] que rien ne pourrait l'empêcher d'achever sa partie.

"A vous de jouer, capitaine."

Mais le capitaine a des distractions. Ce que c'est pourtant que d'être jeune! Le voilà qui perd la tête, oublie son jeu et fait coup sur coup deux séries, qui lui donnent presque partie gagnée. Cette fois le maréchal devient furieux. La surprise, l'indignation éclatent sur son mâle visage. Juste à ce moment, un cheval lancé ventre à terre s'abat dans la cour. Un aide de camp couvert de boue force la consigne, franchit le perron d'un saut. "Maréchal! maréchal! . . ." Il faut voir comme il est reçu. . . . Tout bouffant de colère et rouge comme un coq, le maréchal paraît à la fenêtre, sa queue de billard à la main:

"Qu'est-ce qu'il y a? . . . Qu'est-ce que c'est? . . . Il n'y a donc pas de factionnaire par ici?

—Mais maréchal. . . .

—C'est bon. . . . Tout à l'heure. . . . Qu'on attende mes ordres, nom d . D . . . !"[6]

Et la fenêtre se referme avec violence.

Qu'on attende ses ordres!

C'est bien ce qu'ils font, les pauvres gens. Le vent leur chasse la pluie et la mitraille en pleine figure. Des bataillons entiers sont écrasés, pendant que d'autres restent inutiles, l'arme au bras, sans pouvoir se rendre compte de leur inaction. Rien à faire. On attend des ordres. . . . Par exemple, comme on n'a pas besoin d'ordres pour mourir, les hommes tombent par centaines derrière les buissons, dans les fossés, en face du grand château silencieux. Même tombés, la mitraille les déchirent encore, et par leurs blessures ouvertes coule sans bruit le sang généreux de la France. . . . Là-haut, dans la salle de billard, cela chauffe aussi terriblement : le maréchal a repris son avance ; mais le petit capitaine se défend comme un lion. . . .

Dix-sept ! dix-huit ! dix-neuf ! . . .

A peine a-t-on le temps de marquer les points. Le bruit de la bataille se rapproche. Le maréchal ne joue plus que pour un. Déjà des obus arrivent dans le parc. En voilà un qui éclate au-dessus de la pièce d'eau. Le miroir s'éraille ; un cygne nage, épeuré, dans un tourbillon de plumes sanglantes. C'est le dernier coup. . . .

Maintenant, un grand silence. Rien que la pluie qui tombe sur les charmilles, un roulement confus au bas du coteau, et, par les chemins détrempés, quelque chose comme le piétinement d'un troupeau qui se hâte. . . . L'armée est en pleine déroute. Le maréchal a gagné sa partie.

LA PENDULE DE BOUGIVAL[1]

Alphonse Daudet

DE BOUGIVAL À MUNICH[2]

C'était une pendule du second Empire,[3] une de ces pendules en onyx algérien, ornées de dessins Campana,[4] qu'on achète boulevard des Italiens[5] avec leur clef dorée pendue en sautoir au bout d'un ruban rose. Tout ce qu'il y a de plus mignon, de plus moderne, de plus article de Paris.[6] Une vraie pendule des Bouffes,[7] sonnant d'un joli timbre clair, mais sans un grain de bon sens, pleine de lubies, de caprices, marquant les heures à la diable, passant les demies, n'ayant jamais su bien dire que l'heure de la Bourse à Monsieur et l'heure du berger à Madame.[8] Quand la guerre[9] éclata, elle était en villégiature à Bougival, faite exprès pour ces palais d'été si fragiles, ces jolies cages à mouches en papier découpé, ces mobiliers d'une saison, guipure et mousseline flottant sur des transparents de soie claire. A l'arrivée des Bavarois, elle fut une des premières enlevées; et ma foi! il faut avouer que ces gens d'outre-Rhin sont des emballeurs bien habiles, car cette pendule-joujou, guère plus grosse qu'un œuf de tourterelle, put faire au milieu des canons Krüpp[10] et des fourgons chargés de mitraille le voyage de Bougival à Munich, arriver sans une fêlure, et se montrer dès le lendemain, Odeon-platz, à la devanture d'Augustus Cahn, le marchand de curiosités, fraîche, coquette, ayant toujours ses deux fines aiguilles, noires et recourbées comme des cils, et sa petite clef en sautoir au bout d'un ruban neuf.

L'ILLUSTRE DOCTEUR-PROFESSEUR OTTO DE SCHWANTHALER

Ce fut un événement dans Munich. On n'y avait pas encore vu de pendule de Bougival, et chacun venait regarder celle-là aussi curieusement que les coquilles japonaise du musée de Siebold.[11] Devant le magasin d'Augustus Cahn, trois rangs de grosses pipes fumaient du matin au soir, et le bon populaire de Munich se demandait avec des yeux ronds et des "Mein Gott"[12] de stupéfaction à quoi pouvait servir cette singulière petite machine. Les journaux illustrés donnèrent sa reproduction. Ses photographies s'étalèrent dans toutes les vitrines; et c'est en son honneur que l'illustre docteur-professeur Otto de Schwanthaler composa son fameux *Paradoxe sur les Pendules,* étude philosophico-humoristique en six cents pages où il est traité de l'influence des pendules sur la vie des peuples, et logiquement démontré qu'une nation assez folle pour régler l'emploi de son temps sur des chronomètres aussi détraqués que cette petite pendule de Bougival devait s'attendre à toutes les catastrophes, ainsi qu'un navire qui s'en irait en mer avec une boussole désorientée. (La phrase est un peu longue, mais je la traduis textuellement.)

Les Allemands ne faisant rien à la légère, l'illustre docteur-professeur voulut, avant d'écrire son Paradoxe, avoir le sujet sous les yeux pour l'étudier à fond, l'analyser minutieusement comme un entomologiste; il acheta donc la pendule, et c'est ainsi qu'elle passa de la devanture d'Augustus Cahn dans le salon de l'illustre docteur-professeur Otto de Schwanthaler, conservateur de la Pinacothèque, membre de l'Académie des sciences et beaux-arts, en son domicile privé, Ludwigstrasse, 24.

LE SALON DES SCHWANTHALER

Ce qui frappait d'abord en entrant dans le salon des Schwanthaler, académique et solennel comme une salle de conférences, c'était une grande pendule à sujet[13] en marbre sévère, avec une Polymnie[14] de bronze et des rouages très-compliqués. Le cadran principal s'entourait de cadrans plus petits, et l'on avait là les heures, les minutes, les saisons, les équinoxes, tout, jusqu'aux transformations de la lune dans un nuage bleu clair au milieu du socle. Le bruit de cette puissante machine remplissait toute la maison. Du bas de l'escalier, on entendait le lourd balancier s'en allant d'un mouvement grave, accentué, qui semblait couper et mesurer la vie en petits morceaux tout pareils; sous ce tic-tac sonore couraient les trépidations de l'aiguille se démenant dans le cadre des secondes avec la fièvre laborieuse d'une araignée qui connaît le prix du temps.

Puis l'heure sonnait, sinistre et lente comme une horloge de collège, et chaque fois que l'heure sonnait, il se passait quelque chose dans la maison des Schwanthaler. C'était M. Schwanthaler qui s'en allait à la Pinacothèque, chargé de paperasses, ou la haute dame de Schwanthaler revenant du sermon avec ses trois demoiselles, trois longues filles enguirlandées qui avaient l'air de perches à houblon; ou bien les leçons de cithare, de danse, de gymnastique, les clavecins qu'on ouvrait, les métiers à broderies, les pupitres à musique d'ensemble qu'on roulait au milieu du salon, tout cela si bien réglé, si compassé, si méthodique, que d'entendre tous ces Schwanthaler se mettre en branle au premier coup de timbre, entrer, sortir par les portes ouvertes à deux battants, on songeait au défilé des apôtres dans l'horloge de Strasbourg,[15] et l'on s'attendait toujours à voir sur le dernier coup la famille Schwanthaler rentrer et disparaître dans sa pendule.

SINGULIÈRE INFLUENCE DE LA PENDULE DE BOUGIVAL SUR UNE HONNÊTE FAMILLE DE MUNICH

C'est à côté de ce monument qu'on avait mis la pendule de Bougival, et vous voyez d'ici l'effet de sa petite mine chiffonnée. Voilà qu'un soir les dames de Schwanthaler étaient en train de broder dans le grand salon, et l'illustre docteur-professeur lisait à quelque collègues de l'Académie des sciences les premières pages du *Paradoxe*, s'interrompant de temps en temps pour prendre la petite pendule et faire pour ainsi dire des démonstrations au tableau. . . . Tout à coup, Éva de Schwanthaler, poussée par je ne sais quelle curiosité maudite, dit à son père en rougissant:

"O papa, faites-la sonner."

Le docteur dénoua la clef, donna deux tours, et aussitôt on entendit un petit timbre de cristal si clair, si vif, qu'un frémissement de gaieté réveilla la grave assemblée. Il y eut des rayons dans tous les yeux:

"Que c'est joli!" disaient les demoiselles de Schwanthaler, avec un petit air animé et des frétillements de nattes qu'on ne leur connaissait pas.

Alors M. de Schwanthaler, d'une voix triomphante:

"Regardez-la, cette folle de française! elle sonne huit heures, et elle en marque trois!"

Cela fit beaucoup rire tout le monde, et, malgré l'heure avancée, ces messieurs se lancèrent à corps perdu dans des théories philosophiques et des considérations interminables sur la légèreté du peuple français. Personne ne pensait plus à s'en aller. On n'entendit même pas sonner au cadran de Polymnie, ce terrible coup de dix heures, qui dispersait d'ordinaire toute la société. La grande pendule n'y comprenait rien. Elle n'avait jamais tant vu de gaieté dans la maison Schwanthaler, ni du monde au salon si tard. Le diable c'est lorsque les demoiselles de Schwanthaler furent rentrées dans leur chambre, elles se sentirent l'estomac creusé par la veille et le rire, comme des envies de souper; et la sentimentale Minna, elle-même, disait en s'étirant les bras:

"Ah! je mangerais bien une patte de homard."

DE LA GAIETÉ, MES ENFANTS, DE LA GAIETÉ!

Une fois remontée, la pendule de Bougival reprit sa vie déréglée, ses habitudes de dissipation. On avait commencé par rire de ses lubies; mais peu à peu, à force d'entendre ce joli timbre qui sonnait à tort et à travers, la grave maison de Schwanthaler perdit le respect du temps et prit les jours avec une aimable insouciance. On ne songea plus qu'à s'amuser; la vie paraissait si courte, maintenant que toutes les heures étaient confondues! Ce fut un bouleversement général. Plus de sermon, plus d'études! Un besoin de bruit, d'agitation. Mendelssohn et Schumann[16] semblèrent trop monotones; on les remplaça par la *Grande Duchesse*, le *Petit Faust*,[17] et ces demoiselles tapaient, sautaient, et l'illustre docteur-professeur, pris lui aussi d'une sorte de vertige, ne se lassait pas de dire: "De la gaieté, mes enfants, de la gaieté! . . ." Quant à la grande horloge, il n'en fut plus question. Ces demoiselles avaient arrêté le balancier, prétextant qu'il les empêchait de dormir, et la maison s'en alla toute au caprice du cadran désheuré.

C'est alors que parut le fameux *Paradoxe sur les pendules*. A cette occasion, les Schwanthaler donnèrent une grande soirée, non plus une de leurs soirées académiques d'autrefois, sobres de lumières et de bruit, mais un magnifique bal travesti, où madame de Schwanthaler et ses filles parurent en canotières de Bougival, les bras nus, la jupe courte, et le petit chapeau plat à rubans éclatants. Toute la ville en parla, mais ce n'était que le commencement. La comédie, les tableaux vivants, les soupers, le baccarat; voilà ce que Munich scandalisé vit défiler tout un hiver dans le salon de l'académicien.—"De la gaieté, mes enfants, de la gaieté! . . ." répétait le pauvre bonhomme de plus en plus affolé, et tout ce monde-là était très-gai en effet. Madame de Schwanthaler, mise en goût[18] par ses succès de canotière, passait sa vie sur l'Isar[19] en costumes extravagants. Ces demoiselles, restées seules au logis, prenaient des leçons de français avec des officiers de hussards prisonniers dans la ville; et la petite pendule, qui avait toutes raisons de se croire encore à Bougival, jetait les heures à la volée, en sonnant toujours huit quand elle en marquait trois. . . . Puis, un matin, ce tourbillon de gaieté folle emporta la famille Schwanthaler en Amérique, et les plus beaux Titien[20] de la Pinacothèque suivirent dans sa fuite leur illustre conservateur.

CONCLUSION

Après le départ des Schwanthaler, il y eut dans Munich comme une épidémie de scandales. On vit successivement une chanoinesse enlever un baryton, le doyen de l'Institut épouser une danseuse, un conseiller aulique[21] faire sauter la coupe,[22] le couvent des dames nobles fermé pour tapage nocturne. . . .

Ô malice des choses ! Il semblait que cette petite pendule était fée, et qu'elle avait pris à tâche d'ensorceler toute la Bavière. Partout où elle passait, partout où sonnait son joli timbre à l'évent, il affolait, détraquait les cervelles. Un jour, d'étape en étape, elle arriva jusqu'à la résidence; et depuis lors, savez-vous quelle partition le roi Louis,[23] ce wagnérien enragé, a toujours ouverte sur son piano? . . .

—Les *Maîtres chanteurs*?[24]

—Non! . . . *Le Phoque à ventre blanc!!*[25]

Ça leur apprendra à se servir de nos pendules.

LES QUATRE JOURNÉES DE JEAN GOURDON

Émile Zola

I

Printemps

Ce jour-là, vers cinq heures du matin, le soleil entra avec une brusquerie joyeuse dans la petite chambre que j'occupais chez mon oncle Lazare, curé du hameau de Dourgues.[1] Un large rayon jaune tomba sur mes paupières closes, et je m'éveillai dans de la lumière.

Ma chambre, blanchie à la chaux, avec ses murailles et ses meubles de bois blanc, avait une gaieté engageante. Je me mis à la fenêtre, et je regardai la Durance qui coulait, toute large, au milieu des verdures noires de la vallée. Et des souffles frais me caressaient le visage, les murmures de la rivière et des arbres semblaient m'appeler.

J'ouvris ma porte doucement. Il me fallait, pour sortir, traverser la chambre de mon oncle. J'avançai sur la pointe des pieds, craignant que la craquement de mes gros souliers ne réveillât le digne homme qui dormait encore, la face souriante. Et je tremblais d'entendre la cloche de l'église sonner *l'Angélus*. Mon oncle Lazare, depuis quelques jours, me suivait partout, d'un air triste et fâché. Il m'aurait peut-être empêché d'aller là-bas, sur le bord de la rivière, et de me cacher sous les saules de la rive, afin de guetter au passage Babet, la grande fille brune, qui était née pour moi avec le printemps nouveau.

Mais mon oncle dormait d'un profond sommeil. J'eus comme un remords de le tromper et de me sauver ainsi. Je m'arrêtai un instant à regarder son visage calme, que le repos rendait plus doux, je me souvins avec attendrissement du jour où il était venu me chercher dans la maison froide et déserte que quittait le convoi de ma mère. Depuis ce jour, que de tendresse, que de dévouement, que de sages paroles! Il m'avait donné sa science et sa bonté, toute son intelligence et tout son cœur.

Je fus un instant tenté de lui crier:

—Levez-vous, mon oncle Lazare! allons faire ensemble un bout de promenade, dans cette allée que vous aimez, au bord de la Durance. L'air frais et le jeune soleil vous réjouiront. Vous verrez au retour quel vaillant appétit!

Et Babet qui allait descendre à la rivière, et que je ne pourrais voir, vêtue de ses jupes claires du matin! Mon oncle serait là, il me faudrait baisser les yeux. Il devait faire si bon sous les saules, couché à plat ventre, dans l'herbe fine! Je sentis une langueur glisser en moi, et, lentement, à petits pas, retenant mon souffle, je gagnais la porte. Je descendis l'escalier, je me mis à courir comme un fou dans l'air tiède de la joyeuse matinée de mai.

Le ciel était tout blanc à l'horizon, avec des teintes

bleues et roses d'une délicatesse exquise. Le soleil pâle semblait une grande lampe d'argent, dont les rayons pleuvaient dans la Durance en une averse de clartés. Et la rivière, large et molle, s'étendant avec paresse sur le sable rouge, allait d'un bout à l'autre de la vallée, pareille à la coulée d'un métal en fusion. Au couchant, une ligne de collines basses et dentelées faisait sur la pâleur du ciel de légères taches violettes.

Depuis dix ans, j'habitais ce coin perdu. Que de fois mon oncle Lazare m'avait attendu pour me donner ma leçon de latin! Le digne homme voulait faire de moi un savant. Moi, j'étais de l'autre côté de la Durance, je dénichais des pies, je faisais la découverte d'un coteau sur lequel je n'avais pas encore grimpé. Puis, au retour, c'était des remontrances: le latin était oublié, mon pauvre oncle me grondait d'avoir déchiré mes culottes, et il frissonnait parfois que la peau, par-dessous, se trouvait entamée. La vallée était à moi, bien à moi; je l'avais conquise avec mes jambes, j'en étais le vrai propriétaire, par droit d'amitié. Et ce bout de rivière, ces deux lieues de Durance, comme je les aimais, comme nous nous entendions bien ensemble! Je connaissais tous les caprices de ma chère rivière, ses colères, ses grâces, ses physionomies diverses à chaque heure de la journée.

Ce matin-là, lorsque j'arrivai au bord de l'eau, j'eus comme un éblouissement à la voir si douce et si blanche. Jamais elle n'avait eu un si gai visage. Je me glissais vivement sous les saules, dans une clairière où il y avait une grande nappe de soleil posée sur l'herbe noire. Là, je me couchai à plat ventre, l'oreille tendue, regardant entre les branches le sentier par lequel allait descendre Babet.

—Oh! comme l'oncle Lazare doit dormir! pensais-je.

Et je m'étendais de tout mon long sur la mousse. Le soleil pénétrait mon dos d'une chaleur tiède, tandis que ma poitrine, enfoncée dans l'herbe, était toute fraîche.

N'avez-vous jamais regardé dans l'herbe, de tout près,

les yeux sur les brins de gazon? Moi, en attendant Babet, je fouillais indiscrètement du regard une touffe de gazon qui était vraiment tout un monde. Dans ma touffe de gazon, il y avait des rues, des carrefours, des places publiques, des villes entières. Au fond, je distinguais un grand tas d'ombre où les feuilles du dernier printemps pourrissaient de tristesse; puis les tiges légères se levaient, s'allongeaient, se courbaient avec mille élégances, et c'étaient des colonnades frêles, des églises, des forêts vierges. Je vis deux insectes maigres qui se promenaient au milieu de cette immensité; ils étaient certainement perdus, les pauvres enfants, car ils allaient de colonnade en colonnade, de rue en rue, d'une façon effarouchée et inquiète.

Ce fut juste à ce moment qu'en levant les yeux je vis tout au haut du sentier les jupes blanches de Babet se détachant sur la terre noire. Je reconnus sa robe d'indienne grise à petites fleurs bleues. Je m'enfonçai dans l'herbe davantage, j'entendis mon cœur qui battait contre la terre, qui me soulevait presque par légères secousses. Ma poitrine brûlait maintenant, je ne sentais plus les fraîcheurs de la rosée.

La jeune fille descendait lestement. Ses jupes, rasant le sol, avaient des balancements qui me ravissaient. Je la voyais de bas en haut, toute droite, dans sa grâce fière et heureuse. Elle ne me savait point là, derrière les saules; elle marchait d'un pas libre, elle courait sans se soucier du vent qui soulevait un coin de sa robe. Je distinguais ses pieds, trottant vite, vite, et un morceau de ses bas blancs, qui était bien large comme la main, et qui me faisait rougir d'une façon douce et pénible.

Oh! alors, je ne vis plus rien, ni la Durance, ni les saules, ni la blancheur du ciel. Je me moquais bien de la vallée! Elle n'était plus ma bonne amie; ses joies, ses tristesses me laissaient parfaitement froid. Que m'importaient mes camarades, les cailloux et les arbres des coteaux!

La rivière pouvait s'en aller tout d'un trait si elle voulait; ce n'est pas moi qui l'aurait regrettée.

Et le printemps, je ne me souciais nullement du printemps! Il aurait emporté le soleil qui me chauffait le dos, ses feuillages, ses rayons, toute sa matinée de mai, que je serais resté là, en extase, à regarder Babet, courant dans le sentier en balançant délicieusement ses jupes. Car Babet avait pris dans mon cœur la place de la vallée, Babet était le printemps. Jamais je ne lui avais parlé. Nous rougissions tous les deux, lorsque nous nous rencontrions dans l'église de mon oncle Lazare. J'aurais juré qu'elle me détestait.

Elle causa, ce jour-là, pendant quelques minutes avec les lavandières. Ses rires perlés arrivaient jusqu'à moi, mêlés à la grande voix de la Durance. Puis, elle se baissa pour prendre un peu d'eau dans le creux de sa main; mais la rive était haute, Babet, qui faillit glisser, se retint aux herbes.

Je ne sais quel frisson me glaça le sang. Je me levai brusquement, et, sans honte, sans rougeur, je courus auprès de la jeune fille. Elle me regarda, effarouchée; puis, elle se mit à sourire. Moi, je me penchai, au risque de tomber. Je réussis à remplir d'eau ma main droite, dont je serrais les doigts. Et je tendis à Babet cette coupe nouvelle, l'invitant à boire.

Les lavandières riaient. Babet, confuse, n'osait accepter, hésitait, tournait la tête à demi. Enfin, elle se décida, elle appuya délicatement les lèvres sur le bout de mes doigts; mais elle avait trop tardé, toute l'eau s'en était allée. Alors elle éclata de rire, elle redevint enfant, et je vis bien qu'elle se moquait de moi.

J'étais fort sot. Je me penchai de nouveau. Cette fois, je pris de l'eau dans mes deux mains, me hâtant de les porter aux lèvres de Babet. Elle but, et je sentis le baiser tiède de sa bouche, qui remonta le long de mes bras jusque dans ma poitrine, qu'il emplit de chaleur.

—Oh! que mon oncle doit dormir! me disais-je tout bas.

Comme je me disais cela, j'aperçus une ombre noire à côté de moi, et, m'étant tourné, j'aperçus mon oncle Lazare en personne, à quelques pas, nous regardant d'un air fâché, Babet et moi. Sa soutane paraissait toute blanche au soleil; il y avait dans ses yeux des reproches qui me donnèrent envie de pleurer.

Babet eut grand'peur. Elle devint rouge, elle se sauva en balbutiant:

—Merci, monsieur Jean, je vous remercie bien.

Moi, essuyant mes mains mouillées, je restai confus, immobile devant mon oncle Lazare.

Le digne homme, les bras pliés, ramenant un coin de sa soutane, regarda Babet qui remontait le sentier en courant, sans tourner la tête. Puis, lorsqu'elle eut disparu derrière les haies, il abaissa ses regards vers moi, et je vis sa bonne figure sourire tristement.

—Jean, me dit-il, viens dans la grande allée. Le déjeuner n'est pas prêt. Nous avons une demi-heure à perdre.

Il se mit à marcher de son pas un peu pesant, évitant les touffes d'herbes mouillées de rosée. Sa soutane, dont un bout traînait sur les graviers, avait de petits claquements sourds. Il tenait son bréviaire sous le bras; mais il avait oublié sa lecture du matin, et il s'avançait, la tête baissée, rêvant, ne parlant point.

Son silence m'accablait. Il était bavard d'ordinaire. A chaque pas mon inquiétude croissait. Pour sûr, il m'avait vu donner à boire à Babet. Quel spectacle, Seigneur! La jeune fille, riant et rougissant, me baisait le bout des doigts, tandis que moi, me dressant sur les pieds, tendant les bras, je me penchais comme pour l'embrasser. C'est alors que mon action me parut épouvantable d'audace. Et toute ma timidité revint. Je me demandai comment j'avais pu oser me faire baiser les doigts d'une façon si douce.

Et mon oncle Lazare qui ne disait rien, qui marchait

toujours à petits pas devant moi, sans avoir un seul regard pour les vieux arbres qu'il aimait! Il préparait sûrement un sermon. Il ne m'emmenait dans la grande allée qu'afin de me gronder à l'aise. Nous en aurions au moins pour une heure: le déjeuner serait froid, je ne pourrais revenir au bord de l'eau et rêver aux tièdes brûlures que les lèvres de Babet avaient laissées sur mes mains.

Nous étions dans la grande allée. Cette allée, large et courte, longeait la rivière; elle était faite de chênes énormes, aux troncs crevassés, qui allongeaient puissamment leurs hautes branches. L'herbe fine tendait un tapis sous les arbres, et le soleil, criblant les feuillages, brodait ce tapis de rosaces d'or. Au loin, tout autour, s'élargissaient des prairies d'un vert cru.

Mon oncle, sans se retourner, sans changer son pas, alla jusqu'au bout de l'allée. Là, il s'arrêta, et je me tins à son côté, comprenant que le moment terrible était venu.

La rivière tournait brusquement; un petit parapet faisait du bout de l'allée une sorte de terrasse. Cette voûte d'ombre donnait sur une vallée de lumière. La campagne s'agrandit largement devant nous, à plusieurs lieues. Le soleil montait dans le ciel, où les rayons d'argent du matin s'étaient changés en un ruissellement d'or; des clartés aveuglantes coulaient de l'horizon, le long des coteaux, s'étalant dans la plaine avec des lueurs d'incendie.

Après un instant de silence, mon oncle Lazare se tourna vers moi.

—Bon Dieu, le sermon! pensai-je.

Et je baissai la tête. D'un geste large, mon oncle me montra la vallée; puis, se redressant:

—Regarde, Jean, me dit-il d'une voix lente, voilà le printemps. La terre est en joie, mon garçon, et je t'ai amené ici, en face de cette plaine de lumière, pour te montrer les premiers sourires de la jeune saison. Vois quel éclat et quelle douceur! Il monte de la campagne des senteurs tièdes qui passent sur nos visages comme des souffles de vie.

Il se tut, paraissant rêver. J'avais relevé le front, étonné, respirant à l'aise. Mon oncle ne prêchait pas.

—C'est une belle matinée, reprit-il, une matinée de jeunesse. Tes dix-huit ans vivent largement, au milieu de ces verdures âgées au plus de dix-huit jours. Tout est splendeur et parfum, n'est-ce pas? la grande vallée te semble un lieu de délices: la rivière est là pour te donner sa fraîcheur, les arbres pour te prêter leur ombre, la campagne entière pour te parler de tendresse, le ciel lui-même pour embraser ces horizons que tu interroges avec espérance et désir. Le printemps appartient aux gamins de ton âge. C'est lui qui enseigne aux garçons la façon de faire boire les jeunes filles. . . .

Je baissai la tête de nouveau. Décidément, mon oncle Lazare m'avait vu.

—Un vieux bonhomme comme moi, continua t il, sait malheureusement à quoi s'en tenir sur les grâces du printemps. Moi, mon pauvre Jean, j'aime la Durance parce qu'elle arrose ces prairies et qu'elle fait vivre toute la vallée; j'aime ces jeunes feuillages parce qu'ils m'annoncent les fruits de l'été et de l'automme; j'aime ce ciel parce qu'il est bon pour nous, parce que sa chaleur hâte la fécondité de la terre. Il me faudrait te dire cela un jour ou l'autre; je préfère te le dire aujourd'hui, à cette heure matinale. C'est le printemps lui-même qui te fait la leçon. La terre est un vaste atelier où l'on ne chôme jamais. Regarde cette fleur, à mes pieds: elle est un parfum pour toi; pour moi elle est un travail, elle accomplit sa tâche en produisant sa part de vie, une petite graine noire qui travaillera à son tour, le printemps prochain. Et, maintenant, interroge le vaste horizon. Toute cette joie n'est qu'un enfantement. Si la campagne sourit, c'est qu'elle recommence l'éternelle besogne. L'entends-tu à présent respirer fortement, active et pressée? Les feuilles soupirent, les fleurs se hâtent, le blé pousse sans relâche; toutes les plantes, toutes les herbes se disputent à qui grandira le plus vite;[2] et l'eau vivante, la rivière vient aider le travail commun, et le jeune soleil qui monte dans le ciel, a charge d'égayer l'éternelle besogne des travailleurs.

Mon oncle, à ce moment, me força à le regarder en face. Il acheva en ces termes:

—Jean, tu entends ce que te dit ton ami le printemps. Il est la jeunesse, mais il prépare l'âge mûr; son clair sourire n'est que la gaieté du travail. L'été sera puissant, l'automne sera fécond, par le printemps qui chante à cette heure, en accomplissant bravement sa tâche.

Je restai fort sot. Je comprenais mon oncle Lazare. Il me faisait bel et bien un sermon, dans lequel il me disait que j'étais un paresseux et que le moment de travailler était venu.

Mon oncle paraissait aussi embarrassé que moi. Après avoir hésité pendant quelques instants:

—Jean, me dit-il en balbutiant un peu, tu as eu tort de ne pas venir me tout conter. . . . Puisque tu aimes Babet et que Babet t'aime. . . .

—Babet m'aime! m'écriai-je.

Mon oncle eut un geste d'humeur.

—Eh! laisse-moi dire. Je n'ai pas besoin d'un nouvel aveu. . . . Elle me l'a avoué elle-même.

—Elle vous a avoué cela! Elle vous a avoué cela!

Et je sautai brusquement au cou de mon oncle Lazare.

—Oh! que c'est bon! ajoutai-je. . . . Je ne lui avais jamais parlé, vrai. . . . Elle vous a dit ça à confesse, n'est-ce pas? . . . Jamais je n'aurais osé lui demander si elle m'aimait, moi, jamais, je n'en aurais rien su. . . . Oh! que je vous remercie!

Mon oncle Lazare était tout rouge. Il sentait qu'il venait de commettre une maladresse. Il avait pensé que je n'en étais pas à ma première rencontre avec la jeune fille, et voilà qu'il me donnait une certitude, lorsque je n'osais encore rêver une espérance. Il se taisait maintenant; c'était moi qui parlais avec volubilité.

—Je comprends tout, continuai-je. Vous avez raison, il faut que je travaille pour gagner Babet. Mais vous verrez comme je serais courageux. . . . Ah! que vous êtes bon, mon oncle Lazare, et que vous parlez bien! J'entends ce que dit le printemps; je veux avoir, moi aussi, un été puissant, un automne fécond. On est bien ici, on voit toute la vallée; je suis jeune comme elle, je sens la jeunesse en moi qui demande à remplir sa tâche. . . .

Mon oncle me calma.

—C'est bien, Jean, me dit-il. J'ai longtemps espéré faire de toi un prêtre, je ne t'avais donné ma science que dans ce but. Mais ce que j'ai vu ce matin au bord de l'eau, me force à renoncer définitivement à mon rêve le plus cher. C'est le ciel qui dispose de nous. Tu aimeras Dieu d'une autre façon. . . . Tu ne peux rester maintenant dans ce village, où je veux que tu ne rentres que mûri par l'âge et le travail. J'ai choisi pour toi le métier de typographe; ton instruction te servira. Un de mes amis, un imprimeur de Grenoble,[3] t'attend lundi prochain.

Une inquiétude me prit.

—Et je reviendrai épouser Babet? demandai-je.

Mon oncle eut un imperceptible sourire. Sans répondre directement:

—Le reste est à la volonté du ciel, répondit-il.

—Le ciel, c'est vous, et j'ai foi en votre bonté. Oh! mon oncle, faites que Babet ne m'oublie pas. Je vais travailler pour elle.

Alors mon oncle Lazare me montra de nouveau la vallée que la lumière inondait de plus en plus, chaude et dorée.

—Voilà l'espérance, me dit-il. Ne sois pas aussi vieux que moi, Jean. Oublie mon sermon, garde l'ignorance de cette campagne. Elle ne songe pas à l'automne; elle est toute à la joie de son sourire; elle travaille, insouciante et courageuse. Elle espère.

Et nous revînmes à la cure, marchant lentement dans l'herbe que le soleil avait séchée, causant avec des attendrissements de notre prochaine séparation. Le déjeuner était froid, comme je l'avais prévu; mais cela m'importait peu. J'avais des larmes dans les yeux, chaque fois que je regardais mon oncle Lazare. Et, au souvenir de Babet, mon cœur battait à m'étouffer.

Je ne me rappelle pas ce que je fis le reste du jour. J'allai, je crois, me coucher sous mes saules, au bord de l'eau. Mon oncle avait raison, la terre travaillait. En appliquant l'oreille contre le gazon, il me semblait entendre des bruits continus. Alors, je rêvais ma vie. Enfoncé dans l'herbe, jusqu'au soir, j'arrangeai une existence toute de travail, entre Babet et mon oncle Lazare. La jeunesse énergique de la terre avait pénétré dans ma poitrine, que j'appuyais fortement contre la mère commune, et je m'imaginais par instants être un des saules vigoureux qui vivaient autour de moi. Le soir, je ne pus dîner. Mon oncle comprit sans doute les pensées qui m'étouffaient, car il feignit de ne pas remarquer mon peu d'appétit. Dès qu'il me fut permis de me lever, je me hâtai de retourner respirer l'air libre du dehors.

Un vent frais montait de la rivière, dont j'entendais au loin les clapotements sourds. Une lumière veloutée tombait du ciel. La vallée s'étendait comme une mer d'ombre, sans rivage, douce et transparente. Il y avait des bruits vagues dans l'air, une sorte de frémissement passionné, comme un large battement d'ailes, qui aurait passé sur ma tête. Des odeurs poignantes montaient avec la fraîcheur de l'herbe.

J'étais sorti pour voir Babet; je savais que, tous les soirs, elle venait à la cure, et j'allai m'embusquer derrière une haie. Je n'avais plus mes timidités du matin; je trouvais tout naturel de l'attendre là, puisqu'elle m'aimait et que je devais lui annoncer mon départ.

Quand je vis ses jupes dans la nuit limpide, je m'avançai sans bruit. Puis, à voix basse:

—Babet, murmurai-je, Babet, je suis ici.

Elle ne me reconnut pas d'abord, elle eut un mouvement de terreur. Quand elle m'eut reconnu, elle parut plus effrayée encore, ce qui m'étonna profondément.

—C'est vous, monsieur Jean, me dit-elle. Que faites-vous là? que voulez-vous?

J'étais près d'elle, je lui pris la main.

—Vous m'aimez bien, n'est-ce pas?

—Moi! qui vous a dit cela?

—Mon oncle Lazare.

Elle demeura atterrée. Sa main se mit à trembler dans la mienne. Comme elle allait se sauver, je pris son autre main. Nous étions face à face, dans une sorte de creux que formait la haie, et je sentais le souffle haletant de Babet qui courait tout chaud sur mon visage. La fraîcheur, le silence frissonnant de la nuit, traînaient lentement autour de nous.

—Je ne sais pas, balbutia la jeune fille, je n'ai jamais dit cela. . . . Monsieur le curé a mal entendu. . . . Par grâce, laissez-moi, je suis pressée.

—Non, non, repris-je, je veux que vous sachiez que je pars demain, et que vous me promettiez de m'aimer toujours.

—Vous partez demain!

Oh! le doux cri, et que Babet y mit de tendresse! Il me semble encore entendre, sa voix alarmée, pleine de désolation et d'amour.

—Vous voyez bien, criai-je à mon tour, que mon oncle Lazare a dit la vérité. D'ailleurs, il ne ment jamais. Vous m'aimez, vous m'aimez, Babet! Vos lèvres, ce matin, l'avaient confié tout bas à mes doigts.

Et je la fis asseoir au pied de la haie. Mes souvenirs

m'ont gardé ma première causerie d'amour, dans sa religieuse innocence. Babet m'écouta comme une petite sœur. Elle n'avait plus peur, elle me confia l'histoire de son amour. Et ce furent des serments solennels, des aveux naïfs, des projets sans fin. Elle jura de n'épouser que moi, je jurai de mériter sa main à force de travail et de tendresse. Il y avait un grillon derrière la haie, qui accompagnait notre causerie de son chant d'espérance, et toute la vallée, chuchotant dans l'ombre, prenait plaisir à nous entendre causer si doucement.

Nous nous séparâmes en oubliant de nous embrasser.

Quand je rentrai dans ma petite chambre, il me sembla que je l'avais quittée depuis une année au moins. Cette journée si courte me paraissait éternelle de bonheur. C'était là ma journée de printemps, la plus tiède, la plus parfumée de ma vie, celle dont le souvenir est aujourd'hui la voix lointaine et émue de ma jeune saison.

II

Été

Ce jour-là,[1] lorsque je m'éveillai, vers trois heures du matin, j'étais couché sur la terre dure, brisé de lassitude, le visage couvert de sueur. Une nuit de juillet, chaude et lourde, pesait sur ma poitrine.

Autour de moi, mes compagnons dormaient, enveloppés dans leurs capotes; ils tachaient de noir la terre grise, et la plaine obscure haletait; il me semblait entendre la respiration forte d'une multitude endormie. Des bruits perdus, des hennissements de chevaux, des chocs d'armes, s'élevaient dans le silence frissonnant.

Vers minuit, l'armée avait fait halte, et nous avions reçu l'ordre de nous coucher et de dormir. Depuis trois jours nous marchions, brûlés par le soleil, aveuglés par la poussière. L'ennemi était enfin devant nous, là-bas, sur les coteaux de l'horizon. Au petit jour, une bataille décisive devait être livrée.

Un accablement m'avait pris. Pendant trois heures, j'étais resté comme écrasé, sans souffle et sans rêves. L'excès même de la fatigue venait de me réveiller. Maintenant, couché sur le dos, les yeux grands ouverts, je songeais en regardant la nuit, je songeais à cette bataille, à cette tuerie que le soleil allait éclairer. Depuis plus de six ans, au premier coup de feu de chaque combat, je disais adieu à mes chères affections, à Babet, à l'oncle Lazare. Et voilà, un mois à peine avant ma libération, qu'il me fallait leur dire adieu encore, cette fois pour toujours peut-être!

Puis mes pensées s'adoucirent. Les yeux fermés, je vis Babet et mon oncle Lazare. Comme il y avait longtemps que je ne les avais embrassés! Je me souvenais du jour de notre séparation; mon oncle pleurait d'être pauvre, de me laisser partir ainsi, et Babet, le soir, m'avait juré de m'attendre, de ne jamais aimer que moi. J'avais dû tout quitter, mon patron de Grenoble, mes amis de Dourgues.[2] De loin en loin, quelques lettres étaient venues me dire qu'on m'aimait toujours, que le bonheur m'attendait dans ma bien-aimée vallée. Et moi, j'allais me battre, j'allais me faire tuer.

Je me mis à rêver le retour. Je vis mon pauvre vieil oncle sur le seuil de la cure, tendant vers moi ses bras tremblants; et, derrière lui, il y avait Babet toute rouge, en larmes et souriante. Je me jetais dans leur bras, je les embrassais en balbutiant. . . . .

Brusquement, un roulement de tambour me ramena à la terrible réalité. L'aube était venue, la plaine grise s'élargissait dans les vapeurs du matin. Le sol s'anima, des formes vagues surgirent de toutes parts. Un bruit grandissant emplit l'air; c'étaient des appels de clairon, des galops de chevaux, des roulements d'artillerie, des cris de commandement. La guerre se dressait, menaçante, au milieu de mon rêve de tendresse.

Je me levai péniblement; il me sembla que mes os étaient rompus et que ma tête allait se fendre. Je réunis mes hommes à la hâte; car je dois vous dire que j'avais atteint le grade de sergent. Nous reçûmes bientôt l'ordre de nous porter sur la gauche et d'occuper un petit coteau qui dominait la plaine.

Comme nous étions près de partir, le vaguemestre passa en courant, et cria:

—Une lettre pour le sergent Gourdon!

Et il me remit une lettre froissée, maculée, qui traînait depuis huit jours peut-être dans les sacs de cuir de l'administration des postes. Je n'eus que le temps de reconnaître l'écriture de mon oncle Lazare.

—En avant, marche! cria le commandant.

Il me fallut marcher. Pendant quelques secondes, je tins ma pauvre lettre à la main, la dévorant des yeux; elle me brûlait les doigts, j'aurais donné tout au monde pour m'asseoir, pour pleurer à mon aise en la lisant. Je dus me décider à la glisser sous ma tunique, contre mon cœur.

Jamais je n'avais éprouvé une angoisse pareille. Je me disais, pour me consoler, ce que mon oncle m'avait répété souvent: j'étais à l'été de ma vie, à l'heure de la lutte ardente, et il me fallait remplir bravement mon devoir, si je voulais avoir un automne paisible et fécond. Mais ces raisonnements m'exaspéraient davantage; cette lettre, qui venait me parler de bonheur, brûlait mon cœur révolté contre la folie de la guerre. Et je ne pouvais même la lire! J'allais mourir peut-être sans savoir ce qu'elle contenait, sans entendre une dernière fois les bonnes paroles de mon oncle Lazare.

Nous étions arrivés sur le coteau. Nous devions attendre là l'ordre de nous porter en avant. Le champ de bataille se trouvait merveilleusement choisi pour s'égorger à l'aise. L'immense plaine s'étendait toute nue, à plusieurs lieues, sans un arbre, sans une maison. Des haies, des broussailles faisaient de maigres taches sur la blancheur du sol. Jamais je n'ai revu une pareille campagne, une mer de poussière, un sol crayeux, crevé çà et là, montrant ses entrailles brunes. Et jamais non plus je n'ai revu un ciel d'une pureté si ardente, une si belle et si chaude journée de juillet; à huit heures, l'air embrasé brûlait déjà nos visages. O la splendide matinée, et quelle plaine stérile pour tuer et mourir!

Depuis longtemps la fusillade éclatait avec des bruits secs et irréguliers, appuyée de la voix grave du canon. Les ennemis, des Autrichiens aux vêtements blafards, avaient quitté les hauteurs, et la plaine était sillonnée de longues files d'hommes qui me paraissaient gros comme des insectes. On eût dit une fourmilière en insurrection. Des nuages de fumée traînaient sur le champ de bataille. Par instants, lorsque ces nuages se déchiraient, j'apercevais des soldats qui fuyaient, pris d'une terreur panique. Il y avait ainsi des courants d'effroi qui emportaient les hommes, des élans de honte et de courage qui les ramenaient sous les balles.

Je ne pouvais entendre les cris des blessés, ni voir couler le sang. Je distinguais seulement, pareils à des points noirs, les morts que les bataillons laissaient derrière eux. Je me mis à regarder avec curiosité les mouvements des troupes, m'irritant contre la fumée qui me cachait une bonne moitié du spectacle, trouvant une sorte de plaisir égoïste à me savoir en sûreté, tandis que les autres mouraient.

Vers neuf heures, on nous fit avancer. Nous descendîmes le coteau au pas gymnastique, nous dirigeant vers le centre qui pliait. Le bruit régulier de nos pas me parut funèbre. Les plus braves d'entre nous haletaient, pâles, les traits tirés.

Je me suis promis de dire la vérité. Aux premiers sifflements des balles, le bataillon s'arrêta brusquement, tenté de fuir.

—En avant, en avant! criaient les chefs.

Mais nous étions cloués au sol, baissant la tête, lorsqu'une balle sifflait à nos oreilles. Ce mouvement est instinctif; si la honte ne m'avait retenu, je me serais jeté à plat ventre dans la poussière.

Devant nous, il y avait un grand rideau de fumée que nous n'osions franchir. Des éclairs rouges traversaient cette fumée. Et, frémissants, nous n'avancions toujours pas. Mais les balles venaient jusqu'à nous; des soldats tombaient avec un hurlement. Les chefs criaient plus haut:

—En avant, en avant!

Les rangs de derrière, qu'ils poussaient, nous forçaient à marcher. Alors, fermant les yeux, nous prîmes un nouvel élan, nous entrâmes dans la fumée.

Une rage furieuse s'était emparée de nous. Lorsque retentit le cri de: Halte! nous eûmes peine à nous arrêter. Dès qu'on reste immobile, la peur revient, on a des envies de se sauver. La fusillade commença. Nous tirions devant nous, sans viser, trouvant quelque soulagement à envoyer des balles dans la fumée. Je me rappelle que je lâchais mes coups de feu machinalement, les lèvres serrées, les yeux agrandis; je n'avais plus peur, car, à vrai dire, je ne savais plus si j'existais. La seule idée qui me battait dans la tête, était que je tirerais jusqu'à ce que tout fût fini. Mon compagnon de gauche reçut une balle en plein visage et il tomba sur moi; je le repoussai brutalement, essuyant ma joue qu'il avait inondée de sang. Et je me remis à tirer.

Je me souviens encore d'avoir vu notre colonel, M. de Montrevert, ferme et droit sur son cheval, regardant tranquillement du côté de l'ennemi. Cet homme me parut gigantesque. Il n'avait pas de fusil pour se distraire, et sa poitrine s'étalait toute large au dessus de nous. De temps à autre, il abaissait ses regards, il nous criait d'une voix sèche:

—Serrez les rangs, serrez les rangs!

Nous serrions les rangs comme des moutons, marchant sur les morts, hébétés, tirant toujours. Jusque-là, l'ennemi ne nous avait envoyé que des balles; un éclat sourd se fit entendre, un boulet nous emporta cinq hommes. Une batterie, qui devait être en face de nous et que nous ne pouvions voir, venait d'ouvrir son feu. Les boulets frappaient en plein tas, presqu'au même endroit, faisant une trouée sanglante que nous bouchions sans cesse, avec un entêtement de brutes farouches.

—Serrez les rangs, serrez les rangs! répétait froidement le colonel.

Nous donnions de la chair humaine au canon. À chaque soldat qui tombait, je faisais un pas de plus vers la mort, je me rapprochais de l'endroit où les boulets ronflaient sourdement, écrasant les hommes dont le tour était venu de mourir. Les cadavres s'amoncelaient à cette place, et bientôt les boulets ne frappèrent plus que dans un tas de chairs meurtries; des lambeaux de membres volaient, à chaque nouveau coup de canon. Nous ne pouvions plus serrer les rangs.

Les soldats hurlaient, les chefs eux-mêmes furent entraînés.

—À la baïonnette, à la baïonnette!

Et, sous une pluie de balles, le bataillon courut avec rage au-devant des boulets. Le rideau de fumée se déchira; sur un petit monticule, nous aperçûmes la batterie ennemie rouge de flammes, qui faisait feu sur nous de toutes les gueules de ses pièces. Mais l'élan était pris, les boulets n'arrêtaient que les morts.

Je courais à côté du colonel Montrevert, dont le cheval venait d'être tué, et qui se battait comme un simple soldat. Brusquement, je fus foudroyé; il me sembla que ma poitrine s'ouvrait et que mon épaule était emportée. Un vent terrible me passa sur la face.

Et je tombai. Le colonel s'abattit à mon côté. Je me sentis mourir, je songeai à mes chères affections, je m'évanouis en cherchant d'une main défaillante la lettre de mon oncle Lazare.

Lorsque je revins à moi, j'étais couché sur le flanc, dans la poussière. Une stupeur profonde m'anéantissait. Les yeux grands ouverts, je regardais devant moi, sans rien voir; il me semblait que je n'avais plus de membres et que mon cerveau était vide. Je ne souffrais pas, car la vie paraissait s'en être allée de ma chair.

Un soleil lourd, implacable, tombait sur ma face comme du plomb fondu. Je ne le sentais pas. Peu à peu la vie me revint; mes membres devinrent plus légers, mon épaule seule resta broyée par un poids énorme. Alors, avec l'instinct d'une bête blessée, je voulus me mettre sur mon séant. Je poussai un cri de douleur et je retombai sur le sol.

Mais je vivais maintenant, je voyais, je comprenais. La plaine s'élargissait nue et déserte, toute blanche au grand soleil. Elle étalait sa désolation sous la sérénité ardente du ciel; des tas de cadavres dormaient dans la chaleur, et les arbres abattus semblaient d'autres morts qui séchaient. Il n'y avait pas un souffle d'air. Un silence effrayant sortait des tas de cadavres; puis, par instants, des plaintes sourdes qui traversaient ce silence, lui donnait un long frisson. A l'horizon, sur les coteaux, de minces nuages de fumée traînaient, tachaient seuls de gris le bleu éclatant du ciel. La tuerie continuait sur les hauteurs.

Je pensai que nous étions vainqueurs, je goûtai un plaisir égoïste à me dire que je pourrais mourir en paix dans cette plaine déserte. Autour de moi, la terre était noire. En levant la tête, je vis, à quelques mètres, la batterie ennemie sur laquelle nous nous étions rués. La lutte avait dû être horrible; le monticule était couvert de corps hachés et défigurés; le sang avait coulé si abondamment, que la poussière semblait un large tapis rouge. Audessus des cadavres, les canons allongeaient leurs gueules sombres. Je frissonnai, en écoutant le silence de ces canons.

Alors, doucement, avec des précautions infinies, je parvins à me mettre sur le ventre. J'appuyai ma tête sur une grosse pierre tout éclaboussée, et je tirai de ma poitrine la lettre de mon oncle Lazare. Je la posai devant mes yeux; mes larmes m'empêchaient de la lire.

Et le soleil me brûlait le dos, des odeurs âcres de sang me prenaient à la gorge. Je sentais autour de moi la plaine navrante, j'étais comme roidi par la rigidité des morts. C'était dans le silence chaud et nauséabond du meurtre que mon pauvre cœur pleurait.

L'oncle Lazare m'écrivait:

"Mon cher enfant,

"J'apprends que la guerre est déclarée, et j'espère encore que tu recevras ton congé avant l'ouverture de la campagne. Chaque matin, je prie Dieu de t'épargner de nouveaux dangers; il m'exaucera, il voudra bien que tu puisses un jour me fermer les yeux.

"Ah! mon pauvre Jean, je deviens vieux, j'ai grand besoin de ton bras. Depuis ton départ, je ne sens plus à mon côté la jeunesse qui me rendait mes vingt ans. Te souviens-tu de nos promenades du matin dans l'allée de chênes? Maintenant, je n'ose plus aller sous ces arbres; je suis seul, j'ai peur. La Durance[3] pleure. Viens vite me consoler, apaiser mes inquiétudes. . . ."

Les sanglots me suffoquaient, je ne pus continuer. A ce moment, un cri déchirant se fit entendre à quelques pas de moi; je vis un soldat se dresser brusquement, la face contractée; il leva les bras avec angoisse, et s'abattit sur le sol, où il se tordit dans des convulsions effroyables; puis, il ne bougea plus.

"J'ai mis mon espoir en Dieu, continuait mon oncle, il te ramènera à Dourgues sain et sauf, nous recommencerons notre douce vie. Laisse-moi rêver tout haut, te dire mes projets d'avenir.

"Tu n'iras plus à Grenoble, tu resteras près de moi; je

ferai de mon enfant un fils de la terre, un paysan qui vivra gaiement au milieu des travaux de la campagne.

"Et moi, je me retirerai dans ta ferme. Mes mains tremblantes ne pourront bientôt plus tenir l'hostie. Je ne demande au ciel que deux années d'une pareille existence. Ce sera la récompense de quelques bonnes œuvres que j'ai pu faire. Alors tu me conduiras parfois dans les sentiers de notre chère vallée, où chaque rocher, chaque haie me rappellera ta jeunesse que j'ai tant aimée. . . ."

Je dus m'arrêter de nouveau. J'éprouvai à l'épaule une douleur si vive, que je faillis m'évanouir une seconde fois. Une inquiétude terrible venait de me prendre; il me semblait que le bruit de la fusillade se rapprochait, et je me disais avec terreur que notre armée reculait peut-être, que dans sa fuite elle allait descendre me passer sur le corps. Mais je ne voyais toujours que les minces nuages de fumée qui traînaient sur les coteaux.

Mon oncle Lazare ajoutait:

"Et nous serons trois à nous aimer. Ah! mon bien-aimé Jean, comme tu as eu raison de lui donner à boire, un matin, au bord de la Durance. Moi, je redoutais Babet, j'étais de méchante humeur, et maintenant je suis jaloux, car je vois bien que jamais je ne pourrais t'aimer autant qu'elle t'aime, 'Dites-lui, me répétait-elle hier en rougissant, que s'il se fait tuer, j'irai me jeter dans la rivière, à l'endroit où il m'a donné à boire.'

"Pour l'amour de Dieu! ménage ta vie. Il est des choses que je ne puis comprendre, mais je sens bien que le bonheur t'attend ici. J'appelle déjà Babet ma fille; je la vois à ton bras, dans l'église, lorsque je bénirai votre union. Je veux que ce soit là ma dernière messe.

"Babet est une grande et belle fille maintenant. Elle t'aidera dans tes travaux. . . ."

Le bruit de la fusillade s'était éloigné. Je pleurais des larmes douces. Il y avait des plaintes sourdes parmi les soldats qui râlaient entre les roues des canons. J'en apercevais un qui faisait des efforts pour se débarrasser d'un de ses camarades, blessé comme lui, dont le corps lui écrasait la poitrine; et, comme ce blessé se débattait en se plaignant, le soldat le repoussa brutalement, le fit rouler sur la pente du monticule, où le misérable hurla de douleur. A ce gémissement, une rumeur monta de l'entassement des cadavres. Le soleil, qui baissait, avait des rayons d'un blond fauve. Le bleu du ciel était plus doux.

J'achevai la lettre de mon oncle Lazare.

"Je voulais simplement, disait-il encore, te donner de nos nouvelles, te supplier de venir au plus tôt nous rendre heureux. Et voilà que je pleure, que je bavarde comme un vieil enfant. Espère, mon pauvre Jean, je prie, et Dieu est bon.

"Réponds-moi vite, fixe-moi, s'il est possible, l'époque de ton retour. Nous comptons les semaines, Babet et moi. A bientôt, bonne espérance."

L'époque de mon retour! . . . Je baisai la lettre en sanglotant, je crus un instant que j'embrassais Babet et mon oncle. Jamais, sans doute, je ne les reverrais. J'allais mourir comme un chien, dans la poussière, sous le soleil de plomb. Et c'était dans cette plaine désolée, au milieu de râles d'agonie, que mes chères affections me disaient adieu. Un silence bourdonnant m'emplissait les oreilles; je regardais la terre blanche tachée de sang, qui s'étendait déserte jusqu'aux lignes grises de l'horizon. Je répétais: "Il faut mourir." Alors, je fermai les yeux, j'évoquai le souvenir de Babet et de mon oncle Lazare.

Je ne sais combien je passai de temps dans une sorte de somnolence douloureuse. Mon cœur souffrait autant que ma chair. Des larmes coulaient sur mes joues, lentes et chaudes. Au milieu des cauchemars que me donnait la fièvre, j'entendais un râle pareil à la plainte continue d'un enfant qui souffre. Par instants, je m'éveillais, je regardais le ciel avec étonnement.

Je compris enfin que c'était M. de Montrevert, gisant à quelques pas, qui râlait ainsi. Je l'avais cru mort. Il était couché la face contre terre, les bras écartés. Cet homme avait été bon pour moi; je me dis que je ne pouvais le laisser mourir ainsi, le visage dans la terre, et je me mis à ramper doucement vers lui.

Deux cadavres nous séparaient. J'eus un instant la pensée de passer sur le ventre de ces morts pour abréger le chemin; car, à chaque mouvement, mon épaule me faisait horriblement souffrir. Mais je n'osai pas. J'avançai sur les genoux, m'aidant d'une main. Quand je fus arrivé auprès du colonel, je poussai un soupir de soulagement; il me sembla que j'étais moins seul; nous allions mourir ensemble, et cette mort partagée ne m'épouvantait plus.

Je voulais qu'il vît le soleil, je le retournai le plus délicatement possible. Quand les rayons tombèrent sur son visage, il souffla fortement; il ouvrit les yeux. Penché sur lui, j'essayai de lui sourire. Il abaissa de nouveau les paupières; à ses lèvres qui tremblaient, je compris qu'il avait conscience de ses souffrances.

—C'est vous, Gourdon, me dit-il enfin d'une voix faible; la bataille est-elle gagnée?

—Je le crois, colonel, lui répondis-je.

Il y eut un instant de silence. Puis, ouvrant les yeux et me regardant:

—Où êtes-vous blessé? me demanda-t-il.

—A l'épaule. . . . Et vous, colonel?

—Je dois avoir le coude broyée. . . . Je me rappelle, c'est le même boulet qui nous a arrangés comme cela, mon garçon.

Il fit un effort pour se remettre sur son séant.

—Ah! çà, dit-il avec une gaieté brusque, nous n'allons pas coucher ici?

Vous ne sauriez croire combien cette bonhomie courageuse me donna des forces et de l'espoir. Je me sentais tout autre depuis que nous étions deux à lutter contre la mort.

—Attendez, m'écriai-je, je vais bander votre bras avec mon mouchoir, et nous tâcherons de nous porter l'un l'autre jusqu'à la prochaine ambulance.

—C'est ça, mon garçon. . . . Ne serrez pas trop fort. . . . Maintenant, prenons-nous chacun par notre bonne main et essayons de nous lever.

Nous nous levâmes en chancelant. Nous avions perdu beaucoup de sang; nos têtes tournaient, nos jambes se dérobaient. On nous aurait pris pour des hommes ivres, trébuchant, nous soutenant, nous poussant, faisant des détours pour éviter les morts. Le soleil se couchait dans une lueur rose, et nos ombres gigantesques dansaient bizarrement sur le champ de bataille. C'était la fin d'un beau jour.

Le colonel plaisantait; des frissons crispaient ses lèvres, ses rires ressemblaient à des sanglots. Je sentais bien que nous allions tomber dans un coin pour ne plus nous relever. Par instants, des vertiges nous prenaient, nous étions obligés de nous arrêter, fermant les yeux. Au fond de la plaine, les ambulances faisaient de petites taches grises sur la terre sombre.

Nous heurtâmes un gros caillou, et nous fûmes renversés l'un sur l'autre. Le colonel jura comme un païen. Nous essayâmes de marcher à quatre pattes, en nous accrochant aux ronces. Nous fîmes ainsi, sur les genoux, une centaine de mètres. Mais nos genoux saignaient.

—J'en ai assez, dit le colonel en se couchant; on viendra me ramasser si l'on veut. Dormons.

J'eus encore la force de me dresser à demi et de crier de tout le souffle qui me restait. Des hommes passaient au loin, ramassant les blessés; ils accoururent, ils nous couchèrent côte à côte sur une civière.

—Mon camarade, me dit le colonel pendant le trajet, la mort ne veut pas de nous. Je vous dois la vie, je m'acquitterai de ma dette, le jour où vous aurez besoin de moi. . . . Donnez-moi votre main.

Je mis ma main dans la sienne, et c'est ainsi que nous arrivâmes aux ambulances. On avait allumé des torches; les chirurgiens coupaient et sciaient, au milieu de hurlements épouvantables; une odeur fade s'exhalait des linges ensanglantés, tandis que les torches jetaient dans les cuvettes des moires d'un rose sombre.

Le colonel supporta courageusement l'amputation de son bras; je vis seulement ses lèvres blanchir et ses yeux se voiler. Quand mon tour fut venu, un chirurgien me visita l'épaule.

—C'est un boulet qui vous a fait cela, dit-il, deux centimètres plus bas, et vous aviez l'épaule emportée. La chair seule a été meurtrie.

Et, comme je demandais à l'aide qui me pansait si ma blessure était grave:

—Grave! me répondit-il en riant, vous en avez pour trois semaines à garder le lit et à vous refaire du sang.

Je me tournai contre le mur, ne voulant pas laisser voir mes larmes. Et j'aperçus des yeux du cœur Babet et mon oncle Lazare qui me tendaient les bras. J'en avais fini avec les luttes sanglantes de ma journée d'été.

III

Automne

Il y avait près de quinze ans que j'avais épousé Babet dans la petite église de mon oncle Lazare. Nous avions demandé le bonheur à notre chère vallée. Je m'étais fait cultivateur; la Durance, ma première amante, était maintenant pour moi une bonne mère qui semblait se plaire à rendre mes champs gras et fertiles. Peu à peu, appliquant les méthodes nouvelles de culture, je devenais un des plus riches propriétaires du pays.

A la mort des parents de ma femme, nous avions acheté l'allée de chênes et les prairies qui s'étendaient le long de la rivière. J'avais fait bâtir sur ce terrain une habitation modeste qu'il nous fallut bientôt agrandir; chaque année, je trouvais moyen d'arrondir nos terres de quelque champ voisin, et nos greniers étaient trop étroits pour nos moissons.

Ces quinze premières années furent simples et heureuses. Elles s'écoulèrent dans une joie sereine, et elles n'ont laissé en moi que le souvenir vague d'un bonheur calme et continu. Mon oncle Lazare avait réalisé son rêve en se retirant chez nous; son grand âge ne lui permettait même plus de lire chaque matin son bréviaire; il regrettait parfois sa chère église, il se consolait en allant rendre visite au jeune vicaire qui l'avait remplacé. Dès le lever du soleil, il descendait de la petite chambre qu'il occupait, et souvent il m'accompagnait aux champs, se plaisant au grand air, retrouvant une jeunesse au milieu des senteurs fortes de la campagne.

Une seule tristesse nous faisait soupirer parfois. Dans la fécondité qui nous entourait, Babet restait stérile. Bien que nous fussions trois à nous aimer, certains jours, nous nous trouvions trop seuls: nous aurions voulu avoir dans nos jambes une tête blonde qui nous eût tourmentés et caressés.

L'oncle Lazare avait une peur terrible de mourir avant d'être grand-oncle. Il était redevenu enfant, il se désolait de ce que Babet ne lui donnait pas un camarade qui aurait joué avec lui. Le jour où ma femme nous confia en hésitant que nous allions sans doute être bientôt quatre, je vis le cher oncle tout pâle, se retenant pour ne pas pleurer. Il nous embrassa, songeant déjà au baptême, parlant de l'enfant comme s'il était âgé de trois ou quatre ans.

Et les mois passèrent dans une tendresse recueillie. Nous parlions bas entre nous, attendant quelqu'un. Je n'aimais plus Babet, je l'adorais à mains jointes, je l'adorais pour deux, pour elle et pour le petit.

Le grand jour approchait. J'avais fait venir de Grenoble une sage-femme qui ne quittait plus la ferme. L'oncle était dans des transes horribles; il n'entendait rien à de pareilles aventures, il alla jusqu'à me dire qu'il avait eu tort de se faire prêtre et qu'il regrettait beaucoup de n'être pas médecin.

Un matin de septembre, vers six heures, j'entrai dans la chambre de ma chère Babet qui sommeillait encore. Son visage souriant reposait paisiblement sur la toile blanche de l'oreiller. Je me penchai, retenant mon souffle. Le ciel me comblait de ses biens. Je songeai tout à coup à cette journée d'été où je râlais dans la poussière, et je sentis en même temps, autour de moi, le bien-être du travail, la paix du bonheur. Ma brave femme dormait, toute rose, au milieu de son grand lit; tandis que la chambre entière me rappelait nos quinze années de tendresse.

J'embrassai doucement Babet sur les lèvres. Elle ouvrit les yeux, me sourit, sans parler. J'avais des envies folles de la prendre dans mes bras, de la serrer contre mon cœur; mais, depuis quelque temps, j'osais à peine lui presser la main, tant elle me semblait fragile et sacrée.

Je m'assis sur le bord de la couche, et, à voix basse:

—Est-ce pour aujourd'hui? lui demandai-je.

—Non, je ne crois pas, me répondit-elle. . . . Je rêvais que j'avais un garçon: il était déjà très-grand et portait d'adorables petites moustaches noires. . . . L'oncle Lazare me disait hier qu'il l'avait aussi vu en rêve.

Je commis une grosse maladresse.

—Je connais l'enfant mieux que vous, repris-je. Je le vois chaque nuit. C'est une fille. . . .

Et comme Babet se tournait vers la muraille, près de pleurer, je compris ma bêtise, je me hâtai d'ajouter:

—Quand je dis une fille . . . . je ne suis pas bien sûr.

Je vois l'enfant tout petit, avec une longue robe blanche. . . . C'est certainement un garçon.

Babet m'embrassa pour cette bonne parole.

—Va surveiller les vendanges, reprit-elle. Je me sens calme, ce matin.

—Tu me ferais prévenir s'il arrivait quelque chose?

—Oui, oui. . . . Je suis très-lasse. Je vais encore dormir. Tu ne m'en veux pas de ma paresse? . . .

Et Babet ferma les yeux, languissante et attendrie. Je restai penché sur elle, recevant au visage le souffle tiède de ses lèvres. Elle s'endormit peu à peu, sans cesser de sourire. Alors, je dégageai ma main de la sienne avec des précautions infinies; je travaillai pendant cinq minutes pour mener à bien cette besogne délicate. Puis, je posai sur son front un baiser qu'elle ne sentit pas, et je me retirai, palpitant, le cœur débordant d'amour.

Je trouvai, en bas, dans la cour, mon oncle Lazare qui regardait avec inquiétude la fenêtre de la chambre de Babet. Dès qu'il m'aperçut:

—Eh bien! me demanda-t-il, est-ce pour aujourd'hui?

Depuis un mois il m'adressait régulièrement cette question chaque matin.

—Il paraît que non, lui répondis-je. Venez-vous avec moi voir vendanger?

Il alla chercher sa canne, et nous descendîmes l'allée de chênes. Lorsque nous fûmes au bout de l'allée, sur cette terrasse qui dominait la Durance, nous nous arrêtâmes tous deux, regardant la vallée.

De petits nuages blancs frissonnaient dans le ciel pâle. Le soleil avait des rayons blonds qui jetaient comme une poussière d'or sur la campagne, dont la nappe jaune s'étendait toute mûre, n'ayant plus les lumières ni les ombres énergiques de l'été. Les feuillages doraient, par larges plaques, la terre noire. La rivière coulait plus lente, lasse d'avoir fécondé les champs pendant une saison. Et la vallée restait calme et forte. Elle portait déjà les premières rides de l'hiver, mais son flanc gardait la chaleur de ses derniers enfantements, étalant ses formes amples, dépouillée des herbes folles du printemps, plus orgueilleusement belle de cette seconde jeunesse de la femme qui a fait œuvre de vie.

Mon oncle Lazare resta silencieux; puis, se tournant vers moi:

—Te souviens-tu? Jean, me dit-il, il y a plus de vingt ans, je t'ai conduit ici par une jeune matinée de mai. Ce jour-là, je t'ai montré la vallée prise d'une activité folle, travaillant aux fruits de l'automne. Regarde: la vallée vient encore une fois d'achever son travail.

—Je me souviens, cher oncle, répondis-je. J'avais grand'peur ce jour-là; mais vous étiez bon, et votre leçon fut convaincante. Je vous dois toutes mes joies.

—Oui, tu en es à l'automne, tu as travaillé et tu récoltes. L'homme, mon enfant, a été créé à l'image de la terre. Et, comme la mère commune, nous sommes éternels: les feuilles vertes renaissent chaque année des feuilles sèches; moi, je renais en toi, et toi, tu renaîtras dans tes enfants. Je te dis cela pour que la vieillesse ne t'effraye pas, pour que tu saches mourir en paix, comme meurt cette verdure, qui repoussera de ses propres germes au printemps prochain.

J'écoutais mon oncle, et je songeais à Babet, qui dormait dans son grand lit de toile blanche. La chère créature allait enfanter, à l'image de ce sol puissant qui nous avait donné la fortune. Elle aussi en était à l'automne: elle avait le sourire fort, l'ampleur sereine de la vallée. Je croyais la voir sous le soleil blond, lasse et heureuse, trouvant une généreuse volupté à être mère. Et je ne savais plus si mon oncle Lazare me parlait de ma chère vallée ou de ma chère Babet.

Nous montâmes lentement sur les coteaux. En bas, le long de la Durance, étaient les prairies, de larges tapis d'un vert cru; puis venaient des terres jaunes que, çà et là, les oliviers grisâtres et les maigres amandiers coupaient en allées largement espacées ; puis, tout en haut, se trouvaient les vignes, des souches puissantes dont les ceps traînaient sur le sol.

Dans le midi de la France, on traite la vigne en rude commère, et non en délicate demoiselle, comme dans le nord. Elle pousse un peu à l'aventure, selon le bon plaisir de la pluie et du soleil. Les souches, alignées sur deux rangs, en longues files, jettent autour d'elles des jets d'une verdure sombre. Dans les intervalles, on sème du blé ou de l'avoine. Un vignoble ressemble à une immense pièce d'étoffe rayée, faite de la bande verte des pampres et du ruban jaune des chaumes.

Des hommes et des femmes, accroupis dans les vignes, coupaient les grappes de raisin, qu'ils jetaient ensuite au fond de grands paniers. Nous marchions lentement, mon oncle et moi, le long des allées de chaume. Lorsque nous passions, les vendangeurs tournaient la tête et nous saluaient. Mon oncle s'arrêtait parfois pour causer avec les plus vieux des travailleurs.

—Hé ! père André, disait-il, le raisin est-il bien mûr, le vin sera-t-il bon, cette année ?

Et les paysans, levant leurs bras nus, montraient au soleil de longues grappes d'un noir d'encre, dont les grains pressés semblaient éclater d'abondance et de force.

—Voyez, monsieur le curé, criaient-ils, ce sont là les petites. Il y en a qui pèsent plusieurs livres. Voici dix ans que nous n'avions eu une pareille besogne.

Puis, ils rentraient dans les feuilles. Leurs vestes brunes faisaient des taches sur la verdure. Et les femmes, nu-tête, ayant au cou un mince fichu bleu, se courbaient en chantant. Il y avait des enfants qui se roulaient au soleil, dans les chaumes, poussant des rires aigus, égayant de leur turbulence l'atelier en plein air. Au bord du champ, de grosses charrettes immobiles attendaient le raisin ; elles se détachaient sur le ciel clair, tandis que des hommes allaient et venaient sans cesse, portant les paniers pleins, rapportant les paniers vides.

Je l'avoue, au milieu de ce champ, il me vint des pensées d'orgueil. J'entendais la terre enfanter sous mes pas; la vie mûre et toute-puissante coulait dans les veines de la vigne, et chargeait l'air de souffles larges. Un sang chaud battait dans ma chair, j'étais comme soulevé par la fécondation qui débordait du sol et qui montait en moi. Le labeur de ce peuple d'ouvriers était mon œuvre, ces vignes étaient mes enfants; cette campagne entière devenait ma famille plantureuse et obéissante. J'avais plaisir à sentir mes pieds s'enfoncer dans la terre grasse.

Alors, j'embrassai d'un coup d'œil les terrains qui descendaient jusqu'à la Durance, et je possédai ces vignobles, ces prés, ces chaumes, ces oliviers. La maison blanchissait à côté de l'allée de chênes; la rivière semblait une frange d'argent posée au bord du grand manteau vert de mes pâturages. Je crus un instant que ma taille grandissait, qu'en étendant les bras, j'allais pouvoir serrer contre ma poitrine la propriété entière, les arbres et les prairies, la maison et les terres labourées.

Et comme je regardais, je vis, dans l'étroit sentier qui montait le coteau, une de nos servantes courant à perdre haleine. Elle se heurtait aux cailloux, emportée par son élan, agitant les deux bras, nous appelant de ses gestes éperdus. Une émotion inexprimable me prit à la gorge.

—Mon oncle, mon oncle! criai-je, voyez donc courir Marguerite. . . . Je crois que c'est pour aujourd'hui.

Mon oncle Lazare devint tout pâle. La servante était enfin arrivée sur le plateau; elle venait à nous, en sautant par-dessus les vignes. Quand elle fut devant moi, l'haleine lui manqua; elle étouffait, appuyant les mains sur sa poitrine.

—Parlez donc! lui dis-je. Qu'arrive-t-il?

Elle poussa un gros soupir, fit aller les mains, put enfin prononcer ce seul mot:

—Madame. . . .

Je n'attendis pas davantage.

—Venez, venez vite, oncle Lazare! Ah! ma pauvre et chère Babet!

Et je descendis le sentier, lancé à me briser les os. Les vendangeurs, qui s'étaient mis debout, me regardaient courir en souriant. L'oncle Lazare, ne pouvant me rejoindre, agitait sa canne avec désespoir.

—Hé! Jean, que diable! criait-il, attends-moi. Je ne veux pas arriver le dernier.

Mais je n'entendais plus l'oncle Lazare, je courais toujours.

J'arrivai à la ferme, haletant, plein de terreur et d'espérance. Je montai rapidement l'escalier, je frappai du poing à la porte de Babet, riant, pleurant, la tête perdue. La sage-femme entre-bâilla la porte, pour me dire d'un ton fâché de ne point faire tant de bruit. Je demeurai désespéré et honteux.

—Vous ne pouvez entrer, ajouta-t-elle. Allez attendre dans la cour.

Et comme je ne bougeais pas:

—Tout va bien, continua la sage-femme. Je vous appellerai.

La porte se referma. Je restai droit devant elle, ne me décidant pas à descendre. J'entendais Babet se plaindre d'une voix brisée. Et, comme j'étais là, elle poussa un cri déchirant qui me frappa comme une balle en pleine poitrine. Il me prit une envie irrésistible d'enfoncer la porte d'un coup d'épaule. Pour ne pas céder à cette envie, je mis les mains à mes oreilles, je me précipitai follement dans l'escalier.

Je trouvai dans la cour mon oncle Lazare qui arrivait tout essoufflé. Le cher homme fut obligé de s'asseoir sur la margelle du puits.

—Eh bien! me demanda-t-il, où est l'enfant?

—Je ne sais pas, répondis-je; on m'a mis à la porte. . . . Babet souffre et pleure.

Nous nous regardâmes, n'osant prononcer une parole. Nous tendions l'oreille avec angoisse, nous ne quittions pas des yeux la fenêtre de Babet, cherchant à voir au travers des petits rideaux blancs. L'oncle, tremblant, restait immobile, les deux mains appuyées fortement sur sa canne; moi, pris de fièvre, je marchais devant lui à grands pas. Par moments, nous échangions des sourires inquiets.

Les charrettes des vendangeurs arrivaient une à une. Les paniers de raisin étaient posés contre un des murs de la cour, et des hommes, les jambes nues, foulaient les grappes sous leurs pieds, dans des auges de bois. Les mulets hennissaient, les charretiers juraient, tandis que le vin tombait avec des bruits sourds au fond de la cuve. Des odeurs âcres montaient dans l'air tiède.

Et j'allais toujours de long en large, comme grisé par ces odeurs. Ma pauvre tête éclatait, je songeais à Babet, en regardant couler le sang du raisin. Je me disais avec une joie toute physique que mon enfant naissait à l'époque féconde de la vendange, dans les senteurs du vin nouveau.

L'impatience me torturait, je montai de nouveau. Mais je n'osai frapper, je collai mon oreille contre le bois de la porte, et j'entendis les plaintes de Babet, qui sanglotait tout bas. Alors le cœur me manqua, je maudis la souffrance. L'oncle Lazare, qui était doucement monté derrière moi, dut me ramener dans la cour. Il voulut me distraire, il me dit que le vin serait excellent; mais il parlait sans s'écouter lui-même. Et, par instants, nous nous taisions tous deux, écoutant avec anxiété une plainte plus prolongée de Babet.

Peu à peu, les cris s'adoucirent, ce ne fut plus qu'un murmure douloureux, une voix d'enfant qui s'endort en pleurant. Puis, un grand silence se fit. Bientôt ce silence me causa une épouvante indicible. La maison me paraissait vide, maintenant que Babet ne sanglotait plus. J'allais monter, lorsque la sage-femme ouvrit sans bruit la fenêtre. Elle se pencha, et, me faisant signe de la main:

—Venez, me dit-elle.

Je montai lentement, goûtant des joies plus profondes à chaque marche. Mon oncle Lazare frappait déjà à la porte, que j'étais encore au milieu de l'escalier, prenant une sorte de plaisir étrange à retarder le moment où j'embrasserais ma femme.

Sur le seuil je m'arrêtai, le cœur battant à grands coups. Mon oncle était penché sur le berceau. Babet, toute blanche, les yeux fermés, semblait dormir. J'oubliai l'enfant, j'allai droit à Babet, je pris sa chère tête entre mes mains. Les larmes n'avaient pas séché sur ses joues, et ses lèvres, encore frémissantes, souriaient trempées de pleurs. Elle leva paresseusement les paupières. Elle ne me parla pas, mais je l'entendis me dire: "J'ai bien souffert, mon brave Jean, mais j'étais si heureuse de souffrir! Je te sentais en moi."

Alors, je me penchai, je baisai les yeux de Babet, je bus ses larmes. Elle riait doucement, elle s'abandonnait avec une langueur caressante. La fatigue la tenait endolorie. Elle dégagea lentement ses mains du drap du lit, et, me prenant par le cou, approchant sa bouche de mon oreille:

—C'est un garçon, murmura-t-elle d'une voix faible, avec un air de triomphe.

Ce furent là les premiers mots qu'elle prononça après la terrible crise qui venait de la secouer.

—Je savais bien que ce serait un garçon, continua-t-elle, je voyais l'enfant chaque nuit. . . . Donne-le-moi, couche-le à mon côté.

Je me tournai, et je vis la sage-femme et mon oncle se quereller. La sage-femme avait toutes les peines du monde à empêcher l'oncle Lazare de prendre le petit entre ses bras. Il voulait le bercer.

Je regardai l'enfant que la mère m'avait fait oublier. Il

était tout rose. Babet disait avec conviction qu'il me ressemblait; la sage-femme trouvait qu'il avait les yeux de sa mère; moi je ne savais pas, j'étais ému jusqu'aux larmes, j'embrassai le cher petit comme du pain, croyant encore embrasser Babet.

Je posai l'enfant sur le lit. Il poussait des cris continus qui nous semblaient être une musique céleste. Je m'assis sur le bord de la couche, mon oncle se mit dans un grand fauteuil, et Babet, lasse et sereine, couverte jusqu'au menton, resta les paupières levées, les yeux souriants.

La fenêtre était ouverte toute grande. L'odeur du raisin entrait avec les tiédeurs de la douce après-midi d'automne. On entendait les piétinements des vendangeurs, les secousses des charrettes, les claquements des fouets; par moments, montait la chanson aiguë d'une servante qui traversait la cour. Tous ces bruits s'adoucissaient dans la sérénité de cette chambre, encore émue des sanglots de Babet. Et la fenêtre taillait en plein ciel et en pleine campagne une large bande de paysage. Nous apercevions l'allée de chênes dans sa longueur, puis la Durance, comme un ruban de satin blanc, passait au milieu de l'or et de la pourpre des feuillages; tandis que, au-dessus de ce coin de terre, un ciel pâle, bleu et rose, creusait ses limpides profondeurs.

C'est dans le calme de cet horizon, dans les exhalaisons de la cuve, dans les joies du travail et de l'enfantement, que nous causions tous trois, Babet, l'oncle Lazare et moi, en regardant le cher petit nouveau-né.

—Oncle Lazare, disait Babet, quel nom donnerez-vous à l'enfant?

—La mère de Jean s'appelait Jacqueline, répondit l'oncle, je nommerai l'enfant Jacques.

—Jacques, Jacques, répéta Babet. . . . Oui, c'est un joli nom. . . . Et, dites-moi, que ferons-nous de ce petit homme; un curé ou un soldat, un monsieur ou un paysan?

Je me mis à rire.

—Nous avons le temps de songer à cela, lui dis-je.

—Mais non, reprit Babet presque fâchée, il grandira vite. Vois comme il est fort. Ses yeux parlent déjà.

Mon oncle Lazare pensait absolument comme ma femme. Il reprit d'un ton grave:

—N'en faites ni un prêtre ni un soldat, à moins que le garçon n'ait une vocation irrésistible. . . . En faire un monsieur, cela est grave. . . .

Babet, anxieuse, me regardait. La chère femme n'avait pas un brin d'orgueil pour elle; mais, comme toutes les mères, elle eût voulu être humble et fière devant son fils. J'aurais juré qu'elle le voyait déjà notaire ou médecin. Je l'embrassai, je lui dis doucement:

—Je désire que l'enfant habite notre chère vallée. Un jour, il trouvera, au bord de la Durance, une Babet de seize ans, à laquelle il offrira à boire. Souviens-toi, mon amie. . . . La campagne nous a donné la paix: notre fils sera paysan comme nous, heureux comme nous.

Babet, tout émue, m'embrassa à son tour. Elle regarda par la fenêtre les feuillages et la rivière, les prairies et le ciel; puis, en souriant:

—Tu as raison, Jean, me dit-elle. Ce pays a été bon pour nous, il le sera pour notre petit Jacques. . . . Oncle Lazare, vous serez le parrain d'un fermier.

L'oncle Lazare approuva de la tête, d'un signe las et affectueux. Depuis un instant, je l'examinais, et je voyais ses yeux se voiler, ses lèvres pâlir. Renversé dans le fauteuil, en face de la fenêtre ouverte, il avait posé ses mains blanches sur ses genoux, il regardait fixement le ciel d'un air d'extase recueillie.

Je fus pris d'inquiétude.

—Souffrez-vous, oncle Lazare? lui demandai-je. Qu'avez-vous? . . . Répondez, par grâce.

Il leva doucement une de ses mains, comme pour me prier de parler plus bas; puis il la laissa retomber, et, d'une voix faible:

—Je suis brisé, dit-il. À mon âge, le bonheur est mortel. . . . Ne faites pas de bruit. . . . Il me semble que ma chair est devenue toute légère; je ne sens plus mes jambes ni mes bras.

Babet, effrayée, se souleva, regardant l'oncle Lazare. Je me mis à genoux devant lui, le contemplant avec anxiété. Lui, souriait.

—Ne vous épouvantez pas, reprit-il. Je n'éprouve aucune souffrance; une douceur descend en moi, je crois que je vais m'endormir d'un sommeil juste et bon. . . . Cela vient de me prendre tout d'un coup, et je remercie Dieu. Ah! mon pauvre Jean, j'ai trop couru dans le sentier du coteau, l'enfant m'a donné trop de joie.

Et comme nous comprenions, comme nous éclations en sanglots, l'oncle Lazare continua, sans cesser de regarder le ciel:

—Ne gâtez pas ma joie, je vous en supplie. . . . Si vous saviez combien je suis heureux de m'endormir pour toujours dans ce fauteuil! Jamais je n'ai osé rêver une mort si consolante. Toutes mes tendresses sont là, à mes côtés. . . . Et voyez quel ciel bleu! Dieu m'envoie une belle soirée.

Le soleil se couchait derrière l'allée de chênes. Les rayons obliques jetaient des nappes d'or sous les arbres qui prenaient des tons de vieux cuivre. Au loin, la campagne verte se perdait dans une sérénité vague. L'oncle Lazare s'affaiblissait de plus en plus, en face de ce silence attendri, de ce coucher de soleil, apaisé, entrant par la fenêtre ouverte. Il s'éteignait lentement, comme ces lueurs légères qui pâlissaient sur les hautes branches.

—Ah! ma bonne vallée, murmura-t-il, tu me fais de tendres adieux. . . . J'avais peur de mourir l'hiver, lorsque tu es toute noire.

Nous retenions nos larmes, nous ne voulions pas troubler cette mort si sainte. Babet priait à voix basse. L'enfant jetait toujours de légers cris.

Mon oncle Lazare entendit ces cris, dans le rêve de son agonie. Il essaya de se tourner vers Babet, et, souriant encore :

—J'ai vu l'enfant, dit-il, je meurs bien heureux.

Alors, il regarda le ciel pâle, la campagne blonde, et, renversant la tête, il poussa un faible soupir. Aucun frisson ne secoua le corps de l'oncle Lazare ; il entra dans la mort comme on entre dans le sommeil.

Une telle douceur s'était faite en nous, que nous restâmes muets, sans larmes. Nous n'éprouvions qu'une tristesse sereine en face de tant de simplicité dans la mort. Le crépuscule tombait, les adieux de l'oncle Lazare nous laissaient confiants, ainsi que les adieux du soleil qui meurt le soir pour renaître le matin.

Telle fut ma journée d'automne, qui me donna un fils et qui emporta mon oncle Lazare dans la paix du crépuscule.

IV

Hiver

Janvier a de sinistres matinées, qui glacent le cœur. Au réveil, ce jour-là, je fus pris d'une inquiétude vague. Pendant la nuit, le dégel était venu, et, lorsque, du seuil de la porte, je regardai la campagne, elle m'apparut comme un immense haillon d'un gris sale, souillé de boue, troué de déchirures.

Un rideau de brouillard cachait les horizons. Dans ce brouillard, les chênes de l'allée dressaient lugubrement leurs bras noirs, pareils à une rangée de spectres gardant l'abîme de vapeur qui se creusait derrière eux. Les terres étaient défoncées, couvertes de flaques d'eau, le long desquelles trainaient des lambeaux de neige salie. Au loin, la grande voix de la Durance s'enflait.

L'hiver est d'une vigueur saine, lorsque le ciel est clair et que la terre est dure. L'air pince les oreilles, on marche gaillardement dans les sentiers gelés qui sonnent sous les pas avec des bruits d'argent. Les champs s'élargissent, propres et nets, blancs de glace, jaunes de soleil. Mais je ne sais rien de plus attristant que ces temps fades de dégel; je hais les brouillards dont l'humidité pèse aux épaules.

Je frissonnai devant ce ciel cuivré; je me hâtai de rentrer, décidé à ne point aller aux champs, ce jour-là. Il ne manquait pas de travail dans l'intérieur de la ferme.

Jacques était levé depuis longtemps. Je l'entendais siffler sous un hangar, où il donnait un coup de main à des hommes qui enlevaient des sacs de blé. Le garçon avait déjà dix-huit ans; c'était un grand gaillard, aux bras forts. Il n'avait pas eu un oncle Lazare pour le gâter et lui apprendre le latin, il n'allait point rêver sous les saules de la rive. Jacques était devenu un vrai paysan, un travailleur infatigable, qui se fâchait, lorsque je touchais à quelque chose, me disant que je me faisais vieux et que je devais me reposer.

Et, comme je le regardais de loin, un être doux et léger, qui me sauta sur les épaules, posa ses petites mains sur mes yeux, en me demandant:

—Qui est-ce?

Je me mis à rire.

—C'est, répondis-je, la petite Marie, que sa mère vient d'habiller.

La chère fillette allait avoir dix ans, et, depuis dix ans, elle était la joie de la ferme. Venue la dernière, à une époque où nous n'espérions plus avoir d'enfant, elle était doublement aimée. Sa santé chancelante nous la rendait chère. On la traitait en demoiselle; sa mère voulait absolument en faire une dame, et je n'avais pas le courage de vouloir autre chose, tant la petite Marie était mignonne, dans ses belles jupes de soie ornées de rubans.

Marie n'était pas descendue de mes épaules.

—Maman, maman, criait-elle, viens donc voir; je joue au cheval.

Babet, qui entrait, eut un sourire. Ah! ma pauvre Babet, comme nous étions vieux! Je me souviens que nous grelottions de lassitude, ce jour-là, en nous regardant d'un air triste, lorsque nous étions seuls. Nos enfants nous rendaient notre jeunesse.

Le déjeuner fut silencieux. Nous avions été obligés d'allumer la lampe. Les clartés rousses qui traînaient dans la pièce, étaient d'une tristesse à mourir.

—Bah! disait Jacques, il vaut mieux cette pluie tiède qu'un grand froid qui gèlerait nos oliviers et nos vignes.

Et il essayait de plaisanter. Mais il était inquiet comme nous, sans savoir pourquoi. Babet avait fait de mauvais rêves. Nous écoutions le récit de ses cauchemars, riant des lèvres, le cœur serré.

—C'est le temps qui nous met l'âme à l'envers, dis-je pour rassurer tout le monde.

—Oui, oui, c'est le temps, se hâta de reprendre Jacques. Je vais mettre quelques sarments dans le feu.

Une flambée joyeuse jeta de larges nappes de lumière contre les murs. Les ceps brûlaient avec des pétillements, laissant des brasiers roses. Nous nous étions assis devant la cheminée; l'air, au dehors, était tiède; mais, dans l'intérieur de la ferme, il tombait des plafonds une humidité glaciale. Babet avait pris la petite Marie sur ses genoux; elle causait tout bas avec elle, s'égayant de son babil d'enfant.

—Venez-vous, père? me demanda Jacques. Nous allons visiter les caves et les greniers.

Je sortis avec lui. Depuis quelques années, les récoltes devenaient mauvaises. Nous subissions de grosses pertes: nos vignes, nos arbres étaient surpris par les froids, la grêle hachait nos blés et nos avoines. Et je disais parfois que je devenais vieux, que la fortune, qui est femme, n'aime pas les vieillards. Jacques riait, en me répondant qu'il était jeune, lui, et qu'il allait faire la cour à la fortune.

J'en étais à l'hiver, à la saison froide. Je sentais bien que tout mourait autour de moi. A chaque gaieté qui s'en allait, je songeais à l'oncle Lazare, qui était resté si calme dans la mort; je demandais des forces à son cher souvenir.

Vers trois heures, le jour tomba complètement. Nous descendîmes dans la salle commune. Babet cousait au coin de la cheminée, la tête penchée; la petite Marie, assise par terre, en face du feu, habillait gravement une poupée. Jacques et moi, nous nous étions mis devant un bureau d'acajou, qui nous venait de l'oncle Lazare; nous nous occupions à vérifier nos comptes.

La fenêtre était comme murée; le brouillard, collé aux vitres, bâtissait une véritable muraille de ténèbres. Derrière cette muraille, se creusait le vide, l'inconnu. Seule, une clameur large, une voix haute, qui emplissait l'ombre, s'élevait dans le silence.

Nous avions congédié les travailleurs, ne gardant avec nous que notre vieille servante Marguerite. Quand je levais la tête et que j'écoutais, il me semblait que la ferme se trouvait suspendue au milieu d'un gouffre. Aucun bruit humain ne venait du dehors, je n'entendais que la clameur de l'abîme. Alors je regardais ma femme et mes enfants, j'avais les lâchetés des vieilles gens qui se sentent trop faibles pour protéger ceux qui les entourent contre les périls inconnus.

La clameur devint plus rauque, et il nous sembla qu'on heurtait à la porte. Au même instant, les chevaux de l'écurie se mirent à hennir furieusement, les bestiaux poussèrent des beuglements étouffés. Nous nous étions tous levés, pâles d'inquiétude. Jacques se précipita vers la porte, l'ouvrit toute grande.

Un flot d'eau trouble entra brusquement et s'étala dans la pièce.

La Durance débordait. C'était elle qui jetait la clameur s'élargissant au loin depuis le matin. Les neiges fondaient dans les montagnes, chaque coteau était devenu un torrent qui enflait la rivière. Le rideau de brouillard nous avait caché cette crue soudaine.

Souvent, dans les hivers rigoureux, en temps de dégel, l'eau était ainsi montée jusqu'à la porte de la ferme. Mais jamais le flot n'avait grandi si rapide. Par la porte ouverte, nous apercevions la cour transformée en lac. Nous avions déjà de l'eau jusqu'aux chevilles.

Babet avait soulevé la petite Marie, qui pleurait en serrant sa poupée contre sa poitrine. Jacques voulait aller ouvrir les portes des écuries et des étables ; mais sa mère, le retenant par ses vêtements, le supplia de ne point sortir. L'eau montait toujours. Je poussai Babet vers l'escalier.

—Vite, vite, allons dans les chambres, criai-je.

Et je forçai Jacques à passer devant moi. Je quittai le rez-de-chaussée le dernier.

Marguerite, terrifiée, descendit du grenier où elle se trouvait. Je la fis asseoir au fond de la pièce, à côté de Babet, qui restait silencieuse, pâle, les yeux suppliants. Nous avions couché la petite Marie dans le lit ; elle n'avait pas voulu se séparer de sa poupée, elle s'endormait doucement, en la serrant entre ses bras. Le sommeil de l'enfant me soulageait ; lorsque je me tournais et que je voyais Babet, écoutant le souffle régulier de la fillette, j'oubliais le danger, je n'entendais plus l'eau qui battait les murs.

Mais nous ne pouvions, Jacques et moi, nous empêcher de regarder le péril en face. L'anxiété nous poussait à nous rendre compte des progrès de l'inondation. Nous avions ouvert la fenêtre toute grande, nous nous penchions au risque de tomber, nous interrogions la nuit. Le brouillard, plus épais, traînait sur l'eau, suant une pluie fine qui nous pénétrait de frissons. De vagues reflets d'acier indiquaient seuls la nappe mouvante, au fond des ténèbres. En bas, dans la cour, le flot clapotait, montant le long des murailles avec des ondulations douces. Et nous n'entendions toujours que la colère de la Durance et que l'épouvante des chevaux et des bestiaux.

Les hennissements, les beuglements de ces pauvres bêtes me fendaient l'âme. Jacques m'interrogeait du regard; il aurait voulu tenter de les délivrer. Bientôt leurs plaintes d'agonie devinrent lamentables, et un grand craquement se fit entendre. Les bœufs venaient de briser les portes de l'étable. Nous les vîmes passer devant nous, emportés par les eaux, roulés dans le courant. Et ils disparurent dans la clameur de la rivière.

Alors la colère me prit à la gorge, je devins comme fou, je montrai le poing à la Durance. Debout devant la fenêtre, je l'insultais.

—Mauvaise! criai-je au milieu du vacarme des eaux, je t'ai aimée d'amour, tu as été ma première maîtresse, et tu me voles aujourd'hui, tu viens ébranler ma ferme et emporter mes bestiaux. Ah! maudite, maudite! . . . Puis, tu m'as donné Babet, tu t'es promenée avec douceur au bord de mes prés. Moi, je croyais que tu étais une bonne mère, je me rappelais que l'oncle Lazare avait eu de la tendresse pour tes eaux claires, je pensais te devoir de la reconnaissance. . . . Tu es une marâtre, je ne te dois que de la haine. . . .

Mais la Durance, de sa voix de tonnerre, étouffait mes cris; et, large, indifférente, elle étalait et poussait ses flots avec l'entêtement tranquille des choses.

Je rentrai dans la chambre, j'allais embrasser Babet qui pleurait. La petite Marie dormait en souriant.

—Ne t'effraye pas, dis-je à ma femme. L'eau ne peut toujours monter. . . . Elle va certainement descendre. . . . Il n'y a aucun danger.

—Non, il n'y a aucun danger, répétait Jacques fiévreusement. La maison est solide.

À ce moment, Marguerite, qui s'était approchée de la fenêtre, prise de la curiosité de la peur, se pencha comme folle, et tomba, en poussant un cri. Je me jetai devant la fenêtre, mais je ne pus empêcher Jacques de sauter dans l'eau. Marguerite l'avait bercé, il éprouvait pour la pauvre vieille une tendresse de fils. Au bruit des deux chutes, Babet s'était levée, épouvantée, les mains jointes. Elle resta là, debout, la bouche ouverte, les yeux agrandis, regardant la fenêtre.

Je m'étais assis sur l'appui de bois, les oreilles pleines du grondement des eaux. Je ne sais depuis combien de temps nous étions, Babet et moi, dans cette stupeur douloureuse, lorsqu'une voix m'appela. C'était Jacques qui se tenait au mur, sous la fenêtre. Je lui tendis la main, et il remonta.

Babet le prit avec force dans ses bras. Elle pouvait sangloter, maintenant ; elle se soulageait.

Il ne fut pas question de Marguerite. Jacques n'osait dire qu'il n'avait pu la retrouver, et nous n'osions le questionner sur ses recherches.

Il me prit à part, il me ramena à la fenêtre.

—Père, me dit-il à demi-voix, il y a déjà plus de deux mètres d'eau dans la cour, et la rivière monte toujours. Nous ne pouvons rester ici davantage.

Jacques avait raison. La maison s'émiettait, les planches des hangars s'en allaient une à une. Puis, cette mort de Marguerite pesait sur nous. Babet, affolée, nous suppliait. Sur le grand lit, la petite Marie restait seule paisible, sa poupée entre les bras, dormant avec son bon sourire d'ange.

A chaque minute, le péril croissait. L'eau allait atteindre l'appui de la fenêtre et envahir la chambre. On aurait dit qu'une machine de guerre ébranlait la ferme à coups sourds, profonds, réguliers. Le courant devait nous prendre en pleine façade. Et nous ne pouvions espérer aucuns secours humains !

—Les minutes sont précieuses, dit Jacques avec angoisse. Nous allons être écrasés sous les décombres. . . . Cherchons des planches, construisons un radeau.

Il disait cela dans la fièvre. Certes, j'aurais mille fois préféré être au milieu de la rivière, sur quelques poutres liées ensemble, que sous le toit de cette maison qui allait s'effondrer. Mais où prendre les poutres nécessaires? De rage, j'arrachai les planches des armoires, Jacques brisa les meubles, nous enlevâmes les volets, toutes les pièces de bois que nous pûmes atteindre. Et sentant qu'il était impossible d'utiliser ces débris, nous les jetions au milieu de la chambre, devenus furieux, cherchant toujours.

Notre dernière espérance s'en allait, nous comprenions notre misère et notre impuissance. L'eau montait; les voix rauques de la Durance nous appelaient avec colère. Alors, j'éclatai en sanglots, je pris Babet entre mes bras frémissants, je suppliai Jacques de venir près de nous. Je voulais que nous mourions tous dans une même étreinte.

Jacques s'était remis à la fenêtre. Et, brusquement:

—Père, cria-t-il, nous sommes sauvés! . . . Viens voir.

Le ciel était bon. Le toit d'un hangar, arraché par le courant, venait d'échouer devant la fenêtre. Ce toit, large de plusieurs mètres, était fait de poutres légères et de chaume; il surnageait, il devait former un excellent radeau. Je joignis les mains, j'aurais adoré ce bois et cette paille.

Jacques sauta sur le toit, après l'avoir fortement amarré. Il marcha sur le chaume, s'assurant de la solidité de chaque partie. Le chaume résista; nous pouvions nous aventurer sans crainte.

—Oh! il nous portera bien tous, dit Jacques joyeusement. Vois donc comme il s'enfonce peu dans l'eau! . . . Le difficile sera de le diriger.

Il regarda autour le lui et saisit au passage deux perches que le courant emportait.

—Eh! voici les rames, continua-t-il. . . . Père, nous nous mettrons, toi à l'arrière, moi, à l'avant, et nous conduirons aisément le radeau. Il n'y a pas trois mètres de fond. . . . Vite, vite, embarquez, il ne faut pas perdre une minute.

Ma pauvre Babet tâchait de sourire. Elle enveloppa délicatement la petite Marie dans un châle; l'enfant venait de se réveiller; tout effrayée, elle gardait un silence coupé de gros soupirs. Je mis une chaise devant la fenêtre, je fis monter Babet sur le radeau. Comme je la tenais dans mes bras, je l'embrassai avec une émotion poignante; je sentais que ce baiser était un baiser suprême.

L'eau commençait à couler dans la chambre. Nous avions les pieds trempés. Je m'embarquai le dernier; puis, je déliai la corde. Le courant nous collait contre le mur; il nous fallut des précautions et des efforts infinis pour nous éloigner de la ferme.

Peu à peu, le brouillard était tombé. Lorsque nous partîmes, il pouvait être minuit. Les étoiles se noyaient encore dans une buée; la lune, presque au bord de l'horizon, éclairait la nuit d'une sorte d'aurore blafarde.

C'est alors que l'inondation nous apparut dans toute son horreur grandiose. La vallée était devenue fleuve. D'un coteau à l'autre, entre les masses sombres des cultures, la Durance passait énorme, seule vivante dans l'horizon mort, grondant d'une voix souveraine, gardant dans sa colère la majesté de son jet colossal. Par endroits, des bouquets d'arbres émergeaient, tachant la nappe pâle de marbrures noires. Je reconnus, devant nous, les cimes des chênes de l'allée; le courant nous poussait vers ces branches qui étaient pour nous autant de récifs. Autour du radeau flottaient des débris, des pièces de bois, des tonneaux vides, des paquets d'herbes; la rivière charriait les ruines que sa colère avait faites.

A gauche, nous apercevions les lumières de Dourgues.

Des lueurs de lanternes couraient dans la nuit. L'eau n'avait pas dû monter jusqu'au village; les terres basses seules étaient envahies. Des secours allaient arriver sans doute. Nous interrogions les clartés qui traînaient sur l'eau; il nous semblait, à chaque instant, entendre des bruits de rames.

Nous étions partis à l'aventure. Dès que le radeau fut au milieu du courant, perdu dans les tourbillons de la rivière, l'angoisse nous reprit, nous regrettâmes presque d'avoir quitté la ferme. Je me tournai parfois, je regardai la maison qui restait toujours debout, grise sur l'eau blanche. Babet, accroupie au milieu du radeau, dans le chaume du toit, tenait la petite Marie sur ses genoux, la tête contre sa poitrine, pour lui cacher l'horreur de la rivière, toutes deux repliées, courbées dans un embrassement, comme rapetissées par la crainte. Jacques, debout à l'avant, appuyait de toute sa puissance sur sa perche; il nous jetait, par instants, de rapides regards, puis se remettait silencieusement à la besogne. Je le secondais de mon mieux, mais nos efforts pour gagner la rive restaient sans effet. Peu à peu, malgré nos perches que nous enfoncions dans la vase à les briser, nous étions dérivés; une force, qui semblait venir du fond de l'eau, nous poussait au large. Lentement, la Durance s'emparait de nous.

Luttant, baignés de sueur, nous en étions arrivés à la colère, nous nous battions avec la rivière comme avec un être vivant, cherchant à la vaincre, à la blesser, à la tuer. Elle nous serrait entre ses bras de géant, et nos perches devenaient, dans nos mains, des armes que nous lui enfoncions en pleine poitrine avec rage. Elle rugissait, elle nous jetait sa bave au visage, elle se tordait sous nos coups. Les dents serrées, nour résistions à sa victoire. Nous ne voulions pas être vaincus. Et il nous prenait des envies folles d'assommer le monstre, de le calmer à coups de poing.

Lentement, nous allions au large. Nous étions déjà à l'entrée de l'allée de chênes. Les branches noires perçaient l'eau qu'elles déchiraient avec des bruits lamentables. La mort nous attendaient peut-être là, dans un heurt. Je criai à Jacques de prendre l'allée et de la suivre, en s'appuyant aux branches. Et c'est ainsi que je passai une dernière fois au milieu de cette allée de chênes où j'avais promené ma jeunesse et mon âge mûr. Dans la nuit terrible, sur le gouffre hurlant, je songeai à mon oncle Lazare, je vis les belles heures de ma vie me sourire tristement.

Au bout de l'allée, la Durance triompha. Nos perches ne touchèrent plus le fond. L'eau nous emporta dans l'élan furieux de sa victoire. Et maintenant elle pouvait faire de nous ce qu'il lui plairait. Nous nous abandonnâmes. Nous descendions avec une rapidité effrayante. De grands nuages, des haillons sales et troués traînaient dans le ciel; puis, lorsque la lune se cachait, une obscurité lugubre tombait. Alors nous roulions dans le chaos. Des flots énormes d'un noir d'encre, pareils à des dos de poissons, nous emportaient en tournoyant. Je ne voyais plus Babet ni les enfants. Je me sentais déjà dans la mort.

J'ignore combien de temps dura cette course suprême. Brusquement, la lune se dégagea, les horizons blanchirent. Et, dans cette lumière, j'aperçus en face de nous une masse noire, qui barrait le chemin, et sur laquelle nous courions de toute la violence du courant. Nous étions perdus, nous allions nous briser là.

Babet s'était levée toute droite. Elle me tendait la petite Marie.

—Prends l'enfant, me cria-t-elle. . . . Laisse-moi, laisse-moi!

Jacques avait déjà saisi Babet dans ses bras. D'une voix forte:

—Père, dit-il, sauvez la petite. . . . Je sauverai ma mère.

La masse noire était devant nous. Je crus reconnaître un arbre. Le choc fut terrible, et le radeau, fendu en deux, sema sa paille et ses poutres dans le tourbillon de l'eau.

Je tombai, serrant avec force la petite Marie. L'eau glacée me rendit tout mon courage. Remonté à la surface de la rivière, je maintins l'enfant, je la couchai à moitié sur mon cou, et je me mis à nager péniblement. Si la petite ne s'était pas évanouie et qu'elle se fût débattue, nous serions restés tous les deux au fond du gouffre.

Et, tandis que je nageais, une anxiété me serrait à la gorge. J'appelais Jacques, je cherchais à voir au loin; mais je n'entendais que le grondement, je ne voyais que la nappe pâle de la Durance. Jacques et Babet étaient au fond. Elle avait dû s'attacher à lui, l'entraîner dans une étreinte mortelle. Quelle agonie atroce! J'aurais voulu mourir; j'enfonçais lentement, j'allais les retrouver sous l'eau noire. Et, dès que le flot touchait à la face de la petite Marie, je luttais de nouveau avec une énergie farouche pour me rapprocher de la rive.

C'est ainsi que j'abandonnai Babet et Jacques, désespéré de ne pouvoir mourir comme eux, les appelant toujours d'une voix rauque. La rivière me jeta sur les cailloux, pareil à un de ces paquets d'herbe qu'elle laissait dans sa course. Lorsque je revins à moi, je pris entre les bras ma fille qui ouvrait les yeux. Le jour naissait. Ma nuit d'hiver était finie, cette terrible nuit qui avait été complice du meurtre de ma femme et de mon fils.

À cette heure, après des années de regrets, une dernière consolation me reste. Je suis l'hiver glacé, mais je sens en moi tressaillir le printemps prochain. Mon oncle Lazare le disait: nous ne mourons jamais. J'ai eu les quatre saisons, et voilà que je reviens au printemps, voilà que ma chère Marie recommence les éternelles joies et les éternelles douleurs.

UN ACCIDENT

François Coppée

Saint-Médard,[1] la vieille église de la rue Mouffetard, qu'ont jadis rendue si célèbre le diacre Pâris et les Convulsionnaires, est une très pauvre paroisse. Le "Faubourg Marceau," comme on dit par là, n'a pas beaucoup de religion, et le conseil de fabrique doit avoir assez de peine à joindre les deux bouts. Le dimanche, aux heures des offices, il y a bien peu de monde, et rien que des femmes, ou presque: une vingtaine de bourgeoises du quartier et des servantes en bonnet rond. Comme hommes, on n'y rencontre guère que trois ou quatre vieillards, à vestes de paysans, qui s'agenouillent à cru sur la pierre, auprès d'un pilier, leur casquette sous le bras, et roulent un gros chapelet entre leurs doigts, en remuant les lèvres et en levant les yeux vers les ogives, avec des physionomies de donataires de vitrail. Mais en semaine, plus personne. Les jeudis d'hiver, les bas-côtés résonnent un instant d'un clapotis de galoches quand arrivent et s'en vont les élèves du catéchisme; quelquefois encore, une pauvresse à madras traînant après elle un ou deux enfants et portant un nourrisson sur les bras, vient faire brûler un petit cierge sur l'if de la chapelle de la Vierge; ou bien c'est du côté des fonts baptismaux, des hurlements de nouveau-né qu'on baptise; ou plus souvent, l'enterrement d'un misérable, une bière en sapin, recouverte d'un drap noir et posée sur deux tréteaux, qu'un prêtre bénit à la hâte, devant un très petit groupe de femmes, les hommes étant libres-penseurs et attendant la fin de la cérémonie devant le comptoir d'en face, où ils jouent des litres au tourniquet.[2]

Aussi le vieil abbé Faber, l'un des vicaires de la paroisse, est-il sûr de ne pas trouver de pénitents, deux fois sur trois, auprès de son confessionnal, et n'a, la plupart du temps, à entendre que les aveux peu intéressants de quelques bonnes femmes. Mais c'est un homme de devoir, et les mardis, jeudis et samedis, à sept heures précises, il se rend régulièrement à la chapelle Saint-Jean, sauf à faire un bout de prière[3] et à s'en retourner s'il n'y a personne.

. . . .

Un soir de l'hiver dernier, luttant contre une bourrasque avec son parapluie ouvert, l'abbé Faber remontait péniblement la rue Mouffetard pour aller à la paroisse, et, presque certain de se déranger inutilement, il regrettait, à part lui, le bon feu qu'il venait de quitter dans son petit logement de la rue Lhomond[4] et le Bollandiste[5] in-folio qu'il avait laissé ouvert sur la table, en posant dessus sa paire de lunettes. Mais c'était un samedi soir, jour où les vieilles veuves, qui grignotent leurs petites rentes dans les pensions bourgeoises d'alentour, viennent quelquefois chercher l'absolution, pour communier le lendemain. Le brave prêtre ne pouvait donc se dispenser de s'installer dans sa guérite de chêne et d'ouvrir, caissier plein d'exactitude, ce guichet où les dévotes, pour qui la confession est une sorte de caisse d'épargne du paradis, font leur versement hebdomadaire de péchés véniels.

L'abbé Faber était d'autant plus fâché de sortir, que ce samedi-là était un samedi de paye et qu'ordinairement alors la rue Mouffetard grouillait de monde, et d'un monde assez mal disposé pour sa soutane. On a beau être un saint homme, il est peu agréable d'être forcé de baisser les yeux devant les regards malveillants et de se boucher les oreilles aux paroles injurieuses saisies au passage. Il y avait une certaine boutique de liquoriste que l'abbé redoutait particulièrement, une boutique toute flambante de gaz et lançant une odeur alcoolique par sa porte ouverte, d'où l'on pouvait voir une perspective de tonneaux ornés d'étiquettes: Absinthe, Bitter, Madère, Vermouth, etc. Là, debout devant le "zinc," se tenait toujours une bande de gaillards à longue blouse et à haute casquette, qui saluait le pauvre abbé, filant vite sur le trottoir, d'un "croua! croua!"[6] tout à fait offensant.

Pourtant, ce soir-là, le mauvais temps faisant le désert dans la rue, l'abbé Faber arriva sans encombre à son église. Il mouilla son index au bénitier, se signa, fit une brève révérence au maître-autel et se dirigea vers son confessionnal. Du moins, il n'était pas venu pour rien et un pénitent l'attendait.

. . . .

Un pénitent mâle! C'était chose rare et exceptionnelle à Saint-Médard; mais, en distinguant, à la lueur rouge de la lampe pendue à l'ogive de la chapelle, le court bourgeron blanc et les semelles à gros clous de l'homme agenouillé, l'abbé Faber songea que c'était quelque ouvrier ayant gardé sa foi de paysan et de bonnes habitudes de pratique religieuse. Sans doute la confession qu'il allait entendre serait aussi banale que celle de cette cuisinière de la rue Monge qui, après s'être accusée d'avoir fait danser l'anse du panier, se récriait toujours au seul mot de restitution.[7] Le prêtre souriait même, en se souvenant de la formule sommaire employée par un faubourien qui venait lui demander un billet de confession pour se marier: "Je n'ai ni tué, ni volé. Fouillez dans le reste." Aussi le vicaire entra-t-il très tranquillement dans son confessionnal et, après s'être accordé une copieuse prise de tabac, ouvrit-il sans aucune émotion le petit rideau de serge verte qui fermait le guichet.

—Monsieur le curé . . . . balbutia une voix rude qui s'efforçait de parler bas.

—Je ne suis pas curé, mon ami. . . . Dites votre Confiteor et appelez-moi: mon père.

L'homme, dont l'abbé Faber ne pouvait pas voir le visage baigné d'ombre, ânonna lentement la prière qu'il semblait se rappeler avec difficulté, puis il reprit sourdement:

—Monsieur le curé . . . . non . . . . mon père. . . . Enfin excusez-moi si je ne parle pas comme il faut, mais je ne me suis pas confessé depuis vingt-cinq ans, oui, depuis que j'ai quitté le pays. . . . Vous savez ce que c'est . . . . un homme à Paris. . . . Et puis je n'étais pas plus mauvais qu'un autre et je me disais: Le bon Dieu doit être un bon enfant. . . . Mais aujourd'hui, ce que j'ai sur la conscience est trop lourd à porter tout seul, et il faut que vous m'écoutiez, monsieur le curé. . . . J'ai tué un homme!

L'abbé sauta sur son banc. Un meurtrier! Il ne s'agissait plus ici des distractions à l'office, des mauvais propos contre le prochain et autres bavardages de vieilles femmes qu'il écoutait d'une oreille distraite et qu'il absolvait de confiance. Un meurtrier! Ce front qui était si près du sien avait conçu et porté la pensée d'un crime; ces mains jointes sur son confessionnal étaient peut-être encore souillées de sang! Dans son trouble, où il y avait un peu de terreur, l'abbé Faber ne trouva que des paroles machinales:

—Confessez-vous, mon fils. . . . La miséricorde de Dieu est infinie.

—Écoutez donc toute l'histoire, dit l'homme avec un accent où vibrait une profonde douleur. Je suis ouvrier maçon et je suis venu à Paris, il y a plus de vingt ans, avec un "pays," un camarade d'enfance. . . . Nous avions déniché des nids et appris à lire à l'école ensemble. . . . Quasiment un frère, quoi?[8] . . . Il s'appelait Philippe . . . . moi, je m'appelle Jacques. . . . C'était un grand et beau garçon; j'ai toujours été lourd et mal bâti. . . . Pas de meilleur ouvrier que lui, tandis que je ne suis qu'un "sabot" . . . . et bon, et brave, et le cœur sur la main.[9]

. . . J'étais fier d'être son ami, de marcher à côté de lui, fier qu'il me tapât dans le dos en m'appelant grosse bête . . . . je l'aimais parce que je l'admirais, enfin! Une fois ici, quelle chance! on nous embauche tous les deux chez le même patron . . . . mais le soir, il me laissait seul, les trois quarts du temps; il allait s'amuser avec les camarades. . . . C'était bien naturel, à son âge . . . . il aimait le plaisir, il était libre, il n'avait pas de charges, au lieu que moi, je ne pouvais pas. . . . J'étais forcé d'épargner, car j'avais encore ma mère infirme au pays, à cette époque-là, et je lui envoyais mes économies. . . . Pour lors, je prends mes habitudes[10] chez une fruitière de la maison où je demeurais et qui mettait le pot-au-feu pour les maçons. . . . Philippe ne dînait pas là, il s'était arrangé ailleurs, et, pour dire le vrai, la cuisine n'était pas fameuse. . . . Mais la fruitière était une veuve, point heureuse, à qui je voyais que ma pratique rendait service; et puis, il faut être franc, j'étais tout de suite tombé amoureux de sa fille. . . . Pauvre Catherine! Vous saurez tout à l'heure, monsieur le curé, ce qu'il en est advenu. . . . Je suis resté trois ans sans pouvoir lui avouer que j'avais de l'amitié pour elle; je vous l'ai dit, je ne suis qu'un médiocre ouvrier, et le peu que je gagnais était à peine suffisant pour moi et pour ce que j'envoyais à la maman; pas moyen de songer à s'établir. . . . Enfin ma brave femme de mère s'en alla au ciel, je fus un peu moins gêné, je mis quelque argent de côté et, quand il me sembla qu'il y en avait assez pour me mettre en ménage, je parlai à Catherine de mon sentiment. . . . Elle ne dit d'abord ni oui ni non. Parbleu! je savais bien qu'on ne me sauterait pas au cou; je n'avais rien d'un séducteur. . . . Pourtant Catherine consulta sa mère, qui m'estimait comme ouvrier rangé, comme bon sujet, et le mariage fut convenu. . . . Ah! j'ai eu quelques heureuses semaines. Je voyais que Catherine ne faisait que m'accepter, qu'elle n'était pas entraînée vers moi; mais comme elle avait bon cœur, j'espérais bien me faire aimer d'elle un jour, à force, à force! . . . Bien entendu que j'avais tout raconté à Philippe, que je voyais chaque jour sur le chantier, et, quand Catherine fut ma promise, je voulus la lui faire connaître. . . . Vous avez peut-être déjà deviné la suite, monsieur le curé. . . . Philippe était bel homme, très gai, très aimable, tout ce que je n'étais pas, et sans le faire exprès, bien innocemment, il rendit Catherine folle de lui. . . . Ah! c'est un franc et honnête cœur que celui de Catherine, et dès qu'elle eut reconnu ce qu'elle éprouvait, elle me le dit tout de suite. . . . Mais, là, tout de même, je n'oublierai jamais ce moment-là! C'était le jour de la fête de Catherine et, pour la lui souhaiter, j'avais acheté une jeannette d'or que j'avais bien arrangée dans une boîte avec du coton. . . . Nous étions seuls dans l'arrière-boutique et elle venait de me servir ma soupe. Je tirai ma boîte de ma poche, je l'ouvris et je lui montrai le bijou. Alors, elle fondit en larmes.

—Pardonnez-moi, Jacques, me dit-elle, et gardez cela pour celle que vous épouserez. . . . Moi, je ne peux plus devenir votre femme. J'en aime un autre. . . . J'aime Philippe!

. . . .

Certes, j'ai eu du chagrin alors, monsieur le curé, j'en ai eu tout mon soûl. Mais que pouvais-je faire, puisque je les aimais tous les deux? Ce que je croyais être leur bonheur, pardi! les marier ensemble; et comme Philippe avait toujours fait un peu la fête et qu'il était près de ses pièces,[11] je lui ai prêté mon magot pour s'acheter des meubles.

Donc ils se marièrent et tout alla bien dans les premiers temps, et ils eurent un petit garçon, dont je fus le parrain et que je nommai Camille, en souvenir de ma mère. C'est peu après sa naissance que Philippe commença à se déranger. Je m'étais trompé sur son compte; il n'était pas fait pour le mariage, il aimait trop le plaisir et la rigolade. Vous vivez dans un quartier de pauvres gens, monsieur le curé, vous devez, connaître par cœur cette triste histoire-là . . . . l'ouvrier qui glisse peu à peu dans la paresse et dans l'ivrognerie, qui tire des bordées de deux et trois jours, qui ne rapporte plus sa semaine et qui ne rentre au logis, tout vanné par la noce, que pour faire des scènes et pour battre sa femme. Eh bien, en moins de deux ans, Philippe était devenu un de ces malheureux-là. Dans les commencements, j'ai essayé de lui faire de la morale et quelquefois, rougissant de sa conduite, il a tâché de se corriger. Mais ça ne durait pas longtemps . . . . et puis mes remontrances ont fini par l'agacer, et lorsque j'allais chez lui et qu'il surprenait mon regard triste sur la chambre démeublée par le Mont-de-Piété et sur la brave Catherine, toute maigrie et pâlie par le chagrin, il devenait furieux. . . . Un jour, il eut l'audace de me faire, à propos de sa femme, qui est honnête comme la bonne Vierge, une scène de jalousie, me rappelant que j'avais été amoureux d'elle autrefois, m'accusant de l'être encore, des bêtises et des infamies, quoi! que j'aurais honte de répéter. . . . Ah! ce jour-là, nous avons failli nous sauter à la gorge! . . . Je fis ce que je devais faire; je renonçai à voir Catherine et mon filleul, et quant à Philippe, je ne le rencontrai plus que par hasard, quand nous avions du travail sur le même chantier.

Seulement, vous comprenez bien, j'avais trop d'affection pour Catherine et pour le petit Camille; je ne pouvais pas les perdre de vue tout à fait. Le samedi soir, quand je savais que Philippe était parti avec des camarades pour boire sa paye, je rôdais dans le quartier, je rencontrais l'enfant, je le faisais causer et, s'il y avait trop de misère à la maison, il ne revenait pas les mains vides, vous sentez.

Je crois que ce misérable Philippe savait que je venais en aide à sa femme, et qu'il fermait les yeux, et qu'il trouvait cela commode. . . . Enfin j'abrège, car c'est trop affligeant. Des années ont passé, Philippe s'enfonçant toujours dans son vice; mais Catherine, que j'ai secondée autant que j'ai pu, a élevé son fils, et c'est maintenant un beau gars de vingt ans, bon et courageux comme elle. . . . Il n'est pas ouvrier, lui; il s'est instruit, il a appris à dessiner dans les écoles du soir, et il est maintenant chez un architecte, où il gagne d'assez bons gages. Aussi, quoique l'intérieur soit toujours bien attristé par la présence de l'ivrogne, ça va déjà mieux, car Camille est excellent pour sa mère; et, depuis un an ou deux, quand je rencontrais Catherine—elle est bien changée, la pauvre femme!—au bras de son garçon habillé en monsieur, cela me réchauffait le cœur.

Mais, hier soir, en sortant de ma gargote, je rencontre Camille et, en lui donnant une poignée de main,—oh! il n'est pas fier et il ne rougit pas de ma blouse tachée de plâtre,—je lui trouve l'air tout chose.[12]

—Voyons, qu'est-ce qu'il y a?

—Il y a qu'hier j'ai tiré au sort, me répond-il, que j'ai amené le numéro 10, un de ceux qui vous envoient crever de la fièvre aux colonies avec les soldats de marine; que, dans tous les cas, m'en voilà pour cinq ans,[13] qu'il va falloir laisser maman seule, sans ressources, avec le père, —et qu'il n'a jamais tant bu, qu'il n'a jamais été plus méchant,—et qu'elle en mourra, mon parrain, et que les pauvres gens sont maudits!

Ah! j'ai passé une horrible nuit! Songez donc, monsieur le curé, les vingt ans d'efforts de cette pauvre femme détruits en une minute, par la bêtise du hasard, parce qu'un enfant a fouillé dans un sac et y a pris un mauvais dé de loto![14] Aussi, ce matin, j'étais voûté comme un vieux par une nuit blanche en me rendant à la maison que nous sommes en train de construire sur le boulevard Arago.[15] On a beau avoir du chagrin, il faut travailler tout de même, n'est-ce pas? Donc, je grimpe tout là-haut, sur l'échafaudage,—nous avons déjà monté la maison jusqu'au quatrième,— et je commence à poser mes moellons. Tout à coup, je me sens frapper sur l'épaule. C'était Philippe! . . . Il ne travaillait plus maintenant que par caprice, et il venait faire une journée pour gagner de quoi boire, apparemment. Mais le patron, ayant un dédit à payer s'il ne finissait pas la bâtisse à une date fixe, acceptait le premier venu.

. . . .

Je n'avais pas vu Philippe depuis assez longtemps et j'eus peine à le reconnaître. Brûlé et séché par l'eau-de-vie, la barbe toute grise, les mains tremblantes, ce n'était plus qu'un vieillard, une ruine.

—Eh bien, lui dis-je, l'enfant a donc tiré un mauvais numéro?

—Après?[16] me répondit-il d'une voix rauque, avec un méchant regard. Est-ce que tu vas aussi m'embêter avec ça, toi, comme Catherine et Camille? . . . Le garçon fera comme les autres, il servira la patrie. . . . Parbleu! je sais bien ce qui les chiffonne, ma femme et mon fils. . . . Si j'étais mort, il ne partirait pas. . . . Mais, tant pis pour eux! je suis encore solide au poste et Camille n'est pas fils de veuve.

Fils de veuve! . . . Ah! monsieur le curé, pourquoi a-t-il eu le malheur de dire ce mot là? La mauvaise pensée m'est venue tout de suite, et elle ne m'a pas quitté pendant toute cette matinée où j'ai travaillé côte à côte avec ce malheureux. J'ai imaginé ce qu'allait souffrir, la pauvre Catherine, quand elle n'aurait plus son garçon pour la nourrir et la protéger et qu'elle resterait toute seule avec ce misérable ivrogne, tout à fait abruti maintenant, devenu féroce, capable de tout. . . . Onze heures sonnèrent à une horloge voisine, et les compagnons descendirent tous pour déjeuner. Nous étions restés les derniers, Philippe et moi ; mais, en s'engageant sur l'échelle pour descendre à son tour, ne voilà-t-il[17] pas qu'il me regarde en ricanant et qu'il me dit avec sa voix éraillée par le fil-en-quatre :

—Tu vois, on a toujours le pied marin. . . . Camille n'est pas près d'être fils de veuve, va !

Alors je reçus au cerveau comme un coup de sang et de colère ! Je saisis dans mes deux mains les montants de l'échelle à laquelle Philippe s'accrochait en criant : "A moi !"[18] et, d'un seul effort, je la fis basculer dans le vide ! . . .

Il a été tué raide et l'on a cru à un accident, mais maintenant Camille est fils de veuve et il ne partira pas ! . . .

Voilà ce que j'ai fait, monsieur le curé, et ce que j'avais besoin de dire à vous et au bon Dieu ! Je m'en repens et j'en demande pardon, c'est clair. . . . Mais il ne me faudrait pas voir passer Catherine, dans sa robe noire, tout heureuse au bras de son fils ; je serais capable de ne plus regretter mon crime. . . . Pour éviter ça, j'émigrerai, je m'embaucherai pour l'Amérique. Quant à la pénitence . . . . tenez, monsieur le curé, voici la jeannette d'or que Catherine m'a refusée quand elle m'a avoué qu'elle était amoureuse de Philippe ; je l'avais toujours gardée, en souvenir des seuls bons jours que j'aie eus dans ma vie. . . . Prenez-la et vendez-la . . . . l'argent sera pour les pauvres.

. . . .

Jacques se releva-t-il absous par l'abbé Faber ? Ce qui est certain, c'est que le vieux prêtre n'a pas vendu la jeannette d'or. Après en avoir versé le prix ou à peu près dans le tronc de l'église, il a suspendu le bijou, comme un *ex-voto*, sur l'autel de la chapelle de la Vierge, où il va souvent prier pour le pauvre maçon.

LA VIEILLE TUNIQUE

François Coppée

À l'époque où j'étais expéditionnaire dans les bureaux du ministère de la guerre, j'avais pour collègue et pour camarade de pièce un nommé Jean Vidal, ancien sous-officier, amputé du bras gauche pendant la campagne d'Italie,[1] mais à qui restait encore sa main droite, sa "belle main"[2] de fourrier, avec laquelle il exécutait des merveilles calligraphiques en ronde, en bâtarde, en gothique, et dessinait, d'un seul trait de plume, un petit oiseau dans le paraphe de sa signature.

Un digne homme, ce Vidal! Le type du vieux soldat, probe et pur. Bien qu'il eût à peine quarante ans et que de rares poils gris apparussent dans sa barbiche blonde d'ancien zouave,[3] déjà nous l'appelions tous, au bureau, le père Vidal,[4] mais avec moins de familiarité que de respect; car nous connaissions sa vie d'honneur et de dévouement, là-bas, dans son petit logement à bon marché, au fond de Grenelle,[5] où il avait recueilli une sœur à lui, veuve d'une ribambelle d'enfants, et où il entretenait tout ce petit monde sur son maigre budget, c'est-à-dire l'argent de sa croix,[6] de sa pension et de ses appointements. Trois mille francs pour cinq personnes! N'importe, les redingotes du père Vidal,—ces redingotes dont la manche gauche, la manche vide, s'attachait au troisième bouton,—étaient toujours brossées comme pour la revue du général inspecteur, et le brave homme prenait tellement au sérieux son ruban rouge,[7] toujours frais, qu'il le retirait de sa boutonnière quand il portait un paquet dans la rue,—quelque paire de bottes de chez Latour,[8] rue Montorgueil, ou quelque pantalon de fatigue,[9] acheté le matin à la Belle-Jardinière.

Comme je demeurais alors, moi aussi, dans la banlieue du sud de Paris, je faisais route assez souvent, pour m'en retourner chez moi, avec le père Vidal, et je m'amusais à lui faire raconter ses campagnes, tout en cheminant par ce quartier de l'École-Militaire,[10] où l'on rencontrait alors à chaque pas—c'était dans les dernières années de l'Empire[11]—les beaux uniformes de la garde impériale, guides verts, lanciers blancs, et ces sombres et magnifiques officiers d'artillerie, noir et or,—un costume sous lequel cela valait la peine de se faire tuer.

Quelquefois, par les chaudes soirées d'été, j'offrais l'absinthe à mon compagnon,—douceur que le pauvre Vidal se refusait par économie,—et nous nous arrêtions une demi-heure devant le café d'officiers de l'avenue de la Mothe-Piquet.[12] Ces jours-là, l'ancien "sous-off," qui était devenu le plus sage des pères de famille et avait perdu l'habitude du "perroquet," se levait de table avec un coup d'ivresse héroïque dans le cerveau et j'étais bien sûr d'entendre, pendant le reste de la route, quelque belle histoire de guerre.

. . . .

Un soir,—je crois, Dieu me pardonne, que le père Vidal avait bu deux verres d'absinthe!—voilà qu'en longeant l'horrible boulevard de Grenelle,[13] il s'arrêta brusquement devant la devanture d'un fripier militaire, comme il y en a beaucoup dans ce quartier-là. C'était une sale et sinistre boutique, montrant dans sa vitrine des pistolets rouillés, des sébiles pleines de boutons, des épaulettes d'or rougi, et devant laquelle étaient suspendues, parmi des haillons sordides, quelques vieilles tuniques d'officiers, pourries sous la pluie et rongées par le soleil, mais qui, conservant le pincement de la taille et la carrure des épaules, avaient encore on ne sait quel aspect presque humain.

Vidal, me saisissant le bras de sa seule main et tournant vers moi ses regards un peu ivres, leva son moignon pour désigner une de ces défroques,—une tunique d'officier d'Afrique, avec la jupe à cent plis et le triple galon d'or[14] grimpant sur la manche et faisant un huit, à la houzarde.

—Tenez, me dit-il, voilà l'uniforme de mon ancien corps . . . . une tunique de capitaine.

Et, s'étant approché pour examiner la loque de plus près, il lut le numéro gravé sur les boutons et reprit, enthousiasmé :

—C'est de mon régiment. . . . C'est du premier zouaves ![15]

Mais, tout à coup, la main du père Vidal, qui avait déjà saisi la jupe de la vieille tunique, resta immobile, son visage s'assombrit, ses lèvres tremblèrent et, baissant les yeux, il murmura, avec un accent d'épouvante :

—Mon Dieu ! si c'était la *sienne* !

Puis, d'un geste brusque, il retourna la tunique et je pus voir, au milieu du dos, un petit trou rond dans le drap, un trou de balle, cerné d'une crasse noire qui était sans doute du vieux sang,—et ce trou sinistre faisait horreur et pitié, comme une blessure.

—Oh ! oh ! dis-je au père Vidal, qui avait tout de suite laissé retomber le vêtement et s'était remis en route, d'un pas pressé, la tête basse,—voilà une vilaine cicatrice ! . . .

Et, pressentant une histoire, j'ajoutai pour exciter mon compagnon à la raconter :

—Ordinairement ce n'est pas par derrière que les capitaines de zouaves reçoivent les balles.

Mais il ne paraissait pas m'entendre ; il marmottait des mots en mordant sa moustache.

—Comment a-t-*elle* pu s'échouer là ? il y a loin du champ de bataille de Melegnano[16] au boulevard de Grenelle. . . . Oui, je sais bien, les corbeaux qui suivent l'armée, les dépouilleurs de cadavres. . . . Mais pourquoi là, justement, à deux pas de l'École-Militaire, où son régiment est caserné, à l'*autre* ? . . . . Et *il* a dû passer par ici, *il* a dû *la* reconnaître. . . . Oh! c'est comme un revenant!

—Voyons, père Vidal, fis-je en lui prenant le bras et violemment intéressé, vous n'allez pas continuer à parler par énigmes, et vous me direz bien quel souvenir vous rappelle cette tunique trouée.

Je crois bien que, sans les deux absinthes, je n'aurais rien su, car, à cette demande, le père Vidal me jeta un regard méfiant, presque craintif; mais soudain, comme prenant une grande résolution, il me dit d'une voix brève:

—Eh bien, oui, je vous conterai la chose. . . . Aussi bien vous êtes un jeune homme instruit et honnête, j'ai confiance en vous, et, quand j'aurai fini, vous me direz—mais là, bien franchement, la main sur la conscience,—si vous me trouvez excusable d'avoir agi comme j'ai agi. . . . Voyons, par où commencer? . . . Ah! d'abord, je ne peux pas vous dire son nom, à l'*autre*, puisqu'il vit encore, mais je le désignerai par le sobriquet que nous lui donnions au régiment. . . . *La-Soif,* oui, nous l'appelions La-Soif, et il n'avait pas volé son surnom, étant de ceux qui ne grouillent pas de la cantine et qui sifflent douze petits verres aux douze coups de midi.[17] . . . Il était sergent à la quatrième du second,[18] où j'étais fourrier, et il marchait à côté de moi, en serre-file. . . . Bon soldat, très bon soldat. . . . Ivrogne, chapardeur, aimant les batteries, toutes les mauvaises habitudes d'Afrique. . . . Mais brave comme une baïonnette, avec des yeux bleus et froids comme l'acier, dans sa face tannée à barbe rouge, où l'on voyait bien tout de suite que le particulier n'était pas commode. Au moment où j'étais arrivé du dépôt aux bataillons de guerre, La-Soif venait de finir son congé; il se rengagea, toucha la prime[19] et tira une bordée de trois jours, pendant lesquels il roula dans les bas quartiers d'Alger, avec quatre ou cinq noceurs comme lui, empilés dans une calèche et portant un drapeau tricolore, où on lisait ces mots: *Ça ne durera pas toujours!* On le rapporta à la caserne, la tête fêlée d'un coup de sabre; il s'était battu avec des *tringlos*, chez une Mauresque, qui avait reçu dans la bagarre un coup de pied dans le ventre, dont elle était morte. La-Soif guérit; on lui flanqua quinze jours de bloc et on lui retira ses galons. C'était la deuxième fois qu'il les perdait. Sans sa mauvaise conduite, La-Soif, qui était d'une famille bourgeoise et avait reçu de l'instruction, aurait été officier depuis longtemps. . . . Donc, après l'affaire de la Mauresque, on lui reprit ses galons, mais, dix-huit mois plus tard, comme je venais de passer sergent-fourrier, il les avait déjà rattrapés, grâce à l'indulgence du capitaine, vieil Africain qui l'avait vu faire le coup de feu en Kabylie.[20]

Mais voilà que le vieux est promu chef de bataillon et qu'on nous envoie un capitaine de vingt-huit ans, un Corse nommé Gentile, sorti de l'école, un garçon froid, ambitieux, plein de mérite, disait-on, mais très exigeant dans le service, dur pour les hommes, et vous collant des huit jours de salle de police pour une tache de rouille sur le fusil ou un bouton de moins à la guêtre; de plus, n'ayant pas encore servi en Algérie, et n'admettant pas du tout, mais pas du tout, l'indiscipline et la *fantasia*. Du premier coup, le capitaine Gentile prit La-Soif en grippe, et réciproquement. Ça ne pouvait pas manquer. La première fois que le sergent ne répondit pas à l'appel du soir, huit jours de bloc; la première fois qu'il se grisa, quinze jours. Quand le capitaine—un petit brun, raide comme un poil, avec des moustaches de chat effarouché—lui jetait la punition à la face, en ajoutant d'un ton sec: "Je sais qui vous êtes, et je vous materai, mon cher!" La-Soif ne répondait rien et s'en allait d'un pas tranquille du côté de la salle de police; mais le capitaine se serait peut-être un peu radouci tout de même, s'il avait vu le coup de colère qui rougissait la figure du sergent, dès qu'il avait tourné la tête, et l'éclair de rage qui passait dans ses terribles yeux bleus.

. . . .

Là-dessus, voilà que l'Empereur déclare la guerre aux Autrichiens, et qu'on nous embarque pour l'Italie. . . . Mais il ne s'agit pas ici de la campagne, j'arrive au fait. . . . La veille du combat de Melegnano,—où j'ai laissé mon bras, vous savez,—notre bataillon campait au milieu d'un petit village, et avant de rompre les rangs, le capitaine nous avait fait un petit discours—il avait raison, le capitaine,—pour nous rappeler que nous étions en pays ami, qu'il était de notre honneur de nous y bien conduire et que celui qui ferait la moindre peine à l'habitant serait puni d'une façon exemplaire. Pendant qu'il parlait, La-Soif, qui chancelait un peu en s'appuyant sur son flingot, à côté de moi,—il avait vidé, depuis le matin, la moitié du bidon de la cantinière,—haussa légèrement les épaules; mais, par bonheur, le capitaine ne s'en aperçut pas.

Au milieu de la nuit, je suis réveillé en sursaut. Je saute de la botte de paille sur laquelle je dormais dans une cour de ferme, et je vois, au clair de la lune, un groupe de camarades et de paysans qui arrachaient des bras de La-Soif, furieux comme un lion, une belle fille, toute dépoitraillée et déchevelée, en train d'invoquer la Madone et tous les saints du paradis. J'accours pour prêter main-forte, mais le capitaine Gentile arrive avant moi. D'un coup d'œil,—il avait un vrai regard de maître, le petit Corse,—il fait reculer le sergent terrifié: puis, après avoir rassuré la Lombarde par quelques mots qu'il lui dit en italien, il revient se camper devant le coupable et, lui mettant sous le nez un doigt qui tremblait:

—On devrait brûler la cervelle à des misérables comme vous, lui dit-il. Dès que je pourrai voir le colonel, vous perdrez encore vos galons, et ce sera pour de bon, cette fois. . . . On se bat demain, tâchez de vous faire tuer.

On se recoucha, mais le capitaine avait dit vrai, et, dès le point du jour, ce fut la canonnade qui nous éveilla. On courut aux armes, on forma la colonne, et La-Soif—jamais ses sacrés yeux bleus ne m'avaient paru plus méchants—vint se placer auprès de moi. Le bataillon se mit en marche. Il s'agissait de déloger les habits blancs[21] qui s'étaient fortifiés, avec du canon, dans le village de Melegnano. En avant, marche! Nous n'avions pas fait deux kilomètres que, v'lan! la mitraille des Autrichiens nous prend par le travers et jette par terre une quinzaine d'hommes de la compagnie. Alors, nos officiers, qui attendaient l'ordre de charger, nous font coucher dans le maïs, en tirailleurs; mais eux restent debout, naturellement, et je vous assure que ce n'était pas notre capitaine qui se tenait le moins droit. Nous, à genoux dans les épis, nous continuions à tirer sur la batterie qui était à portée. Tout à coup, je me sens pousser le coude, je me retourne et je vois La-Soif qui me regardait, le coin de la lèvre relevé d'un air de blague, et qui armait son fusil.

—Tu vois bien le capitaine? me dit-il en le désignant d'un geste de tête.

—Oui. . . . Eh bien? lui répondis-je avec un regard sur l'officier, qui était debout à vingt pas de nous.

—Eh bien, il a eu tort de me parler comme il a fait, cette nuit.

Puis, d'un geste précis et rapide, en deux temps,[22] il épaula son arme, fit feu . . . . et je vis le capitaine, le torse brusquement cambré, la tête jetée en arrière, battre une seconde l'air des deux mains, laisser choir son épée et tomber lourdement sur le dos.

—Assassin! m'écriai-je en saisissant le bras du sergent.

Mais il me fit rouler à trois pas de lui, d'un coup de crosse dans la poitrine.

—Imbécile! Prouve que c'est moi qui l'ai tué.

Je me relevai, en fureur; mais tous les tirailleurs se relevaient aussi. Notre colonel, tête nue, sur son cheval fumant, était là, nous montrant du sabre la batterie autrichienne, et hurlant de tous ses poumons:

—En avant, les zouaves. . . . A la baïonnette!

Qu'est-ce que je pouvais faire, n'est-ce pas? Charger

comme les autres. Et ça a été fameux, allez, la charge des zouaves à Melegnano! Avez-vous vu quelquefois la grosse mer battre un écueil? Oui. Et bien c'était tout à fait la même chose. Chaque compagnie grimpait là-haut comme la lame sur le rocher. Trois fois la batterie se couvrit de vestes bleues et de culottes rouges, et trois fois nous vîmes reparaître le terrassement, comme l'écueil après le coup de mer.

Mais la quatrième compagnie, la nôtre, devait emporter le morceau.[23] Moi, en vingt bonds, j'arrivai jusqu'à la redoute; m'aidant de la crosse de mon fusil, je franchis le talus; mais je n'eus que le temps d'apercevoir une paire de moustaches blondes, une casquette bleue et un canon de carabine qui me touchait presque. Je reçus près de l'épaule gauche un coup tel que je crus que mon bras s'envolait; je lâchai mon arme, j'eus un étourdissement, j'allai tomber sur le flanc, près d'une roue de caisson, et je perdis connaissance.

. . . .

Quand je rouvris les yeux, on n'entendait plus qu'un bruit de mousqueterie lointaine. Les zouaves étaient là, formant le demi-cercle, mais en désordre; ils criaient: "Vive l'Empereur!" et brandissaient leurs fusils en l'air, à bout de bras.

Un vieux général, suivi de son état-major, arrivait au galop. Il arrêta son cheval, ôta son képi doré, l'agita joyeusement et s'écria:

—Bravo! les zouaves. . . . Vous êtes les premiers soldats du monde!

J'étais assis près de ma roue de caisson, soutenant piteusement de la main droite ma pauvre patte cassée, et je me rappelais alors le crime affreux de La-Soif, tuant son officier par derrière, en pleine bataille.

Tout à coup, il sortit des rangs et s'avança vers le général. . . . Oui, lui-même, La-Soif, l'assassin du capitaine! Dans le combat, il avait perdu son fez, et son crâne rasé apparaissait, traversé par une balafre, d'où un filet de sang lui coulait sur le front et sur la joue. D'une main, il s'appuyait sur son fusil; de l'autre, il présentait un drapeau autrichien, tout déchiqueté, avec de larges taches rouges,—un drapeau qu'il avait pris.

Le général semblait le regarder avec admiration, le trouver superbe.

—Hein, Bricourt, dit-il en se tournant vers un de ses officiers d'ordonnance, regardez-moi ça. . . . Quels hommes!

Alors La-Soif, de sa voix gouailleuse:

—C'est vrai, mon général. . . . Mais vous savez, le premier zouaves! . . . Il n'y en a plus que pour une fois.[24]

—Je t'embrasserais pour ce mot-là, s'écria le général. . . . Tu auras la croix, tu sais. . . .

Et répétant toujours: "Quels hommes! quels hommes!" il dit encore à son aide-de-camp une phrase que je n'ai pas comprise—vous savez, moi, je suis un ignorant—mais que je me rappelle bien tout de même:

—N'est-ce pas, Bricourt? C'est du Plutarque![25]

Mais, en ce moment, mon bras me faisait trop de mal; j'eus une nouvelle syncope et je ne vis et n'entendis plus rien.

Vous connaissez le reste. Je vous ai souvent raconté comment on m'a charcuté l'épaule et comment j'ai traîné pendant deux mois dans les ambulances, avec le délire et la fièvre. Aux heures d'insomnie, je me demandais ce que je devais faire, rapport à La-Soif. Le dénoncer? Oui, c'était mon devoir, mais quoi? Je n'aurais pas pu fournir de preuves. Et puis je me disais:—C'est un gredin, oui, mais c'est un brave; il a tué le capitaine Gentile, mais il a pris un drapeau à l'ennemi!—Et je ne savais que résoudre. Enfin, quand je fus en convalescence, j'appris qu'en récompense de son action d'éclat, La-Soif avait passé avec son grade aux zouaves de la garde et qu'on l'avait décoré. Ah! cela me dégoûta d'abord de ma croix, que notre colonel était venu m'attacher sur ma capote d'hôpital. Pourtant La-Soif méritait aussi la sienne, après tout; mais sa Légion d'Honneur aurait dû servir de cible au peloton chargé de le fusiller! . . . Enfin, tout cela est loin aujourd'hui; je n'ai jamais revu le sergent, qui est toujours au service, et je suis rentré dans le civil. . . . Mais, tout à l'heure, en voyant cette tunique avec son trou de balle,—Dieu sait comment elle est venue là!—pendue chez ce fripier, à deux pas de la caserne où est l'assassin, j'ai songé au crime impuni et il m'a semblé que le capitaine demandait justice.

. . . .

Je calmai de mon mieux le père Vidal, que son récit avait mis dans une grande exaltation; je l'assurai qu'il avait agi pour le mieux et que l'héroïsme du sergent de zouaves balançait son crime. Mais, quelques jours après, en arrivant au bureau, je trouvai Vidal qui me tendit un journal plié de façon à ne laisser lire qu'un fait-divers, et qui murmura gravement:

—Qu'est-ce que je disais?

Je pris le journal et je lus ceci:

"Encore une victime de l'intempérance.

"Hier, dans l'après-midi, sur le boulevard de Grenelle, "le nommé Mallet, dit La-Soif, sergent aux zouaves de la "garde impériale, qui avait fait en compagnie de deux "camarades de nombreuses libations dans les cabarets du "voisinage, a été pris d'un accès de délire alcoolique, au "moment où il regardait de vieux uniformes exposés à la "devanture d'un marchand d'habits.

"Devenu tout à fait furieux, ce sous-officier avait tiré "son sabre-baïonnette et courait en répandant l'épouvante "sur son passage. Les deux militaires qui l'accompagnaient "ont eu toutes les peines du monde à se rendre maîtres du

"forcené, qui ne cessait de hurler dans sa rage:—Je ne suis
"pas un assassin! . . . J'ai pris un drapeau autrichien à
"Melegnano!

"On nous assure en effet que Mallet a été décoré pour
"ce fait d'armes et que ses habitudes d'ivrognerie
"invétérées l'ont seules empêché de devenir officier.

"Mallet a été conduit à l'hôpital militaire du Gros-
Caillou, d'où il sera prochainement transféré à Charen-
"ton,[26] car il est douteux que cet infortuné recouvre jamais
"la raison."

Et comme je rendais le journal au père Vidal, il me
jeta un regard profond et conclut:

—Le capitaine Gentile était Corse.[27] . . . Il s'est
vengé!

AUX CHAMPS

Guy de Maupassant

Les deux chaumières étaient côte à côte, au pied d'une
colline, proches d'une petite ville de bains. Les deux
paysans besognaient dur sur la terre inféconde pour élever
tous leurs petits. Chaque ménage en avaient quatre. Devant
les deux portes voisines, toute la marmaille grouillait du
matin au soir. Les deux aînés avaient six ans et les deux
cadets quinze mois environ; les mariages et, ensuite les
naissances s'étaient produites à peu près simultanément
dans l'une et l'autre maison.

Les deux mères distinguaient à peine leurs produits
dans le tas; et les deux pères confondaient tout à fait.
Les huit noms dansaient dans leur tête, se mêlaient sans

cesse; et, quand il fallait en appeler un, les hommes souvent en criaient trois avant d'arriver au véritable.

La première des deux demeures, en venant de la station d'eaux de Rolleport, était occupée par les Tuvache, qui avaient trois filles et un garçon; l'autre masure abritait les Vallin, qui avaient une fille et trois garçons.

Tout cela vivait péniblement de soupe, de pommes de terre et de grand air. A sept heures, le matin, puis à midi, puis à six heures, le soir, les ménagères réunissaient leurs mioches pour donner la pâtée, comme des gardeurs d'oies assemblent leurs bêtes. Les enfants étaient assis, par rang d'âge, devant la table en bois vernie par cinquante ans d'usage. Le dernier moutard avait à peine la bouche au niveau de la planche. On posait devant eux l'assiette creuse pleine de pain molli dans l'eau où avaient cuit les pommes de terre, un demi-chou et trois oignons; et toute la lignée mangeait jusqu'à plus faim.[1] La mère empâtait elle-même le petit. Un peu de viande au pot-au-feu, le dimanche, était une fête pour tous; et le père, ce jour-là, s'attardait au repas en répétant: "Je m'y ferais bien tous les jours."[2]

Par un après-midi du mois d'août, une légère voiture s'arrêta brusquement devant les deux chaumières, et une jeune femme, qui conduisait elle-même, dit au monsieur assis à côté d'elle:

—Oh! regarde, Henri, ce tas d'enfants! Sont-ils jolis,[3] comme ça, à grouiller dans la poussière.

L'homme ne répondit rien, accoutumé à ces admirations qui étaient une douleur et presque un reproche pour lui.

La jeune femme reprit:

—Il faut que je les embrasse! Oh! comme je voudrais en avoir un, celui-là, le tout petit.

Et, sautant de la voiture, elle courut aux enfants, prit un des deux derniers, celui des Tuvache, et, l'enlevant dans ses bras, elle le baisa passionnément sur ses joues sales, sur ses cheveux blonds frisés et pommadés de terre, sur ses menottes qu'il agitait pour se débarrasser des caresses ennuyeuses.

Puis elle remonta dans sa voiture et partit au grand trot. Mais elle revint la semaine suivante, s'assit elle-même par terre, prit le moutard dans ses bras, le bourra de gâteaux, donna des bonbons à tous les autres; et joua avec eux comme une gamine, tandis que son mari attendait patiemment dans sa frêle voiture.

Elle revint encore, fit connaissance avec les parents, reparut tous les jours, les poches pleines de friandises et de sous.

Elle s'appelait Mme. Henri d'Hubières.

Un matin, en arrivant, son mari descendit avec elle; et, sans s'arrêter aux mioches, qui la connaissaient bien maintenant, elle pénétra dans la demeure des paysans.

Ils étaient là, en train de fendre du bois pour la soupe: ils se redressèrent tout surpris, donnèrent des chaises et attendirent. Alors la jeune femme, d'une voix entrecoupée, tremblante, commença:

—Mes braves gens, je viens vous trouver parce que je voudrais bien . . . . je voudrais bien emmener avec moi votre . . . petit garçon. . . .

Les campagnards, stupéfaits et sans idée, ne répondirent pas.

Elle reprit haleine et continua:

—Nous n'avons pas d'enfants; nous sommes seuls, mon mari et moi. . . . Nous le garderions . . . . voulez-vous?

La paysanne commençait à comprendre. Elle demanda:

—Vous voulez nous prend' Charlot? Ah ben non, pour sûr.[4]

Alors M. d'Hubières intervint:

—Ma femme s'est mal expliquée. Nous voulons l'adopter; mais il reviendra vous voir. S'il tourne bien, comme tout porte à le croire, il sera notre héritier. Si nous avions, par hasard, des enfants, il partagerait également avec eux. Mais s'il ne répondait pas à nos soins, nous lui donnerions, à sa majorité, une somme de vingt mille francs, qui sera immédiatement déposée en son nom chez un notaire. Et, comme on a aussi pensé à vous, on vous servira jusqu'à votre mort une rente de cent francs par mois. Avez-vous bien compris?

La fermière s'était levée, toute furieuse.

—Vous voulez que j'vous vendions Charlot? Ah! mais non; c'est pas des choses qu'on d'mande à une mère, ça! Ah! mais non! Ce serait une abomination.

L'homme ne disait rien, grave et réfléchi; mais il approuvait sa femme d'un mouvement continu de la tête.

Mme. d'Hubières, éperdue, se mit à pleurer, et, se tournant vers son mari, avec une voix pleine de sanglots, une voix d'enfant dont tous les désirs ordinaires sont satisfaits, elle balbutia:

—Ils ne veulent pas, Henri, ils ne veulent pas!

Alors ils firent une dernière tentative.

—Mais, mes amis, songez à l'avenir de votre enfant, à son bonheur, à . . . .

La paysanne, exaspérée, lui coupa la parole:

—C'est tout vu, c'est tout entendu, c'est tout réfléchi. . . . Allez-vous-en, et pi, que j'vous revoie point par ici. C'est-i permis d'vouloir prendre un éfant comme ça!

Alors Mme. d'Hubières, en sortant s'avisa qu'ils étaient deux tout petits, et elle demanda à travers ses larmes, avec une ténacité de femme volontaire et gâtée, qui ne veut jamais attendre:

—Mais l'autre petit n'est pas à vous?

Le père Tuvache répondit:

—Non, c'est aux voisins; vous pouvez y aller si vous voulez.

Et il rentra dans sa maison, où retentissait la voix indignée de sa femme.

Les Vallin étaient à table, en train de manger avec lenteur des tranches de pain qu'ils frottaient parcimonieusement avec un peu de beurre piqué au couteau, dans une assiette entre eux deux.

M. d'Hubières recommença ses propositions, mais avec plus d'insinuations, de précautions oratoires, d'astuce.

Les deux ruraux hochaient la tête en signe de refus; mais quand ils apprirent qu'ils auraient cent francs par mois, ils se considérèrent, se consultant de l'œil, très ébranlés.

Ils gardèrent longtemps le silence, torturés, hésitants. La femme enfin demanda:

—Qué qu't'en dis, l'homme?

Il prononça d'un ton sentencieux:

—J'dis qu'c'est point méprisable.

Alors Mme. d'Hubières, qui tremblait d'angoisse, leur parla de l'avenir du petit, de son bonheur, et de tout l'argent qu'il pourrait leur donner plus tard.

Le paysan demanda:

—C'te rente de douze cents francs, ce s'ra promis d'vant l'notaire?

M. d'Hubières répondit:

—Mais certainement, dès demain.

La fermière, qui méditait, reprit:

—Cent francs par mois, c'est point suffisant pour nous priver du petit; ça travaillera dans quéq'z'ans ct'éfant; i nous faut cent vingt francs.

Mme. d'Hubières, trépignant d'impatience, les accorda tout de suite; et, comme elle voulait enlever l'enfant, elle donna cent francs en cadeau pendant que son mari faisait un écrit. Le maire et un voisin, appelés aussitôt, servirent de témoins complaisants.

Et la jeune femme, radieuse, emporta le marmot hurlant, comme on emporte un bibelot désiré d'un magasin.

Les Tuvache, sur leur porte, le regardaient partir muets, sévères, regrettant peut-être leur refus.

On n'entendit plus du tout parler du petit Jean Vallin. Les parents, chaque mois, allaient toucher leurs cent vingt francs chez le notaire; et ils étaient fâchés avec leurs voisins parce que la mère Tuvache les agonisait d'ignominies, répétant sans cesse de porte en porte qu'il fallait être dénaturé pour vendre son enfant, que c'était une horreur, une saleté, une corromperie.

Et parfois, elle prenait en ses bras son Charlot, avec ostentation, lui criant, comme s'il eût compris:

—J'tai pas vendu, mé, j'tai pas vendu mon p'tiot. J'vends pas m's éfants, mé. J'sieus pas riche mais vends pas m's éfants.

Et, pendant des années et encore des années, ce fut ainsi chaque jour des allusions grossières qui étaient vociférées devant la porte, de façon à entrer dans la maison voisine. La mère Tuvache avait fini par se croire supérieure à toute la contrée parce qu'elle n'avait pas vendu Charlot. Et ceux qui parlaient d'elle disaient:

—J'sais ben que c'était engageant, c'est égal, elle s'a conduite comme une bonne mère.

On la citait; et Charlot, qui prenait dix-huit ans,[5] élevé dans cette idée qu'on lui répétait sans répit, se jugeait lui-même supérieur à ses camarades, parce qu'on ne l'avait pas vendu.

Les Vallin vivotaient à leur aise, grâce à la pension. La fureur inapaisable des Tuvache, restés misérables, venait de là.

Leur fils aîné partit au service. Le second mourut; Charlot resta seul à peiner avec le vieux père pour nourrir la mère et deux autres sœurs cadettes qu'il avait.

Il prenait vingt et un ans, quand, un matin, une brillante voiture s'arrêta devant les deux chaumières. Un jeune monsieur, avec une chaîne de montre en or, descendit, donnant la main à une vieille dame en cheveux blancs. La vieille dame lui dit:

—C'est là, mon enfant, à la seconde maison.

Et il entra comme chez lui dans la masure des Vallin.

La vieille mère lavait ses tabliers; le père, infirme, sommeillait près de l'âtre. Tous deux levèrent la tête et le jeune homme dit:

—Bonjour, papa; bonjour, maman.

Ils se dressèrent, effarés. La paysanne laissa tomber d'émoi son savon dans son eau et balbutia:

—C'est-i té, m'n éfant? C'est-i té, m'n éfant? Il la prit dans ses bras et l'embrassa, en répétant: "Bonjour maman." Tandis que le vieux, tout tremblant, disait, de son ton calme qu'il ne perdait jamais: "Te v'là-t'i revenu, Jean?" Comme s'il l'avait vu un mois auparavant.

Et, quand ils se furent reconnus, les parents voulurent tout de suite sortir le fieu dans le pays pour le montrer. On le conduisit chez le maire, chez l'adjoint, chez le curé, chez l'instituteur.

Charlot, debout sur le seuil de sa chaumière, le regardait passer.

Le soir, au souper, il dit au vieux:

—Faut-i qu'vous ayez été sots pour laisser prendre le p'tit aux Vallin!

Sa mère répondit obstinément:

—J'voulions point vendre not'éfant!

Le père ne disait rien.

Le fils reprit:

—C'est-i pas malheureux d'être sacrifié comme ça!

Alors le père Tuvache articula d'un ton coléreux:

—Vas-tu pas nous r'procher d't'avoir gardé?

Et le jeune homme, brutalement:

—Oui, j'vous le r'proche, que vous n'êtes que des niants.[6] Des parents comme vous, ça fait l'malheur des éfants. Qu'vous mériteriez que j'vous quitte.

La bonne femme pleurait dans son assiette. Elle gémit tout en avalant des cuillerées de soupe dont elle en répandait la moitié:

—Tuez-vous donc pour élever d's éfants!

Alors le gars, rudement:

—J'aimerais mieux n'être point né que d'être c'que j'suis. Quand j'ai vu l'autre, tantôt, mon sang n'a fait qu'un tour.[7] Je m'suis dit: v'là c'que j'serais maintenant!

Il se leva.

—Tenez, j'sens bien que je ferai mieux de ne pas rester ici, parce que j'vous le reprocherais du matin au soir, et que j'vous ferais une vie de misère. Ça, voyez-vous, j'vous l'pardonnerai jamais!

Les deux vieux se taisaient, atterrés, larmoyants.

Il reprit:

—Non, c't'idée-là, ce serait trop dur. J'aime mieux m'en aller chercher ma vie aut'part!

Il ouvrit la porte. Un bruit de voix entra. Les Vallin festoyaient avec l'enfant revenu.

Alors Charlot tapa du pied et, se tournant vers ses parents, cria:

—Manants, va!

Et il disparut dans la nuit.

UN LÂCHE

Guy de Maupassant

On l'appelait dans le monde: le "beau Signoles." Il se nommait le vicomte Gontran-Joseph de Signoles.

Orphelin et maître d'une fortune suffisante, il faisait figure, comme on dit. Il avait de la tournure et de l'allure, assez de parole pour faire croire à de l'esprit, une certaine grâce naturelle, un air de noblesse et de fierté, la moustache brave et l'œil doux, ce qui plaît aux femmes.

Il était demandé dans les salons, recherché par les valseuses, et il inspirait aux hommes cette inimitié souriante qu'on a pour les gens de figure énergique. On lui avait soupçonné quelques amours capables de donner fort bonne opinion d'un garçon. Il vivait heureux, tranquille, dans le bien-être moral le plus complet. On savait qu'il tirait bien l'épée et mieux encore le pistolet.

—Quand je me battrai, disait-il, je choisirai le pistolet. Avec cette arme, je suis sûr de tuer mon homme.

Or, un soir, comme il avait accompagné au théâtre deux jeunes femmes de ses amies, escortées d'ailleurs de leurs époux, il leur offrait, après le spectacle, de prendre une glace chez Tortoni.[1] Ils étaient entrés depuis quelques minutes, quand il s'aperçut qu'un monsieur assis à une table voisine regardait avec obstination une de ses voisines. Elle semblait gênée, inquiète, baissait la tête. Enfin elle dit à son mari:

—Voici un homme qui me dévisage. Moi, je ne le connais pas; le connais-tu?

Le mari, qui n'avait rien vu, leva les yeux mais déclara:

—Non, pas du tout.

La jeune femme reprit, moitié souriante, moitié fâchée:

—C'est fort gênant; cet individu me gâte ma glace.

Le mari haussa les épaules:

—Bast! n'y fais pas attention. S'il fallait s'occuper de tous les insolents qu'on rencontre, on n'en finirait pas.

Mais le vicomte s'était levé brusquement. Il ne pouvait admettre que cet inconnu gâtât une glace qu'il avait offerte. C'était à lui que l'injure s'adressait, puisque c'était par lui et pour lui que ses amis étaient entrés dans ce café. L'affaire donc ne regardait que lui.

Il s'avança vers l'homme et lui dit:

—Vous avez, monsieur, une manière de regarder ces dames que je ne puis tolérer. Je vous prie de vouloir bien cesser cette insistence.

L'autre répliqua:

—Vous allez me ficher la paix, vous.

Le vicomte déclara, les dents serrées:

—Prenez garde, monsieur, vous allez me forcer à passer la mesure.

Le monsieur ne répondit qu'un mot, un mot ordurier qui sonna d'un bout à l'autre du café, et fit, comme par l'effet d'un ressort accomplir à chaque consommateur un mouvement brusque. Tous ceux qui tournaient le dos se retournèrent; tous les autres levèrent la tête; trois garçons pivotèrent sur leurs talons comme des toupies; les deux dames du comptoir eurent un sursaut, puis une conversion du torse entier, comme si elles eussent été deux automates obéissant à la même manivelle.

Un grand silence s'était fait. Puis, tout à coup, un bruit sec claqua dans l'air. Le vicomte avait giflé son adversaire. Tout le monde se leva pour s'interposer. Des cartes furent échangées.

. . . .

Quand le vicomte fut rentré chez lui, il marcha pendant quelques minutes à grands pas vifs, à travers sa chambre. Il était trop agité pour réfléchir à rien. Une seule idée planait sur son esprit: "un duel," sans que cette idée éveillât encore en lui une émotion quelconque. Il avait fait ce qu'il devait faire; il s'était montré ce qu'il devait être. On en parlerait, on l'approuverait, on le féliciterait. Il répétait à voix haute, parlant comme on parle dans les grands troubles de pensée:

—Quelle brute que cet homme!

Puis il s'assit et se mit à réfléchir. Il lui fallait, dès le matin, trouver des témoins. Qui choisirait-il? Il cherchait les gens les plus posés et les plus célèbres de sa connaissance. Il prit enfin le marquis de La Tour-Noire et le colonel Bourdin, un grand seigneur et un soldat, c'était fort bien. Leurs noms porteraient dans les journaux. Il s'aperçut qu'il avait soif et il but, coup sur coup, trois verres d'eau; puis il se remit à marcher. Il se sentait plein d'énergie. En se montrant crâne, résolu à tout, et en exigeant des conditions rigoureuses, dangereuses, en réclamant un duel sérieux, très sérieux, terrible, son adversaire reculerait probablement et ferait des excuses.

Il reprit la carte qu'il avait tirée de sa poche et jetée sur la table et il la relut comme il l'avait déjà lue, au café, d'un coup d'œil et, dans le fiacre, à la lueur de chaque bec de gaz, en revenant. "Georges Lamil, 51, rue Moncey." Rien de plus.

Il examinait ces lettres assemblées qui lui paraissaient mystérieuses, pleines de sens confus: Georges Lamil? Qui était cet homme? Que faisait-il? Pourquoi avait-il regardé cette femme d'une pareille façon? N'était-ce pas révoltant qu'un étranger, un inconnu vînt troubler ainsi votre vie, tout d'un coup, parce qu'il lui avait plu de fixer insolemment les yeux sur une femme? Et le vicomte répéta encore une fois, à haute voix:

—Quelle brute!

Puis il demeura immobile, debout, songeant, le regard toujours planté sur la carte. Une colère s'éveillait en lui contre ce morceau de papier, une colère haineuse où se mêlait un étrange sentiment de malaise. C'était stupide, cette histoire-là! Il prit un canif ouvert sous sa main et le piqua au milieu du nom imprimé, comme s'il eût poignardé quelqu'un.

Donc il fallait se battre! Choisirait-il l'épée ou le pistolet, car il se considérait bien comme l'insulté. Avec l'épée, il risquait moins; mais avec le pistolet il avait chance de faire reculer son adversaire. Il est bien rare qu'un duel à l'épée soit mortel, une prudence réciproque empêchant les combattants de se tenir en garde assez près l'un de l'autre pour qu'une pointe entre profondément. Avec le pistolet il risquait sa vie sérieusement; mais il pouvait aussi se tirer d'affaire avec tous les honneurs de la situation et sans arriver à une rencontre.

Il prononça:

—Il faut être ferme. Il aura peur.

Le son de sa voix le fit tressaillir et il regarda autour de lui. Il se sentait fort nerveux. Il but encore un verre d'eau, puis commença à se dévêtir pour se coucher.

Dès qu'il fut au lit, il souffla sa lumière et ferma les yeux.

Il pensait:

J'ai toute la journée de demain pour m occuper de mes affaires. Dormons d'abord afin d'être calme.

Il avait très chaud dans ses draps, mais il ne pouvait parvenir à s'assoupir. Il se tournait et se retournait, demeurait cinq minutes sur le dos, puis se plaçait sur le côté gauche, puis se roulait sur le côté droit.

Il avait encore soif. Il se releva pour boire. Puis une inquiétude le saisit:

—Est-ce que j'aurais peur?

Pourquoi son cœur se mettait-il à battre follement à chaque bruit connu de sa chambre? Quand la pendule allait sonner, le petit grincement du ressort qui se dresse lui faisait faire un sursaut; et il lui fallait ouvrir la bouche pour respirer ensuite pendant quelques secondes, tant il demeurait oppressé.

Il se mit à raisonner avec lui-même sur la possibilité de cette chose:

—Aurais-je peur?

Non certes, il n'aurait pas peur, puisqu'il était résolu à aller jusqu'au bout, puisqu'il avait cette volonté bien arrêtée de se battre, de ne pas trembler. Mais il se sentait si profondément troublé qu'il se demanda:

—Peut-on avoir peur, malgré soi?

Et ce doute l'envahit, cette inquiétude, cette épouvante;

si une force plus puissante que sa volonté, dominatrice, irrésistible, le domptait, qu'arriverait-il ? Oui, que pouvait-il arriver ? Certes, il irait sur le terrain, puisqu'il voulait y aller. Mais s'il tremblait ? Mais s'il perdait connaissance ? Et il songea à sa situation, à sa réputation, à son nom.

Et un singulier besoin le prit tout à coup de se relever pour se regarder dans la glace. Il ralluma sa bougie. Quand il aperçut son visage reflété dans le verre poli, il se reconnut à peine, et il lui sembla qu'il ne s'était jamais vu. Ses yeux lui parurent énormes ; et il était pâle, certes, il était pâle, très pâle.

Il restait debout en face du miroir. Il tira la langue comme pour constater l'état de sa santé, et tout d'un coup cette pensée entra en lui à la façon d'une balle :

—Après-demain, à cette heure-ci, je serai peut-être mort.

Et son cœur se remit à battre furieusement.

—Après-demain, à cette heure-ci, je serai peut-être mort. Cette personne en face de moi, ce moi que je vois dans cette glace, ne sera plus. Comment ! me voici, je me regarde, je me sens vivre, et dans vingt-quatre heures je serai couché dans ce lit, mort, les yeux fermés, froid, inanimé, disparu.

Il se retourna vers la couche et il se vit distinctement étendu sur le dos dans ces mêmes draps qu'il venait de quitter. Il avait ce visage creux qu'ont les morts et cette mollesse des mains qui ne remueront plus.

Alors il eut peur de son lit et, pour ne plus le regarder il passa dans son fumoir. Il prit machinalement un cigare, l'alluma et se remit à marcher. Il avait froid ; il alla vers la sonnette pour réveiller son valet de chambre ; mais il s'arrêta, la main levée vers le cordon :

—Cet homme va s'apercevoir que j'ai peur.

Et il ne sonna pas, il fit du feu. Ses mains tremblaient un peu, d'un frémissement nerveux, quand elles touchaient les objets. Sa tête s'égarait; ses pensées troubles, devenaient fuyantes, brusques, douloureuses; une ivresse envahissait son esprit comme s'il eût bu.

Et sans cesse il se demandait:

—Que vais-je faire? Que vais-je devenir?

Tout son corps vibrait, parcouru de tressaillements saccadés; il se releva et, s'approchant de la fenêtre, ouvrit les rideaux.

Le jour venait, un jour d'été. Le ciel rose faisait rose la ville, les toits et les murs. Une grande tombée de lumière tendue, pareille à une caresse du soleil levant, enveloppait le monde réveillé; et, avec cette lueur, un espoir gai, rapide, brutal, envahit le cœur du vicomte! Était-il fou de s'être laissé ainsi terrasser par la crainte, avant même que rien fût décidé, avant que ses témoins eussent vu ceux de ce Georges Lamil, avant qu'il sût encore s'il allait seulement se battre?

Il fit sa toilette, s'habilla et sortit d'un pas ferme.

. . . .

Il se répétait, tout en marchant:

—Il faut que je sois énergique, très énergique. Il faut que je prouve que je n'aie pas peur.

Ses témoins, le marquis et le colonel, se mirent à sa disposition, et, après lui avoir serré énergiquement les mains, discutèrent les conditions.

Le colonel demanda:

—Vous voulez un duel sérieux?

Le vicomte répondit:

—Très sérieux.

Le marquis reprit:

—Vous tenez au pistolet?

—Oui.

—Nous laissez-vous libres de régler le reste?

Le vicomte articula d'une voix sèche, saccadée:

—Vingt pas, au commandement, en levant l'arme au lieu de l'abaisser. Échange de balles jusqu'à blessure grave.

Le colonel déclara d'un ton satisfait:

—Ce sont des conditions excellentes. Vous tirez bien, toutes les chances sont pour vous.

Et ils partirent. Le vicomte rentra chez lui pour les attendre. Son agitation, apaisée un moment, grandissait maintenant de minute en minute. Il se sentait le long des bras, le long des jambes, dans la poitrine, une sorte de frémissement, de vibration continue; il ne pouvait tenir en place, ni assis ni debout. Il n'avait plus dans la bouche une apparence de salive, et il faisait à tout instant un mouvement bruyant de la langue, comme pour la décoller de son palais.

Il voulut déjeuner, mais il ne put manger. Alors l'idée lui vint de boire pour se donner du courage, et il se fit apporter un carafon de rhum dont il avala coup sur coup, six petits verres.

Une chaleur, pareille à une brûlure, l'envahit, suivie aussitôt d'un étourdissement de l'âme. Il pensa:

—Je tiens le moyen. Maintenant ça va bien.

Mais au bout d'une heure il avait vidé le carafon, et son état d'agitation redevenait intolérable. Il sentait un besoin fou de se rouler par terre, de crier, de mordre. Le soir tombait.

Un coup de timbre lui donna une telle suffocation qu'il n'eut pas la force de se lever pour recevoir ses témoins.

Il n'osait même plus leur parler, leur dire "bonjour," prononcer un seul mot, de crainte qu'ils ne devinassent tout à l'altération de sa voix.

Le colonel prononça:

—Tout est réglé aux conditions que vous avez fixées. Votre adversaire réclamait d'abord les privilèges d'offensé, mais il a cédé presque aussitôt et a tout accepté. Ses témoins sont deux militaires.

Le vicomte prononça:

—Merci.

Le marquis reprit:

—Excusez-nous si nous ne faisons qu'entrer et sortir, mais nous avons encore à nous occuper de mille choses. Il faut un bon médecin, puisque le combat ne cessera qu'après blessure grave, et vous savez que les balles ne badinent pas. Il faut désigner l'endroit, à proximité d'une maison pour y porter le blessé si c'est nécessaire, etc.; enfin, nous en avons encore pour deux ou trois heures.

Le vicomte articula une seconde fois:

—Merci.

Le colonel demanda:

—Vous allez bien? vous êtes calme?

—Oui, très calme, merci.

Les deux hommes se retirèrent.

. . . .

Quand il se sentit seul de nouveau, il lui sembla qu'il devenait fou. Son domestique ayant allumé les lampes, il s'assit devant sa table pour écrire des lettres. Après avoir tracé, au haut d'une page: "Ceci est mon testament . . ." il se releva d'une secousse et s'éloigna, se sentant incapable d'unir deux idées, de prendre une résolution, de décider quoi que ce fût.

Ainsi il allait se battre! Il ne pouvait plus éviter cela. Que se passait-il donc en lui? Il voulait se battre, il avait cette intention et cette résolution fermement arrêtées; et il sentait bien, malgré tout l'effort de son esprit et toute la tension de sa volonté, qu'il ne pourrait même conserver la force nécessaire pour aller jusqu'au lieu de la rencontre. Il cherchait à se figurer le combat, son attitude à lui et la tenue de son adversaire.

De temps en temps, ses dents s'entrechoquaient dans sa bouche avec un petit bruit sec. Il voulut lire, et prit le code du duel de Châteauvillard. Puis il se demanda:

—Mon adversaire a-t-il fréquenté les tirs? Est-il connu? Est-il classé? Comment le savoir?

Il se souvint du livre du baron de Vaux sur les tireurs au pistolet, et il le parcourut d'un bout à l'autre. Georges Lamil n'y était pas nommé. Mais cependant si cet homme n'était pas un tireur, il n'aurait pas accepté immédiatement cette arme dangereuse et ces conditions mortelles?

Il ouvrit, en passant, une boîte de Gastinne Renette posée sur un guéridon, et prit un des pistolets, puis il se plaça comme pour tirer et leva le bras. Mais il tremblait des pieds à la tête et le canon remuait dans tous les sens.

Alors, il se dit:

—C'est impossible. Je ne puis me battre ainsi.

Il regardait au bout du canon ce petit trou noir et profond qui crache la mort, il songeait au déshonneur, aux chuchotements dans les cercles, aux rires dans les salons, au mépris des femmes, aux allusions des journaux, aux insultes que lui jetteraient les lâches.

Il regardait toujours l'arme, et, levant le chien, il vit soudain une amorce briller dessous comme une petite flamme rouge. Le pistolet était demeuré chargé, par hasard, par oubli. Et il éprouva de cela une joie confuse, inexplicable.

S'il n'avait pas, devant l'autre, la tenue noble et calme qu'il faut, il serait perdu à tout jamais. Il serait taché, marqué d'un signe d'infamie, chassé du monde! Et cette tenue calme et crâne, il ne l'aurait pas, il le savait, il le sentait. Pourtant il était brave, puisqu'il voulait se battre! . . . Il était brave, puisque. . . . —La pensée qui l'effleura ne s'acheva même pas dans son esprit; mais, ouvrant la bouche toute grande, il s'enfonça brusquement, jusqu'au fond de la gorge, le canon de son pistolet, et il appuya sur la gâchette. . . .

Quand son valet de chambre accourut, attiré par la détonation, il le trouva mort, sur le dos. Un jet de sang

avait éclaboussé le papier blanc sur la table et faisait une grande tache rouge au-dessous de ces quatre mots :
"Ceci est mon testament."

L'INQUIÉTEUR

Villiers de l'Isle-Adam

Et j'ai reconnu que tout n'est qu'une vanité des vanités, et que cette parole, même, est encore une vanité.
L'ECCLÉSIASTE.

Au printemps de l'année 1887, une véritable épidémie de sensibilité s'abattit sur la capitale et la désola jusqu'aux canicules. Une sorte de courant de nervosisme-élégiaque pénétrait les tempéraments les plus épais, sévissant, avec une intensité plus spéciale, chez les fiancés, les amants, les époux, même, que disjoignait un subit trépas. D'affolées scènes d'un "désespoir" absolument indigne de gens modernes, se produisaient chaque jour, au cours de maintes et maintes funérailles—et, dans les cimetières, en arrivaient, parfois, à déconcerter les fossoyeurs au point d'entraver leurs agissements. Des corps-à-corps avaient eu lieu entre ceux-ci et bon nombre de nos inconsolables. Les journaux ne parlaient que d'amants, que d'époux, même, annihilés par l'émotion jusqu'à se laisser choir dans la fosse de leurs chères défuntes, refusant d'en sortir, étreignant le cercueil et réclamant une inhumation commune. Ces crises, ces tragiques *arias*,[1] dont gémissaient, tout bas, le bon ordre et les convenances, étaient devenus d'une fréquence telle que les croque-morts ne savaient littéralement plus où donner de la tête,[2] ce qui entraînait des retards, des encombrements, des substitutions, etc.

Cependant, comment interdire ou punir des accès qui, pour déréglés qu'ils fussent,[3] étaient aussi involontaires que *respectables*?

Pour obvier, s'il se pouvait, à ces inconvénients étranges, l'on avait fini par s'adresser à la fameuse "Académie libre des Innovateurs à outrance."

Son président-fondateur, le jeune et austère ingénieur-possibiliste,[4] M. Juste Romain,—(cet esprit progressiste, rectiligne[5] et sans préjugés, dont l'éloge n'est plus à faire)[6] avait répondu, en toute hâte, que l'on aviserait.

Mais les imaginations de ces messieurs se montrant, ici, singulièrement tardigrades, bréhaignes et sans cesse atermoyantes, l'on avait pris, d'urgence, (la Parque[7] n'attendant pas) des mesures quelconques, faute de meilleures.

Ainsi l'on avait mis en œuvre ces engins dont le seul aspect semble vraiment fait pour calmer et refroidir les trop lyriques expansions de regrets chez les cœurs en retard:[8]—par exemple, ces ingénieuses machines, dites funiculaires, (en activité aujourd'hui dans nos cimetières principaux) et grâce auxquelles on nous enterre, présentement, à la mécanique—ce qui est beaucoup plus expéditif (et même plus *propre*) que d'être enterré à la main, plus moderne aussi. En trois tours de cric, une grue à cordages vous dépose, vous et votre bière, dans le trou, comme un simple colis.—Crac! un tombereau de gravats boueux s'incline: brrroum! c'est fait. Vous voilà disparu. Puis, cela roule vers l'ouverture voisine: à un autre! et même jeu. Sans cette rapidité, il saute aux yeux que l'administration surmènerait en vain ses noirs employés: vu l'affluence, et les chiffres, toujours croissants, de la population, le sinistre personnel des Pompes-Funèbres n'y pourrait suffire et le service en souffrirait.

Toutefois, ce vague remède *physique* s'était vu d'une impuissance appréciable dans l'espèce: et divers accidents en ayant rendu l'usage inopportun (du moins en ces circonstances exceptionnelles) on avait cherché "autre chose"—et le bruit courait, à présent, qu'un inconnu de génie avait trouvé l'expédient.

Or, à quelque temps de ces entrefaites, par un frais matin soleillé d'or, entre le long vis-à-vis des talus en verdure, plantés de peupliers, passait, sur un char tiré au pas de deux sombres chevaux, un amoncellement de violettes, de bruyères blanches, de roses-thé en couronnes—et de *ne m'oubliez pas*!—C'était sur la route du champ d'asile[9] d'une de nos banlieues.

Les franges des draperies mortuaires scintillaient, givres d'argent, à l'entour de cette ambulante moisson florale qui transfigurait en un bouquet monstre le char morose,—derrière lequel, isolé de trois pas de la longue suite des piétons et des voitures, marchait, tête nue et le mouchoir appuyé au visage, qui? M. Juste Romain, lui-même! Il venait d'être éprouvé à son tour: en moins de vingt-quatre heures, sa femme, sa tendre femme, avait succombé. . . .

Aux yeux du monde, suivre, soi-même, le convoi d'une épouse plus qu'aimée est un acte d'inconvenance. Mais M. Juste Romain se souciait bien du monde, en ce moment! . . . Au bout de cinq mois, à peine, de délices conjugales, avoir vu s'éteindre son unique, sa meilleure moitié, sa trop passionnée conjointe, hélas! Ah! la vie, ne lui offrant, désormais plus, aucune saveur, n'était-ce pas—vraiment—à s'y soustraire?[10] . . . Le chagrin l'égarait au point que ses fonctions sociales elles-mêmes ne lui semblaient plus mériter qu'un ricanement amer! Que lui importait, à présent, ponts et chaussées! . . . Nature nerveuse, il ressentait maints lancinants transports, causés par mille souvenirs de joies à jamais perdues. Et ses regrets s'avivaient, s'augmentaient, s'enflaient encore de la solennité ambiante,—de la préséance, même, qu'il avait l'*honneur* d'occuper, à l'écart de ses semblables, immédiatement derrière ce corbillard somptueux, d'une classe de choix, et d'où quelque chose de la majesté de la Mort semblait rejaillir sur lui et sa douleur, les "poétisant."—Mais l'intime simplicité de sa tristesse, n'étant que falsifiée par ce sentiment théâtral, s'en envenimait, à chaque pas, jusqu'à devenir intolérable. Une contrariante sensation de ridicule finissait par se dégager, autour de lui, du guindé de sa désolation vaniteuse.

Il tenait bon, cependant: et, bien que l'émotion lui fît vaciller les jambes, il avait, à différentes reprises, pendant le trajet, refusé d'un: "Non! laissez-moi!" presque impatient, le secours affectueux, venu s'offrir.—Or, à présent, l'on approchait . . . . et, en l'observant, les invités de l'avant-garde commençaient à redouter que certains détails suprêmes, tout à l'heure,—par exemple, le bruissement particulier de la première pelletée de terre et de pierres tombant sur le bois du cercueil,—ne l'impressionnassent d'une manière dangereuse. Déjà l'on apercevait, là-bas, de longues formes de caveaux, des silhouettes. . . . On était dans l'inquiétude.

Tout à coup sortit de son rang processionnel un adolescent d'une vingtaine d'années. Vêtu d'un deuil élégant, il s'avança, tenant un bouquet de roses-feu, cerclé d'immortelles. Ses cheveux dorés, sa figure gracieuse, ses yeux en larmes prévenaient en sa faveur. Dépassant le président honoraire des Innovateurs-à-outrance, il s'avança, n'étant sans doute plus maître de sa douleur, jusqu'auprès du char fleuri. Son bouquet une fois inséré parmi les autres,—mais juste au chevet présumable de la trépassée,—il saisit le brancard d'une main, s'y appuyant, tandis qu'un sanglot lui secouait la poitrine.

La stupeur de voir l'intensité de sa propre peine partagée par un inconnu, dont la belle mine, d'ailleurs, (il ne sut pourquoi!) le froissa tout d'abord au lieu d'éveiller sa sympathie, fit que l'ingénieur, se raffermissant soudain sur ses pieds et haussant les sourcils, essuya ses paupières —devenues brusquement moins humides.

—Sans doute, quelque parent, dont Victurienne aura oublié de me parler! pensa-t-il.

Au bout de quelques pas, et comme les gémissements du jeune "parent" ne discontinuaient point, à l'encontre de ceux du mari qui s'étaient calmés comme par enchantement:

—N'importe! Il est singulier que je ne l'aie jamais vu chez nous! . . . murmura celui-ci, les dents un peu serrées.

Et, s'approchant du bel inconnu:

—Monsieur n'est-il pas un cousin de . . . . de la défunte? demanda-t-il tout bas.

—Hélas! monsieur,—*plus qu'un frère*! balbutia l'adolescent, dont les grands yeux bleus étaient fixes. Nous nous aimions tant! Quel charme! Quel abandon! Quelle grâce! Et quel cœur fidèle! . . . Ah! sans ce triste mariage de raison, qui nous a . . . . —Mais que dis-je! Mes idées sont tellement troublées. . . .

—Le mari, c'est moi, monsieur: qui êtes-vous? articula, sans cesser d'assourdir sa voix, mais devenu graduellement blême, M. Romain.

Ces simples mots parurent produire un effet voltaïque sur le blond survenu. Il se redressa, très vite, froid et surpris. Aucun des deux ne pleurait plus.

—Quoi? Comment, vous êtes . . . . c'est vous qui. . . . Ah! recevez tous mes regrets, monsieur: je vous croyais chez vous, selon l'usage . . . . et, plus tard, ce soir, sans doute, je vous expliquerai . . . . je—mille pardons! mais. . . .

Un cabriolet passait: le jeune imprudent y bondit, en jetant à l'oreille du cocher: "Continuez! Au galop! Tout droit! Dix francs de pourboire!"

Abasourdi, ne pouvant quitter son poste lugubre, ni poursuivre le déjà lointain Don Juan[11] sentimental, le grand Innovateur Juste Romain, toutefois, grâce à l'acuité du coup d'œil propre aux époux ombrageux, avait remarqué et retenu le numéro de la voiture.

Une fois au champ du Repos, la foule, autour de la fosse fleurie, admira la tenue ferme et calme—que ses amis même n'avaient pas osé espérer—avec laquelle il expédia les dernières, les plus sinistres formalités. Chacun fut frappé de l'empire sur soi-même qu'il témoignait; la considération dont il jouissait comme homme sérieux s'en accrut, même, au point que plusieurs, séance tenante, résolurent de lui confier, à l'avenir, leurs intérêts,—et que l'éternel "gaffeur" de toutes les assemblées, ému du courage de M. Romain, lui en adressa étourdiment une félicitation pour le moins intempestive.

Il va sans dire qu'aussitôt que possible, l'ingénieur prit congé à l'anglaise[12] de son entourage, courut à l'entrée funèbre, sauta dans l'une des voitures, donna son adresse à la hâte, et, s'étant renfermé derrière les vitres relevées, croisa et décroisa vingt fois, au moins, ses jambes, durant le chemin.

De retour chez lui, la première chose que ses regards errants aperçurent, ce fut, sur la table du salon, une vaste enveloppe carrée sur laquelle il put lire en gros caractères: "COMMUNICATION URGENTE."

L'ouvrir fut l'affaire d'une seconde. En voici le contenu:

ADMINISTRATION
des
POMPES FUNÈBRES
CABINET DU DIRECTEUR

Paris, ce 1er avril 1887.

Monsieur,

En vertu de l'arrêté ministériel, en date du 31 février 1887, nous nous faisons un devoir de vous aviser que,—pour l'exercice de l'année courante,—l'administration s'est adjoint un corps, dit d'inquiéteurs ou pleureurs, destinés à fonctionner au cours des inhumations dont nous est confié le cérémonial. Cette mesure, essentiellement moderne, s'imposait, à titre d'innovation tout humanitaire: elle a été prise sur les conclusions de la Faculté de physiologie, ratifiée par les praticiens légistes de Paris, et à nous signifiée en même date.

Au constat de[13] l'endémique Névrose, en ascendance vers l'Hystérie, qui sévit actuellement sur nos populations,—dans le but, aussi, d'éviter chez, par exemple, les jeunes veufs notoirement atteints de regrets trop aigus envers leur décédée, et qui, contre les usages, se risquent à braver, de leur présence, les sévères péripéties de la mise en fosse,—il a été statué que, sur l'appréciation d'un docteur expert, attaché, d'office, aux obsèques, s'il juge que le conjoint demeuré sur cette terre a trop présumé de ses forces, et pour lui épargner les crises de nerfs, heurts cérébraux, syncopes, convulsions et comas éventuels; bref, toutes manifestations inutilement dramatiques et pouvant entraîner maints désordres de nature même à troubler la bonne effectuation de ladite[14] mise en fosse,—l'un de nos nouveaux employés, dits *Inquiéteurs,* lui serait dépêché à l'effet d'opérer en lui, selon son tempérament, telle diversion morale (analogue aux révulsifs et moxas dans l'ordre physique). Cette diversion, frappant, en effet, l'imagination du survivant et y suscitant des sentiments inattendus, lui permet de faire froidement et distraitement face, en homme de cœur, aux tristes nécessités de la situation.

Monsieur, le jeune blond de ce matin n'est donc qu'un de ces employés; inutile d'attester qu'il n'a jamais vu ni connu celle . . . . que vous pouvez pleurer, dorénavant, chez vous, en toute liberté, sans inconvénients désormais pour l'ordre public.

Nos clients ne nous sont redevables d'aucune taxe supplémentaire, les honoraires de l'Inquiéteur se trouvant compris, sur notre facture, dans les frais généraux.

Recevez, etc.[15]

Pour le directeur:

POISSON.

Sans hésiter, au sortir de l'évanouissement que lui causa cette circulaire, l'austère possibiliste Juste Romain,—sans prendre garde aux dates spécifiées en icelle, adressa, par lettre recommandée, à la Société des Innovateurs à outrance, sa démission de président-fondateur.—Il voulait ensuite aller provoquer, en un duel à mort, M. le ministre de l'intérieur, ainsi que M. le directeur des Pompes-

Funèbres, après avoir, préalablement, étranglé leur jeune suppôt. . . .

Mais le temps et la réflexion n'arrangent-ils pas toutes choses?

L'HÉROÏSME DU DOCTEUR HALLIDONHILL

Villiers de l'Isle-Adam

Tuer pour guérir!
Adage officiel de BROUSSAIS.

L'insolite cause du docteur Hallidonhill va venir prochainement aux assises de Londres. Voici les faits:

Le 20 mai dernier, les deux vastes antichambres de l'illustre spécialiste, du curateur[1] *quand même* de toutes les affections de la poitrine, regorgeaient de clients, comme d'habitude, leurs tickets d'ordre à la main.

A l'entrée se tenait, en longue redingote noire, l'essayeur de monnaies: il recevait de chacun les deux guinées de rigueur, les éprouvait, d'un seul coup de marteau, sur une enclume de luxe, criant *All right!* automatiquement.

Dans le cabinet vitré,—bordure, tout alentour, de grands arbustes des tropiques en leurs vastes pots du Japon,—venait de s'asseoir, devant sa table, le rigide petit docteur Hallidonhill. A ses côtés, auprès d'un guéridon, son secrétaire sténographiait de brèves ordonnances. Au montant d'une porte veloutée de rouge, à clous d'or, un valet de monstrueuse encolure se dressait, ayant pour office de transporter, l'un après l'autre, les chancelants pulmonaires sur le palier de sortie,—d'où les descendait, en fauteuils spéciaux, l'ascenseur (ceci dès que le sacrementel "A un autre!" était prononcé).

Les consultants entraient, l'œil vitreux et voilé, le torse nu, les vêtements sur le bras; ils recevaient, à l'instant, au dos et sur la poitrine, l'application du plessimètre et du tube:

—Tik! tik! plaff! Respirez! . . . Plaff! . . . Bien.

Suivait une médication dictée en quelques secondes,—puis le fameux "A un autre!"

Et, depuis trois années, chaque matin, la procession défilait ainsi, banale, de neuf heures à midi précis.

Soudain, ce jour-là, 20 mai, neuf heures sonnant, voici qu'une sorte de long squelette, aux prunelles évoluantes, aux creux des joues se touchant sous le palais, le torse nu, pareil à une cage entortillée de parchemin flasque, soulevée par l'anhélation d'une toux cassée,—bref, un douteux vivant, une fourrure de renard bleu ployée sur l'un de ses décharnés avant-bras, allongea le compas de ses fémurs dans le cabinet doctoral, en se retenant de tomber aux longues feuilles des arbustes.

—Tik! tik! plaff! Au diable! Rien à faire! grommela le docteur Hallidonhill: suis-je un coroner bon à constater les décès? . . . Vous expumerez, sous huit jours,[2] le suprême champignon de ce poumon gauche: et le droit est une écumoire![3] . . . —A un autre!

Le valet allait "enlever le client," lorsque l'éminent thérapeute, se frappant le front, ajouta brusquement, avec un sourire complexe:

—Êtes-vous riche?

—Ar-chi-mil-lionnaire! râla, tout larmoyant, l'infortuné personnage qu'Hallidonhill venait de congédier si succintement de la planète.

—Alors, que votre carrosse-lit vous dépose à Victoria

station![4] Express de onze heures pour Douvres![5] Puis le paquebot! Puis, de Calais à Marseille,[6] sleeping-car avec poêle! Et à Nice!—Là, six mois de cresson, jour et nuit, sans pain, ni vins, ni fruits, ni viandes. Une cuiller d'eau de pluie bien iodée tous les deux jours. Et cresson, cresson, cresson! pilé, broyé, en son jus:—seule chance . . . . et encore! Ce prétendu curatif, dont on me rebat les oreilles, me paraissant plus qu'absurde, je l'offre à un désespéré, mais sans y croire une seconde.

Enfin, tout est possible. . . . —A un autre!

Le crésus phtisique une fois posé délicatement dans le retrait capitonné de l'ascenseur, la procession normale des pulmonaires, scorbutiques et bronchiteux, commença.

Six mois après, le 3 novembre, neuf heures sonnant, une espèce de géant à voix formidable et joyeuse—dont le timbre fit vibrer le vitrage du cabinet de consultations et frémir les feuilles des plantes tropicales, un joufflu colosse, en riches fourrures, s'étant rué, bombe humaine, à travers les rangs lamentables de la clientèle du docteur Hallidonhill, pénétra, sans ticket, jusque dans le sanctum du prince de la Science, lequel, froid, en son habit noir, venait, comme toujours de s'asseoir devant sa table. Le saisissant à bras le corps, il l'enleva comme une plume et, baignant, en silence, de pleurs attendris les deux joues blêmes et glabres du praticien, les baisa et rebaisa d'une façon sonore, en manière de paradoxale nourrice normande;[7] puis le reposa comateux et presque étouffé en son fauteuil vert.

—Deux millions? Les voulez-vous? En voulez-vous trois? vociférait le géant, réclame terrible et vivante.—Je vous dois le souffle, le soleil, les bons repas, les effrénées passions, la vie, tout! Réclamez donc de moi des honoraires inouïs: j'ai soif de reconnaissance!

—Ah çà, quel est ce fou? Qu'on l'expulse! . . . articula faiblement le docteur après un moment de prostration.

—Mais non, mais non! gronda le géant avec un coup

d'œil de boxeur qui fit reculer le valet. Au fait, je comprends que vous, mon sauveur même, vous ne me reconnaissez pas. Je suis l'homme au cresson! le squelette fini, perdu! Nice! le cresson, cresson, cresson! J'ai fait mon semestre, et voilà votre œuvre. Tenez, écoutez ceci!

Et il se tambourinait le thorax avec des poings capables de briser le crâne aux plus primés des taureaux du Middlessex.[8]

—Hein! fit le docteur en bondissant sur ses pieds,—vous êtes. . . . Quoi! c'est là le moribond qui. . . .

—Oui, mille fois oui, c'est moi! hurlait le géant.—Dès hier au soir, à peine débarqué, j'ai commandé votre statue en bronze, et je saurai vous faire décerner un terrain funèbre à Westminster![9]

Se laissant tomber sur un vaste sopha dont les ressorts craquèrent et gémirent:

—Ah! que c'est bon, la vie! soupira-t-il avec le béat sourire d'une placide extase.

Sur deux mots rapides, prononcés à voix basse par le docteur, le secrétaire et le valet se retirèrent. Une fois seul avec son ressuscité, Hallidonhill, compassé, blafard et glacial, l'œil nerveux, regarda le géant, durant quelques instants, en silence:—puis, tout à coup:

—Permettez, d'abord, murmura-t-il d'un ton bizarre, *que je vous ôte cette mouche de la tempe!*

Et, se précipitant vers lui, le docteur, sortant de sa poche un court revolver bull-dog, le lui déchargea deux fois, très vite, sur l'artère temporale gauche.

Le géant tomba, la boîte osseuse fracassée, éclaboussant de sa cervelle reconnaissante le tapis de la pièce, qu'il battit de ses paumes une minute.

En dix coups de ciseau, witchûra, vêtements et linge, au hasard tranchés, laissèrent à nu la poitrine,—que le grave opérateur, d'un seul coup de son large bistouri chirurgical, fendit, incontinent, de bas en haut.

Un quart d'heure après, lorsque le constable entra dans

le cabinet pour prier le docteur Hallidonhili de vouloir bien le suivre,[10] celui-ci, calme, assis devant sa table, une forte loupe en main, scrutait une paire d'énormes poumons, géminés, à plat, sur son sanguinolent pupitre. Le génie de la Science essayait, en cet homme, de se rendre compte de l'archi-miraculeuse action cressonnière, à la fois lubréfiante et recréatrice.

—Monsieur le constable, a-t-il dit en se levant, j'ai jugé opportun d'immoler cet homme, son autopsie immédiate pouvant me révéler un secret salutaire pour le dégénérescent arbre aérien de l'espèce humaine : c'est pourquoi je n'ai pas hésité, je l'avoue, À SACRIFIER, ICI, MA CONSCIENCE. . . . À MON DEVOIR.

Inutile d'ajouter que l'illustre docteur a été relaxé sous caution purement formelle,[11] sa liberté nous étant plus utile que sa détention. Cette étrange affaire va maintenant venir aux assises britanniques. Ah ! quelles merveilleuses plaidoiries l'Europe va lire !

Tout porte à espérer que ce sublime attentat ne vaudra pas à son héros la potence de Newgate,[12] les Anglais étant gens à comprendre, tout comme nous, *que l'amour exclusif de l'Humanité future au parfait mépris de l'Individu présent, est, de nos jours, l'unique mobile qui doive innocenter, quand même, les magnanimes outranciers de la Science.*

L'IMAGINATION

Jules Lemaître

Le soir où la grande tragédienne Cornelia Tosti[1] fit baisser le rideau au milieu du troisième acte de *Frédé-*

gonde,—non pour une syncope ou une crise de nerfs, mais parce qu'elle se sentait lasse, incurablement lasse, parce que les jambes lui manquaient, parce que la voix s'arrêtait dans sa gorge, enfin parce qu'elle avait cinquante ans et qu'elle n'en pouvait plus,[2]—rentrée chez elle sans avoir eu seulement la force de quitter son costume de théâtre, seule dans sa chambre ultra-gothique, effondrée devant sa grande glace à cinq panneaux, qui lui renvoyait une Frédégonde macabre, effrayante, une tête de morte entre deux lourdes tresses blondes (de fausses tresses), Cornelia fut prise d'un violent désespoir.

Elle pleura longtemps, et ce ne fut que vers l'aube qu'elle se jeta sur son lit, en travers, toujours dans sa robe mérovingienne, une des tresses pendant jusqu'à la peau de tigre qui servait de descente de lit.

Le lendemain, le médecin déclara, pour la centième fois, que la malade devait renoncer au théâtre, et qu'à peine pourrait-elle encore créer un dernier rôle dans la *Mélissandre* que l'illustre dramaturge Eusebio Nasone écrivait pour elle.

Et cette fois, Cornélia crut le médecin.

. . . .

Ainsi, les tournées triomphales à travers l'Europe, l'Amérique et l'Asie, les jeunes gens des villes lointaines qui dételaient sa voiture, la vague toute rouge de roses effeuillées autour de sa barque de gala dans la baie de Stockholm, ailleurs les pardessus mastic des rastaquouères lui faisant un tapis au sortir du théâtre, l'ivresse des rappels à la douzaine, qui font qu'on se traîne et qu'on demande grâce en envoyant des baisers, la démence des applaudissements, pareils aux crépitations croissantes et décroissantes d'une fusillade inépuisée; les chères brutalités de la réclame et des interviews, une vie effrénée, délicieuse et chimérique, et aussi des plaisirs plus intimes et plus nobles: la joie de réaliser les plus belles visions des poètes, de leur prêter sa chair et son âme, de les sentir vivre en soi : tout cela, c'était fini.

Et dans quelques années, dans quelques mois peut-être, la Tosti serait effacée de la mémoire des hommes. Cornelia songeait à d'anciennes actrices qui avaient été presque aussi illustres qu'elle, et dont personne ne parlait plus, et qui n'étaient maintenant que de grosses dames vivant avec des chats et des perroquets dans quelque petit jardin de la banlieue de Florence.

Être cela après avoir été reine et plus que reine, non, ce n'était pas possible et elle n'y consentait pas. Mieux valait la mort qu'une si ridicule déchéance.

Oui, mourir, ainsi qu'une héroïne de drame[3] qui ne veut pas survivre à son rêve ou qu'une Impératrice de légende qui, son empire détruit, s'étrangle avec son bandeau pour n'être pas esclave chez le vainqueur. . . . Car l'idée de la mort, comme toutes les autres, ne se présentait à l'esprit de Cornelia que revêtue d'un appareil scénique. La mort, pour elle, c'était un "effet" de théâtre, le plus sûr, un effet de cinquième acte.

. . . .

Un jour donc, dans la loggia de son palais, peuplée de bouddhas et de singes, encombrée d'objets bizarres rapportés des cinq parties du monde, et où de jeunes littérateurs étaient épars dans les coins, sur les tapis et les peaux d'ours des divans, Cornelia dit d'une voix languissante :

—Croyez-vous aux pressentiments ? . . . Moi, j'y crois. . . . Quelque chose me dit que je mourrai sur la scène, pendant la première de *Mélissandre.*

Elle ajouta, mystérieuse :

—J'en suis sûre, entendez-vous ? J'en suis sûre.

Le mot parut le lendemain dans les gazettes florentines et accrut la curiosité que *Mélissandre* excitait déjà.

. . . .

On commençait à répéter la pièce. Cornelia, très faible, se traînait aux répétitions, ne se tenant debout que par un effort de toute sa volonté tendue et frémissante.

L'héroïne du drame, une femme énigmatique et funeste aux hommes, après avoir entassé les crimes, s'empoisonnait au dénouement et mourait sur la scène.

Cette mort, au dire des "Courriers des théâtres,"[4] serait le *clou* de l'œuvre, dépasserait en horreur tragique l'agonie célèbre de la Crocetta dans le *Sphinx* ou du grand Monetto dans *Ernani*.[5]

. . . .

Quelques jours avant la première représentation, Cornelia prit dans un coffret un très curieux petit flacon formé d'une émeraude taillée et creusée, qui lui avait été offert par un radjah. Puis, en présence des jeunes littérateurs épars sur les tapis, elle détacha, d'une panoplie d'armes sauvages, un faisceau de flèches empoisonnées.

Elle appela sa fidèle habilleuse et gouvernante, la vieille Giuseppa, qu'elle traînait derrière elle à travers le monde depuis trente ans, et, lui remettant le flacon et les flèches:

—Tu feras, dit-elle gravement, tremper les pointes pendant plusieurs jours dans un peu d'eau, tu verseras l'eau dans ce flacon, et tu me le donneras le soir de *Mélissandre*.

—Bien, madame, répondit Giuseppa, impassible.

—Jure-moi, sur le Christ, que tu feras ce que viens de te commander.

—Je le jure.

—Sur le Christ?

—Sur le Christ.

Les jeunes littérateurs souriaient.

—Vous verrez! fit Cornelia avec un mouvement de tête si tragique que les jeunes littérateurs en furent troublés. Savait-on, en effet, de quoi elle était capable?

. . . .

Cornelia fut sublime à la première de *Mélissandre*. Elle sut tirer de sa voix brisée et de son corps défaillant des "effets" inouïs de pathétique et de terreur. Le tout-Florence,[6] d'abord un peu résistant et railleur (il y avait si longtemps qu'il admirait Cornelia!), se laissa une fois de plus dompter par sa grande tragédienne et lui fit une ovation frénétique, où la tristesse des fêtes finies, le "jamais plus" des séparations, se traduisaient par le délire même d'applaudissements qui ne voulaient pas s'éteindre. . . .

Puis, le jeu de la Tosti était d'une vérité si poignante qu'une angoisse, peu à peu, gagnait la salle. L'héroïne de la pièce, on le savait, mourait au dénouement. Pour rester égale à elle-même dans la représentation de cette mort, qu'allait donc faire Cornelia? Et l'attente vague de quelque chose d'extraordinaire oppressait les mille cœurs de la foule.

Au dernier entr'acte, plus livide dans l'écroulement des fleurs qui remplissaient sa loge, quand elle eut doucement mis à la porte la cohue des habits noirs, en répétant, avec ce qu'elle pouvait retrouver de sa voix de cristal: "Adieu, mes amis!"—tandis que la sonnette de l'avertisseur passait dans les couloirs, Cornelia ouvrit la fenêtre, qui donnait sur une des ruelles les plus noires de la vieille cité, et, respirant à longs traits l'air saturé d'une odeur d'ail et d'humanité pauvre, elle cria:

—Adieu, Florence!

Puis, à Giuseppa:

—Le flacon!

Giuseppa le lui tendit sans dire un mot.

—Et maintenant, allons mourir!

Et la Tosti entra en scène.

. . . .

Elle mima et, tour à tour, gémit et hurla surnaturellement le cinquième acte, où Mélissandre, traquée, démasquée, tous ses crimes des quatre premiers actes se tournant contre elle, cherchait enfin un refuge dans la mort.

A ce moment, Cornelia tira de son sein le flacon d'émeraude. . . .

. . . .

Au fond, tout au fond, peut-être, n'ignorait-elle pas que le poison des flèches, à supposer qu'il fût authentiquement mortel, ne pouvait agir que s'il était introduit dans les veines par une piqûre. Mais, au reste, elle savait, *elle était sûre* que Giuseppa ne lui avait point obéi et n'avait dû mettre dans le flacon que quelques gouttes d'eau claire.

Et pourtant, à peine eut-elle porté le flacon à ses lèvres, elle tomba sur les planches, rudement, comme foudroyée; elle devint verte; ses membres eurent de ces contorsions que nul artifice ne saurait imiter; elle n'eut pas la force de prononcer les derniers mots du drame, et deux de ses camarades durent l'emporter par la tête et par les pieds.

La Mort était apparue si évidente, si indiscutable, dans ses yeux révulsés, que le public tout entier s'était levé de terreur.

Et personne ne douta que la Tosti ne se fût réellement et volontairement empoisonnée.

. . . .

Personne, pas même Giuseppa. La vieille femme avait elle-même, quelques heures auparavant, penché sur l'étroit goulot du flacon vide une des carafes de la salle à manger. Toutefois, elle se jeta sur le corps de sa maîtresse, en criant, comme tout le monde:

—Elle s'est empoisonnée! Elle l'avait bien dit!

Cornelia se crut, pendant quinze jours, entre la vie et la mort. Pendant quinze jours, tous les journaux d'Europe et d'Amérique donnèrent les bulletins de sa santé. Et les médecins découvrirent le nom et expliquèrent aux reporters les propriétés et les effets du poison qu'elle n'avait pas pris.

. . . .

Et, six mois après sa représentation d'adieux et son empoisonnement, Cornelia, rajeunie, faisait sa rentrée au Grand-Théâtre de Florence.

HERMENGARDE

Jules Lemaître

Le vicomte de Bonnereuil, un vieux gentilhomme insignifiant, mais aigri, la vicomtesse, mélancolique et pieuse, et leurs trois filles: l'aînée, Hermengarde, belle et hautaine; les deux cadettes, Anne et Catherine, drôlettes et vivaces, occupaient, chez leurs cousins les Signerol, la situation ingrate de parents pauvres.

Les parents pauvres! c'est une espèce qui n'est pas rare au faubourg Saint-Germain,[1] dans ce monde où les fortunes se défont nécessairement chaque jour, mais ne se refont guère, sinon par des mariages avec la banque ou l'industrie: mariages dont, sans doute, on ne peut presque plus dire qu'ils soient une exception, mais qui, cependant, ne sont pas encore tout à fait la règle.

Toute la famille s'était ingéniée pour faire vivre tant bien que mal[2] ce fâcheux vicomte, sa femme et ses filles. Le marquis de Signerol leur avait offert, dans son vieil hôtel de la rue Saint-Dominique[3] (le classique hôtel au fond de la cour, avec vaste perron, escalier de pierre et hautes fenêtres), un appartement mansardé, mais fort convenable encore et même d'assez grand air, un appartement de cadet.[4] Il leur fournissait, en outre, le bois et l'éclairage. La marquise, à chaque saison, faisait habiller les trois sœurs. D'autres parents donnaient à ces fillettes, le jour de leur fête, quelques billets de cent francs pour leur toilette et leurs menues dépenses. J'omets beaucoup d'autres petits bénéfices, car les Bonnereuil étaient un peu quémandeurs. Oh! quémandeurs avec une extraordinaire dignité, comme des gens qui estimaient que la décence de leur vie extérieure importait à tout le faubourg, et qui tendaient la main au nom d'un principe. Et ils vivaient ainsi, de leurs cinq mille francs de rente augmentés d'un casuel au moins égal, assez confortablement en somme mais rageusement, avec des airs de protestation et des figures toujours mal satisfaites.

. . . .

Car ces blessures ne manquent jamais quand on les cherche. Ils souffraient du luxe et du grand train de vie de leurs opulents cousins. Les Signerol étaient bons pour eux et les invitaient à leurs dîners intimes et à presque toutes leurs soirées. Mais les trois sœurs ne pouvaient y montrer des robes neuves aussi souvent qu'il aurait fallu, et cela les ulcérait. Quand elles revenaient d'une promenade à pied à l'heure des visites, la rangée des équipages à la porte de l'hôtel et, dans le monumental escalier, le coudoiement d'élégances qui leur étaient interdites, encore que ces élégances fussent éminemment choses de leur monde, leur mettaient au cœur une tristesse et une rancune. Parfois la marquise, pensant leur être agréable, leur donnait le landau pour se promener au Bois[5] avec les petits Signerol,—deux Bobs à mollets bruns et à grands cols blancs,—et alors les trois sœurs éprouvaient vaguement la crainte d'être prises pour leurs institutrices. Bref, chacun des bons procédés de leurs cousins n'avait d'autre effet que de leur rappeler leur condition de parentes pauvres.

Joignez que, rentrées chez elles, elles avaient à subir la mauvaise humeur de leur père. Par de continuelles allusions, par ses moindres gestes, par toute sa façon d'être, il leur reprochait de n'être pas des garçons. . . . La naissance de ces trois filles à la queue-leu-leu[6] lui avait été une triple déception et semblé un triple désastre. Un fils ! s'il avait eu un fils ! Il ne se gênait pas pour le confesser devant ses filles, un fils les eût tous tirés de la misère. Un fils, du moins, n'eût pas eu de peine à se mésallier avantageusement, à trouver, dans la banque ou le négoce, quelque riche héritière, à vendre son nom très cher, puisque cela se vend et qu'on fait même grand honneur à ceux qui l'achètent. Mais que faire de trois filles sans dot, sinon trois vieilles filles ou trois béguines ?

. . . .

L'aînée des petites Bonnereuil, Hermengarde, s'était peu à peu pénétrée de ces propos. Elle en comprenait la justesse. C'était une personne énergique, d'une beauté altière et brune, très décidée à mordre à la vie, à en prendre par où elle pourrait, et en qui semblait revivre, sous sa grâce de jeune fille surveillée et sous le très mince vernis d'une éducation de Sacré-Cœur,[7] l'ardeur batailleuse et brutale des plus lointains ancêtres de sa race.

Sa pauvreté la révoltait. Qu'est-ce que le nom tout seul ? Le vrai noble ne fut-il pas, à l'origine, celui qui savait prendre et garder ? Si un nom est une marchandise, pourquoi ne vendrait-elle pas le sien (puisque le nom de la femme s'ajoute couramment à celui du mari) ? Pourquoi ne vendrait-elle pas les avantages que représentaient sa naissance, ses parentés, ses relations ? Sans doute le placement de tout cela était plus difficile à trouver pour une fille que pour un garçon. Mais que coûtait-il de chercher ?

Et elle chercha.

. . . .

Vers le même temps, Ernest Foussard, cet homme d'affaires essentiellement moderne que tout Paris connaît, propriétaire d'une raffinerie, de deux fabriques de noir animal, de trois journaux et de quatre cafés-concerts, constatait, en faisant son inventaire, qu'il venait de décrocher son vingtième million. Marié à une ancienne gérante de Family-Hôtel,[8] qui avait des économies, et resté veuf très jeune encore, il n'avait pas songé d'abord à se remarier, estimant qu'un homme qui n'a point de femme, célibataire ou veuf, est beaucoup plus à l'aise pour se servir de toutes les femmes. Mais maintenant que sa fortune était faite, maintenant qu'il avait tout, hôtel à Paris, galerie de tableaux, château historique en province, qu'il avait été nommé, par les conservateurs, député aux dernières élections, et qu'enfin il frisait la cinquantaine, l'idée lui vint d'épouser une femme qui lui apporterait la seule chose qui lui manquât: un beau nom à ajouter (avec autorisation du Conseil d'État)[9] à celui de Foussard et, tôt ou tard, après des résistances qu'il prévoyait et que, d'avance, il approuvait presque, ses entrées dans ce monde mystérieux et inaccessible du Faubourg.

. . . .

Or, à force de chercher, Hermengarde de Bonnereuil et Ernest Foussard se rencontrèrent.

Ce fut d'abord à une vente de charité, où il lui paya mille francs une paire de boutons de manchettes. (Il avait pris auparavant ses informations et savait que cette belle fille n'avait pour tout bien que son grand nom et ses grands yeux.)

Quelques jours après, il envoyait à la jolie vendeuse cinq cents kilos de sucre et un énorme ballot de vêtements et de mercerie "pour ses pauvres."

Le vicomte lui écrivit pour le remercier. La semaine suivante, Foussard se présentait carrément chez les Bonnereuil.

Il fut reçu et revit Hermengarde.

Il revint.

J'abrège.

. . . .

Ernest Foussard et Hermengarde s'étaient mutuellement devinés du premier coup. Ils jouèrent l'un et l'autre, avec une discrétion et un sérieux suffisants, la comédie qui convenait.

Foussard plut au vicomte par la pureté de ses sentiments monarchiques et séduisit la vicomtesse par la pureté de ses sentiments religieux.

Au bout de trois mois, il fit sa demande.

Le vicomte fut très digne:

—Monsieur, dit-il, je regrette que vous ayez eu l'imprudence d'exprimer un vœu auquel nos principes nous obligent d'opposer le refus le plus formel. Je le regrette, dis-je, car j'avais de la sympathie pour vous.

—Au moins, répondit Foussard, accordez-moi une grâce. Daignez transmettre ma demande à Mlle. Hermengarde. Si elle refuse elle aussi, ma douleur sera profonde; mais comme je serai bien sûr, alors, qu'il ne me reste aucun espoir, il me semble que j'aurai plus d'énergie pour triompher de ce funeste amour. Et je serai soutenu par cette idée que c'est à elle, à elle seule, que j'obéis.

—Monsieur, dit le vicomte, vous êtes gentilhomme par le cœur, et ces paroles montrent assez la délicatesse de vos sentiments.

. . . .

Quand le vicomte lui apprit la démarche de Foussard, Hermengarde dit simplement:

—Enfin!

Elle ajouta:

—Les Signerol vont faire une tête![10]

—Tu acceptes donc? demanda le père.

—Si j'accepte![11] . . . J'en ai assez, de la misère! Et puis, raisonnons. Est-ce que, cette année seulement, notre cousin Sillery, le petit prince de Castelfidardo et le vieux comte d'Artenay n'ont pas épousé trois juives?

—Ce n'est pas la même chose, dit la mère.

—Eh! reprit Hermengarde, M. Foussard sera comte du pape[12] quand il voudra! Et quand il lui plaira, il sera légalement Foussard de Bonnereuil, en attendant qu'il supprime Foussard pour abréger et pour la commodité du discours. Vous savez tout cela aussi bien que moi.

—Et si je refuse mon consentement? dit le vicomte.

—J'ai vingt-deux ans, mon cher père. Je vous ferai une douce violence[13] et, je vous connais, vous aimez tant votre fille que vous n'aurez pas le courage de lui en vouloir.

—Ma fille, vous m'étonnez et m'affligez beaucoup.

—Vous ne parlez pas comme une fille de votre monde, ajouta la vicomtesse.

Ce qui n'empêcha pas le vicomte d'écrire à Ernest Foussard:

"Monsieur, j'ai le devoir de vous apprendre que, à ma grande surprise, ma fille a favorablement accueilli votre demande. Je vous confesse que j'ai combattu sa résolution de toutes mes forces. Mais les sentiments que vous avez su lui inspirer sont tels, qu'elle s'est déclarée prête à aller, s'il le fallait, jusqu'aux sommations respectueuses.[14] Voilà la situation. Je vous prie de laisser à un père accablé de douleur le temps de se recueillir."

. . . .

Quand le vicomte raconta aux Signerol la démarche de Foussard et la réponse d'Hermengarde, le marquis et la marquise jetèrent les hauts cris. Ils déclarèrent que l'idée seule d'un pareil mariage devait faire horreur à un gentilhomme. Le vicomte fut de leur avis; mais ils allèrent trop loin: ils assurèrent qu'ils ne souffriraient pas que ce Foussard, "ce croquant, cette espèce," franchît une fois de plus la porte de leur hôtel. Le vicomte protesta contre tant de rigueur; des mots aigres furent échangés; le vicomte sortit brusquement, furieux et digne; dès le lendemain, il déménageait sans crier gare et s'installait, avec sa femme et ses filles, dans un petit appartement de la rue du Bac.[15]

. . . .

Ce fut une consternation dans tout le Faubourg. Certes, on n'en était pas à la première mésalliance. Mais, justement, il y en avait eu trop dans ces dernières années. Puis, celle-là était trop voyante. Ce Foussard était particulièrement mal famé: c'était l'argent tout cru, l'argent cynique, gagné trop vite et par des procédés vraiment trop modernes. Ce mariage signifierait, avec une clarté trop insolente, que l'argent peut tout, que tout est décidément à vendre, et que, pour faire le même mariage qu'un Rohan ou un Montmorency,[16] le plus décrié des trafiquants n'a qu'à y mettre le prix. Si encore ce Foussard avait été homme à agir discrètement, à dissimuler son bonheur! Mais on sentait bien qu'il le tambourinerait, qu'il le crierait sur tous les toits de la réclame, qu'il l'afficherait, s'il pouvait, sur les vitres lumineuses des kiosques[17] et sur tous les pignons disponibles du chemin de fer de ceinture.[18] Déjà, trois journaux du matin avaient annoncé la chose sous des initiales transparentes—comme des cartes.[19]

Des douairières grimpèrent les cinq étages des Bonnereuil, chapitrèrent Hermengarde pendant des heures, passant de l'attendrissement à l'indignation, et des menaces aux prières. Elle fut inébranlable.

Un des religieux les plus appréciés du Faubourg, le R. P.[20] de Sainte-Amarante, vint prêcher à son tour la jeune insurgée. Il n'en put tirer que ces mots:

—On ne veut pas que je vende mon nom? Eh bien! mais . . . . ce qui peut se vendre peut se racheter.

. . . .

Il faut croire que le bon Père comprit ce propos mystérieux, car il eut immédiatement une assez longue conférence avec le vicomte de Bonnereuil. On ne sait au juste quels discours échangèrent ces deux personnages. Mais, lorsque le vicomte reconduisit son visiteur sur son modeste palier, le saint religieux lui disait à mi-voix:

—Résumons-nous, monsieur le vicomte. Nous avons dit: une pension annuelle de quarante mille francs, dont vingt mille pour vous et vos chères filles cadettes, à condition qu'elles n'épouseront jamais que des hommes de leur monde, et vingt mille pour Mlle. Hermengarde, à la même condition. C'est bien entendu? Je me charge de transmettre votre proposition au marquis et à la marquise de Signerol et aux autres personnages qu'elle intéresse.

. . . .

La proposition fut acceptée. Le Père de Sainte-Amarante colporta, dans les rues de Varennes, Saint-Dominique et Barbey-de-Jouy, une sorte de feuille de souscriptions pour la pension Bonnereuil. Des railleurs appelèrent cela "l'œuvre des parents pauvres." Mais la liste fut rapidement couverte. Car l'amour-propre s'en mêla, comme si le chiffre de chaque souscription devait être la mesure de la gentilhommerie de chaque souscripteur et de la pureté de son sang. Des familles presque gênées, de celles qui trouvent moyen, avec trente mille francs de rente, de vivre décemment, et même en gardant assez grand air, dans leur hôtel patrimonial, s'imposèrent des privations. Mais l'obole[21] la plus méritoire fut assurément celle du chevalier d'Outarville.

. . . .

Le chevalier d'Outarville est le dernier chevalier[22] qu'on ait vu. Il avait été, naturellement, page de Charles X.[23] C'était un vieillard propret, d'une politesse surannée, plein de préjugés et de désintéressement. Il vivait d'une fort petite rente, avec un vieux domestique, un Caleb[24] à cheveux blancs, tout à fait vénérable.

Un soir que, par hasard, le chevalier ne dînait pas en ville et qu'il mangeait chez lui son petit pot-au-feu, il dit tout haut:

—Il se passe aujourd'hui des choses. . . . Cette petite Hermengarde de Bonnereuil. . . . De mon temps. . . .

Joseph approuvait respectueusement, d'un hochement de tête silencieux. Le chevalier reprit:

—C'est une belle œuvre, en vérité, que d'empêcher un pareil déshonneur! Que ne puis-je y contribuer! Mais nous ne sommes pas assez riches, mon pauvre Joseph!

Plein d'une tristesse digne, le chevalier pignochait.

Le dîner ne fut pas long, ce soir-là. Joseph, aussi navré que son maître, semblait réfléchir profondément.

Mais le lendemain matin, en apportant au chevalier son chocolat, le vieux serviteur était presque joyeux.

—Que monsieur le chevalier se rassure, dit il. J'ai fait mes calculs. Avec de l'ordre et de l'entente, en rognant un tout petit peu sur tout, en me levant un peu plus tôt pour aller aux Halles,[25] nous pouvons économiser cinquante francs par mois. Et je promets à monsieur le chevalier que monsieur le chevalier ne s'en apercevra pas trop.

. . . .

Ernest Foussard reçut du vicomte de Bonnereuil la lettre suivante:

"Monsieur, après avoir consacré aux plus sérieuses réflexions le délai que je vous avais prié de nous accorder, j'ai le chagrin de vous apprendre que ma fille renonce à faire à votre demande l'accueil qu'elle eût voulu. Nous avions hésité, tant votre caractère nous inspirait d'estime; mais nous sommes enfin obligés de reconnaître qu'il y a des principes plus forts que tout et auxquels nous devons tout sacrifier. Vous le comprendrez, puisque ces principes sont, au fond, les vôtres, et vous en approuverez la douloureuse intransigeance. Croyez d'ailleurs . . . ." etc.

L'honneur du Faubourg était sauvé.

NAUSICAA

Jules Lemaître

Après qu'il eut percé de ses flèches les prétendants,[1] l'ingénieux Ulysse, plein de sagesse et de souvenirs, coulait des jours tranquilles dans son palais d'Ithaque. Tous les soirs, assis entre sa femme Pénélope et son fils Télémaque, il leur racontait ses voyages et, quand il avait fini, il recommençait.

Une des aventures qu'il contait le plus volontiers, c'était sa rencontre avec Nausicaa, fille d'Alcinoüs, roi des Phéaciens.

—Jamais, disait-il, je n'oublierai combien belle, gracieuse et secourable elle m'apparut. Depuis trois jours et trois nuits, je flottais sur la vaste mer, cramponné à une poutre de mon radeau brisé. Enfin, une vague me souleva, me poussa vers l'embouchure d'un fleuve. Je gagnai la rive; un bois était proche; j'amoncelai des feuilles et, comme j'étais nu, je m'en recouvris tout entier. Je m'endormis. . . . Tout à coup, un bruit d'eau rejaillissante me réveilla, puis des cris. J'ouvre les yeux, et je vois des jeunes filles qui jouaient à la balle sur le rivage. La balle venait de tomber dans le rapide courant. Je me lève, en ayant soin de voiler ma nudité d'une branche touffue. Je m'avance vers la plus belle des jeunes filles. . . .

. . . .

—Vous nous avez déjà dit cela, mon ami, interrompit Pénélope.

—C'est bien possible, dit Ulysse.

—Qu'est-ce que cela fait?[2] dit Télémaque.

Ulysse reprit:

—Je la vois encore sur sa charrette, conduisant les mules aux grelots sonores. La voiture était pleine du beau linge blanc et des robes de laine teinte que la petite princesse venait de laver au fleuve avec ses compagnes. Et, debout, un peu cambrée et tirant sur les rênes, le vent du soir éparpillait autour de son front ses cheveux d'or, mal contenus par les bandelettes, et collait sa robe souple sur ses jambes droites et rondes.

—Et après? demanda Télémaque.

—Elle était parfaitement élevée, continua Ulysse. Quand nous approchâmes de la ville, elle me pria de la quitter afin qu'on ne pût tenir sur elle aucun mauvais propos en la voyant avec un homme. Mais, à la façon dont je fus accueilli dans le palais d'Alcinoüs, je vis bien qu'elle avait parlé de moi à ses nobles parents. Je ne la revis plus qu'au moment de mon départ. Elle me dit: "Je vous salue, ô mon hôte, afin que, dans votre patrie, vous ne m'oubliiez jamais, car c'est à moi la première que vous devez la vie." Et je lui répondis: "Nausicaa, fille du magnanime Alcinoüs, si le puissant époux de Héra[3] veut que je goûte l'instant du retour et que je rentre dans ma demeure, là, comme à une divinité, je t'adresserai tous les jours des vœux; car c'est toi qui m'as sauvé." De fille plus belle et plus sage, je n'en ai point rencontré, et, puisque je ne voyagerai plus, je suis bien sûr de n'en rencontrer jamais.

—Pensez-vous qu'elle soit mariée à présent? demanda Télémaque.

—Elle n'avait que quinze ans et n'était point encore fiancée.

—Lui avez-vous dit que vous aviez un fils?

—Oui, et que j'étais consumé du désir de le revoir.

—Et lui avez-vous dit du bien de moi?

—Je lui en ai dit, quoique je te connusse à peine, étant parti d'Ithaque alors que tu étais un tout petit enfant dans les bras de ta mère.

. . . .

Cependant, Pénélope, voulant marier son fils, lui présenta successivement les plus belles vierges du pays, les filles des princes de Dulichios, de Samos et de Zacynthe.[4] Chaque fois, Télémaque lui dit:

—Je n'en veux point, car j'en connais une plus belle et meilleure.

—Qui donc?

—Nausicaa, fille du roi des Phéaciens.

—Comment peux-tu dire que tu la connais, puisque tu ne l'as jamais vue?

—Je la verrai donc, répliqua Télémaque.

Un jour, il dit à son père:

—Mon cœur veut, ô mon illustre père, que, fendant sur un navire la mer poissonneuse, je vogue vers l'île des Phéaciens, et que j'aille demander au roi Alcinoüs la main de la belle Nausicaa. Car je me consume d'amour pour cette vierge que mes yeux n'ont jamais aperçue; et, si vous vous opposez à mon dessein, je vieillirai seul dans votre palais et vous n'aurez point de petit-fils.

L'ingénieux Ulysse répondit:

—C'est sans doute un dieu qui a mis en toi ce désir. Depuis que je t'ai parlé de la princesse qui lavait son linge dans le fleuve, tu dédaignes les mets succulents servis sur notre table, et un cercle noir s'élargit autour de tes yeux. Prends donc avec toi trente matelots sur un vaisseau rapide et pars à la recherche de celle que tu ne connais pas et sans qui tu ne peux plus vivre. Mais il faut que je t'avertisse des dangers du voyage. Si le vent te pousse vers l'île de Polyphème, garde-toi d'y aborder; ou, si la tempête te jette sur la rive, cache-toi, et, dès que ton navire pourra reprendre la mer, fuis et n'essaye pas de voir le Cyclope. Je lui ai crevé l'œil autrefois ; mais, bien qu'aveugle, il est encore redoutable. Fuis aussi l'île des Lotophages, ou, si tu abordes chez eux, ne mange point de la fleur qu'ils t'offriront, car elle fait perdre la mémoire. Redoute aussi l'île d'Ea, royaume de la blonde Circé, dont la baguette change les hommes en pourceaux. Si pourtant le malheur veut que tu la trouves sur ton chemin, voici une plante dont la racine est noire et la fleur blanche comme du lait. Les dieux l'appellent *moly*, et elle me fut donnée par Mercure. Par elle tu rendras impuissants les maléfices de l'illustre magicienne.

Ulysse ajouta d'autres avis touchant les dangers de l'île des Sirènes, de l'île du Soleil et de l'île des Lestrygons. Il dit en finissant :

—Souviens-toi, mon fils, de mes paroles, car je ne veux point que tu recommences mes funestes aventures.

—Je me souviendrai, dit Télémaque. Au reste, tout obstacle et même tout plaisir me sera ennemi qui pourrait retarder mon arrivée dans l'île du sage Alcinoüs.

. . . .

Télémaque partit donc, le cœur plein de Nausicaa.

Un coup de vent l'écarta de sa route, et, comme son vaisseau longeait l'île de Polyphème, il fut curieux de voir le géant autrefois dompté par son père. Il se disait :

—Le danger n'est pas grand, puisque Polyphème est aveugle.

Il débarqua seul, laissant le vaisseau à l'ancre au fond d'une baie, et il s'en fut à la découverte[5] dans la grasse campagne onduleuse, semée de troupeaux et de bouquets d'arbres.

À l'horizon, derrière un pli de colline, une tête énorme surgit, puis des épaules pareilles à ces rochers polis qui s'avancent dans la mer, puis un poitrail buissonneux comme un ravin.

Un instant après, une vaste main saisit Télémaque, et il vit se pencher sur lui un œil aussi large qu'un bouclier.

—Vous n'êtes donc plus aveugle? demanda-t-il au géant.

—Mon père Neptune[6] m'a guéri, répondit Polyphème. C'est un petit homme de ton espèce qui m'avait ravi la lumière du jour, et c'est pourquoi je vais te manger.

—Vous auriez tort, fit Télémaque; car, si vous me laissiez vivre, je vous amuserais en vous racontant de belles histoires.

—J'écoute, dit Polyphème.

Télémaque commença le récit de la guerre de Troie. Quand la nuit vint:

—Il est temps de dormir, dit le Cyclope. Mais je ne te mangerai pas ce soir, car je veux savoir la suite.

. . . . Chaque soir, le Cyclope disait la même chose, et cela dura trois ans.

La première année, Télémaque raconta le siège de la ville de Priam;[7]

La seconde année, le retour de Ménélas et d'Agamemnon;[8]

La troisième année, le retour d'Ulysse, ses aventures et ses ruses merveilleuses.

—Hé! disait Polyphème, tu es bien hardi de louer ainsi devant moi le petit homme qui m'a fait si grand mal.

—Mais, répondait Télémaque, plus je montrerai l'esprit de ce petit homme, et moins il sera honteux pour vous d'avoir été vaincu par lui.

—Cela est spécieux, disait le géant, et je te pardonne. Je parlerais sans doute autrement si un dieu ne m'avait rendu la vue. Mais les maux passés ne sont qu'un rêve.

. . . .

Vers la fin de la troisième année, Télémaque eut beau

chercher dans sa mémoire: il ne trouvait plus rien à raconter au géant. Alors il recommença les mêmes histoires. Polyphème y prit le même plaisir, et cela dura trois autres années.

Mais Télémaque ne se sentit pas le courage de réciter une troisième fois le siège d'Ilion[9] et le retour des héros. Il le confessa à Polyphème et il ajouta:

—J'aime mieux que vous me mangiez. Je ne regretterai qu'une chose en mourant: c'est de n'avoir point vu la belle Nausicaa.

Il dit longuement son amour et sa douleur, et, soudain, il vit dans l'œil du Cyclope une larme aussi grosse qu'une courge.

—Va, dit le Cyclope, va chercher celle que tu aimes. Que ne m'as-tu parlé plus tôt? . . .

—Je vois bien, songea Télémaque, que j'aurais mieux fait de commencer par là. J'ai perdu six années par ma faute. Il est vrai qu'une honte m'eût empêché, auparavant, de dire mon secret. Si je l'ai trahi, c'est que j'ai bien cru que j'allais mourir.

Il construisit un canot (car le navire laissé dans la baie avait disparu depuis longtemps) et s'en alla de nouveau sur la mer profonde.

. . . .

Une autre tempête le jeta dans l'île de Circé.

Il vit, à l'entrée d'une grande forêt, sur une escarpolette faite de lianes et de guirlandes de fleurs entrelacées, une femme qui se balançait mollement.

Elle était coiffée d'une mitre incrustée de rubis, ses sourcils étroits se joignaient sur ses yeux, sa bouche était plus rouge qu'une blessure fraiche; ses seins et ses bras étaient jaunes comme du safran; des fleurs formées de pierreries parsemaient sa robe transparente couleur d'hyacinthe, et elle souriait dans sa chevelure fauve, qui l'enveloppait toute. Sa baguette de magicienne était passée dans sa ceinture, comme une épée.

Circé regardait Télémaque.

Le jeune héros chercha sous sa tunique la fleur du moly, la fleur noire et blanche que son père lui avait remise au départ. Il s'aperçut qu'il ne l'avait plus.

—Je suis perdu, pensa-t-il. Elle va me toucher de sa baguette et je serai semblable aux porcs mangeurs de glands.

Mais Circé lui dit d'une voix douce:

—Suis-moi, jeune étranger. . . .

Il la suivit. Bientôt ils arrivèrent à son palais, qui était cent fois plus beau que celui d'Ulysse.

Le long du chemin, du fond des bois et des ravines, les pourceaux et les loups, qui étaient d'anciens hommes naufragés dans l'île, accouraient sur les pas de la magicienne; et, bien qu'elle eût saisi une longue tige de fer dont elle les piquait cruellement, ils essayaient de lécher ses pieds nus.

. . . .

Durant trois années, Télémaque resta avec la magicienne.

Puis, un jour, il eut honte, il se sentit extrêmement las, et il découvrit qu'il n'avait point cessé d'aimer la fille d'Alcinoüs, la vierge innocente aux yeux bleus, celle qu'il n'avait jamais vue.

Mais il songeait:

—Si je veux m'en aller, la magicienne irritée me transmuera en bête, et ainsi je ne verrai jamais Nausicaa.

Or, Circée, de son côté, était lasse de son compagnon. Elle se mit à le haïr, parce qu'elle l'avait aimé. En sorte qu'une nuit, se levant du lit de pourpre, elle prit sa baguette et l'en frappa à l'endroit du cœur.

Mais Télémaque garda sa forme et son visage. C'est

qu'à cet instant même il pensait à Nausicaa, et qu'il avait le cœur plein de son amour.

—Va-t'en! va-t'en! hurla la magicienne.

. . . .

Télémaque retrouva son canot, reprit la mer, et une troisième tempête le jeta dans l'île des Lotophages.

C'étaient des hommes polis, pleins d'esprit, et d'une humeur égale et douce.

Leur Roi offrit à manger à Télémaque une fleur de lotus.

—Je n'en mangerai point, dit le jeune héros; car ceci est la fleur de l'oubli, et je veux me souvenir.

—C'est pourtant un grand bien d'oublier, reprit le Roi. Grâce à cette fleur, qui est notre unique aliment, nous ignorons la peine, le regret, le désir, et toutes les passions qui troublent les malheureux mortels. Mais, au reste, nous ne forçons personne à manger la fleur divine.

Télémaque vécut quelques semaines des provisions qu'il avait sauvées de son naufrage. Puis, comme il n'y avait pas dans l'île de fruits ni d'animaux bons à manger, il se nourrit, comme il put, de coquillages et de poissons.

. . . .

—Ainsi, dit-il un jour au Roi, la fleur de lotus fait oublier aux hommes même ce qu'ils désirent ou ce dont ils souffrent le plus?

—Assurément, dit le Roi.

—Oh! dit Télémaque, elle ne me ferait jamais oublier la belle Nausicaa.

—Essayez donc.

—Si j'essaye, c'est que je suis bien sûr que le lotus ne saurait faire ce que n'ont pu les artifices d'une magicienne.

Il mangea la fleur et s'endormit.

Je veux dire qu'il se mit à vivre de la même façon que les doux Lotophages, jouissant de l'heure présente et ne se souciant d'aucune chose. Seulement, il sentait quelquefois, au fond de son cœur, comme le ressouvenir d'une ancienne blessure, sans qu'il pût savoir au juste ce que c'était.

Lorsqu'il s'éveilla, il n'avait point oublié la fille d'Alcinoüs; mais vingt années s'étaient écoulées sans qu'il s'en aperçût: il avait fallu tout ce temps à son amour pour vaincre l'influence de la fleur d'oubli.

—Ce sont les vingt meilleures années de votre vie, lui dit le Roi.

Mais Télémaque ne le crut pas.

. . . .

Il prit poliment congé de ses hôtes.

Je ne vous dirai point les autres aventures où l'engagea, tantôt la nécessité, tantôt la curiosité de voir des choses nouvelles, soit dans l'île des Sirènes, soit dans l'île du Soleil, soit dans l'île des Lestrygons, ni comment son amour fut assez fort pour le tirer de tous ces dangers et l'arracher à ces divers séjours.

. . . .

Une dernière tempête le poussa vers l'embouchure d'un fleuve, dans l'île désirée, au pays des Phéaciens. Il gagna la rive; un bois était proche. Il amoncela des feuilles et, comme il était nu, il s'en recouvrit tout entier. Il s'endormit. . . . Tout à coup, un bruit d'eau rejaillissante le réveilla.

Télémaque ouvrit les yeux et vit des servantes qui lavaient du linge sous les ordres d'une femme âgée et richement vêtue.

Il se leva, en ayant soin de voiler sa nudité d'une branche touffue, et s'approcha de cette femme. Elle avait la taille épaisse et lourde, et des mèches de cheveux gris s'échappaient de ses bandelettes. On voyait bien qu'elle avait été belle, mais elle ne l'était plus.

Télémaque lui demanda l'hospitalité. Elle lui répondit avec bienveillance et lui fit donner des vêtements par ses femmes :

—Et maintenant, mon hôte, je vais vous conduire dans la maison du Roi.

—Seriez-vous la Reine? demanda Télémaque.

—Vous l'avez dit, ô étranger.

Alors Télémaque, se réjouissant dans son cœur :

—Puissent les dieux accorder longue vie à la mère de la belle Nausicaa !

—Nausicaa, c'est moi, répondit la Reine. . . . Mais qu'avez-vous, vénérable vieillard? . . .

. . . .

Sur son canot réparé à la hâte, sans regarder derrière lui, le vieux Télémaque regagna la haute mer.

JOSE ET JOSETTE

Rémy de Gourmont

I

Jose était tout petit. Il allait à l'école, en suivant les chemins creux, en sautant les barrières, en se coulant à travers les haies, en musant et dénichant les nids, en cueillant les fraises ou les noisettes, les surettes ou les pimprenelles. C'était un garçon doux et obéissant ; mais, sitôt seul, il redevenait aussi instinctif et aussi sauvage qu'une belette ou qu'une musaraigne. Pas plus qu'aucune créature humaine, il n'était fait pour obéir ; l'œil, pourtant, le domptait, ou la parole. Tant que l'impression subsistait il se courbait, humble sous la volonté du plus fort.

Un jour donc qu'il allait à l'école en faisant tournailler comme une fronde la musette où sa mère avait mis un morceau de pain et une pomme, il rencontra Josette qui, tout comme Jose s'en allait à l'école.

Josette pleurait. Elle avoua qu'on l'avait punie et qu'elle s'était enfuie en colère sans manger sa soupe. Elle avait faim. Jose lui donna son pain et sa pomme, et la petite l'embrassa pour le remercier. Elle ne pleurait plus; elle eut envie de jouer. Ils jouèrent à aller à cloche-pied, à marcher sur les genoux, à se coucher sur l'herbe.

Le maître d'école, qui se promenait avant la classe, les rencontra et leur dit sévèrement:

—Vous êtes deux petits polissons! Est-ce ainsi que l'on joue? Il faut jouer sérieusement. Pourquoi ne jouez-vous pas à qui saura le mieux le nom de toutes les sous-préfectures, ou les noms des affluents de la Loire, ou les divisions du système métrique? Vous finirez mal je le crains. . . . (Il branlait la tête.) Et puis, et puis. . . . Quoi? Garçon et fille! Les petits garçons doivent aller d'un côté et les petites filles de l'autre, Jose, va-t'en par ici, et toi Josette, va-t'en par là.

Puis, satisfait, il reprit le chemin de l'école: mais, peu à peu, ses cheveux se dressaient sur la tête, car il prévoyait le malheureux sort auquel se destinaient ces enfants.

Il murmurait:

—Autorité, discipline, géographie, orthographe . . . , autorité, discipline. . . .

II

C'était la fête de la paroisse.[1] Le soir venu, on alluma les chandelles et on dansa. Jose, qui avait dix-huit ans et Josette qui en avait quinze, étaient là, en leurs beaux habits, et au premier cri du violon s'étaient enlacés sous l'œil des familles qui buvaient du cidre en parlant du temps passé, de la moisson future et des impôts plus effroyables que la grêle.

Quand la première danse fut finie, Josette, sur un signe, vint retrouver sa mère:

—Josette, ma fille chérie, je t'en prie, ne danse pas avec Jose. Son père est ruiné et lui n'est qu'un pauvre petit valet de ferme. Ne te laisse pas courtiser par ce garçon-là car tu ne peux pas l'épouser, nous n'y consentirions pas. A l'argent il faut de l'argent, et tu as de l'argent, ma Josette, et Jose n'en a pas.

Ce soir-là, ils ne dansèrent plus ensemble.

III

Jose tira au sort[2] et il fut soldat. C'est en ce métier qu'il apprit sérieusement ce qu'il faut faire et ce qu'il ne faut pas faire. Au bout de quatre ans, il possédait une morale complète et respectueuse; il savait qu'il y a deux classes d'hommes: les supérieurs et les inférieurs, et qu'on reconnaît les supérieurs à la quantité d'or dont se brodent leurs manches.[3] Ces notions ne lui devinrent pas inutiles quand il fut sorti de la caserne, car, dans la vie ordinaire, il y a aussi deux sortes d'hommes: les supérieurs et les inférieurs, ceux qui travaillent et ceux qui regardent les autres travailler. Comme il trouvait cette distinction toute naturelle, sans doute grâce à son instinctive philosophie, Jose travailla.

Josette ne s'était pas mariée. Ses parents avaient tout perdu dans un mauvais procès, et, pauvre vachère, elle allait traire les vaches dans la rosée en songeant qu'il est bien triste pour une fille de n'avoir pas d'amoureux.

Jose, apprenant ces nouvelles, eut de la joie. Il fit confidence à son père de son vieil amour et de ses projets.

—Épouser Josette, dit le vieux paysan, une fille qui n'a peut-être pas trois chemises et qui se fait des jarretières avec une poignée de chanvre! Tu n'es pas riche non plus, c'est vrai, mais nous avons fait un petit héritage, le blé a bien rendu cette année, et je te donnerai de quoi t'établir quand tu m'amèneras une bru qui ne soit pas servante. L'argent veut l'argent, mon fils; il ne faut pas le contrarier.

IV

Des années passèrent. Jose perdit ses parents et, au lieu d'un adorable bas de laine,[4] trouva des dettes. Tout courage fut inutile et tout labeur. Comme des souris, les hommes de loi grignotèrent le petit patrimoine, et Jose, un matin pendant qu'on vendait sa maison, prit un bâton et s'en alla, aussi loin qu'il put aller, chercher sa vie. Mais, à mesure qu'il allait, la vie fuyait devant lui, et il marcha tant et si longtemps, qu'ayant fait le tour de la terre, il se retrouva dans le champ, au bord de la route, où, pour la première fois, jadis, il avait rencontré Josette.

Il posa son bâton et, s'asseyant sur le revers du fossé, il tira de sa besace un morceau de pain et une pomme. Avant de manger, il réfléchit si tristement, si tristement que sa faim se passa et que la pomme et le morceau de pain tombèrent à ses pieds.

Il faisait froid, même à l'abri du vent, il ramena sur ses genoux son grand manteau loqueteux et s'enveloppa la gorge dans la vaste barbe grise qui, souvent, avait effrayé les petites filles.

Comme il songeait à cela, il entendit des cris aigus, et voilà des enfants qui reviennent de l'école, tout pareils à ce qu'il était il y a plus de soixante ans. Soudain, il comprit l'inutilité de tout et l'abominable stupidité de la vie. Il se leva et brandissant comme une fronde sa musette vide, il fit plusieurs fois le tour du champ tel qu'un halluciné.

Au troisième tour, il tomba dans un grand trou de

feuilles sèches; il y resta, et, comme la nuit approchait, il s'y arrangea pour y dormir.

Cependant, une vieille mendiante arrivait en grognant:

—Ah! vieux, tu ne peux pas rester là; c'est ma place, j'y dors toutes les nuits. Ce trou-là est à moi, à moi, tu entends?

Et, comme le vieux obéissait docilement, la vieille, après l'avoir examiné, s'informa:

—D'où êtes-vous? Je ne vous reconnais pas. Comment vous appelez-vous?

—On me nomme le vieux Jose.

—Et moi on me nomme la vieille Josette.

Ils se regardèrent en silence; ils se souvenaient.

Mais ils avaient tant souffert et leurs cœurs étaient devenus si secs, si pareils à ces feuilles mortes que se disputaient leurs misères, qu'ils ne trouvèrent rien à se dire.

La vieille Josette se tassa dans le trou, comme une bête, tandis que le vieux Jose, reprenant son bâton, s'en allait.

L'ERMITAGE DU JARDIN DES PLANTES[1]

Anatole France

Je ne savais pas lire, je portais des culottes fendues,[2] je pleurais quand ma bonne me mouchait et j'étais dévoré par l'amour de la gloire. Telle est la vérité: dans l'âge le plus tendre, je nourrissais le désir de m'illustrer sans retard et de durer dans la mémoire des hommes. J'en cherchais les moyens tout en déployant mes soldats de plomb sur la table de la salle à manger. Si j'avais pu, je serais allé conquérir l'immortalité dans les champs de bataille et je serais devenu semblable à quelqu'un de ces généraux que j'agitais dans mes petites mains et à qui je dispensais la fortune des armes sur une toile cirée.

Mais il n'était pas en moi d'avoir un cheval, un uniforme, un régiment et des ennemis, toutes choses essentielles à la gloire militaire. C'est pourquoi je pensai devenir un saint. Cela exige moins d'appareil et rapporte beaucoup de louanges. Ma mère était pieuse. Sa piété—comme elle aimable et sérieuse—me touchait beaucoup. Ma mère me lisait souvent la *Vie des Saints*,[3] que j'écoutais avec délices et qui remplissait mon âme de surprise et d'amour. Je savais donc comment les hommes du Seigneur s'y prenaient pour rendre leur vie précieuse et pleine de mérites. Je savais quelle céleste odeur répandent les roses du martyre. Mais le martyre est une extrémité à laquelle je ne m'arrêtai pas. Je ne songeai pas non plus à l'apostolat et à la prédication, qui n'étaient guère dans mes moyens. Je m'en tins aux austérités, comme étant d'un usage facile et sûr.

Pour m'y livrer sans perdre de temps, je refusai de déjeuner. Ma mère, qui n'entendait rien à ma nouvelle vocation, me crut souffrant et me regarda avec une inquiétude qui me fit de la peine. Je n'en jeûnai pas moins. Puis, me rappelant saint Siméon Stylite,[4] qui vécut sur une colonne, je montai sur la fontaine[5] de la cuisine; mais je ne pus y vivre, car Julie, notre bonne, m'en délogea promptement. Descendu de ma fontaine, je m'élançai avec ardeur dans le chemin de la perfection et résolus d'imiter saint Nicolas de Patras,[6] qui distribua ses richesses aux pauvres. La fenêtre du cabinet de mon père donnait sur le quai. Je jetai par cette fenêtre une douzaine de sous qu'on m'avait donnés parce qu'ils étaient neufs et qu'ils reluisaient; je jetai ensuite des billes et des toupies et mon sabot avec son fouet de peau d'anguille.

—Cet enfant est stupide! s'écria mon père en fermant la fenêtre.

J'éprouvai de la colère et de la honte à m'entendre juger ainsi. Mais je considérai que mon père, n'étant pas saint comme moi, ne partagerait pas avec moi la gloire des bienheureux, et cette pensée me fut une grande consolation.

Quand vint l'heure de m'aller promener, on me mit mon chapeau; j'en arrachai la plume, à l'exemple du bienheureux Labre,[7] qui, lorsqu'on lui donnait un vieux bonnet tout crasseux, avait soin de le traîner dans la fange avant de le mettre sur sa tête. Ma mère, en apprenant l'aventure des richesses et celle du chapeau, haussa les épaules et poussa un gros soupir. Je l'affligeais vraiment.

Pendant la promenade, je tins les yeux baissés pour ne pas me laisser distraire par les objets extérieurs, me conformant ainsi à un précepte souvent donné dans la *Vie des Saints.*

C'est au retour de cette promenade salutaire que, pour achever ma sainteté, je me fis un cilice en me fourrant dans le dos le crin d'un vieux fauteuil. J'en éprouvai de nouvelles tribulations, car Julie me surprit au moment où j'imitais ainsi les fils de saint François.[8] S'arrêtant à l'apparence sans pénétrer l'esprit, elle vit que j'avais crevé un fauteuil et me fessa par simplicité.

En réfléchissant aux pénibles incidents de cette journée, je reconnus qu'il est bien difficile de pratiquer la sainteté dans la famille. Je compris pourquoi les saints Antoine et Jérôme[9] s'en étaient allés au désert parmi les lions et les ægipans; et je résolus de me retirer dès le lendemain dans un ermitage. Je choisis, pour m'y cacher, le labyrinthe du Jardin des Plantes. C'est là que je voulais vivre dans la contemplation, vêtu, comme saint Paul l'Ermite,[10] d'une robe de feuilles de palmier. Je pensais: Il y aura dans ce jardin des racines pour ma nourriture. On y découvre une cabane au sommet d'une montagne. Là, je serai au milieu de toutes les bêtes de la création; le lion qui creusa de ses ongles la tombe de sainte Marie l'Égyptienne[11] viendra sans doute me chercher pour rendre les devoirs de la sépulture à quelque solitaire des environs. Je verrai, comme saint Antoine, l'homme aux pieds de bouc et le cheval au buste d'homme. Et peut-être que les anges me soulèveront de terre en chantant des cantiques.

Ma résolution paraîtra moins étrange quand on saura que, depuis longtemps, le Jardin des Plantes était pour moi un lieu saint, assez semblable au Paradis terrestre, que je voyais figuré sur ma vieille Bible en estampes. Ma bonne m'y menait souvent et j'y éprouvais un sentiment de sainte allégresse. Le ciel même m'y semblait plus spirituel et plus pur qu'ailleurs, et, dans les nuages qui passaient sur la volière des aras, sur la cage du tigre, sur la fosse de l'ours et sur la maison de l'éléphant, je voyais confusément Dieu le Père avec sa barbe blanche et dans sa robe bleue, le bras étendu pour me bénir avec l'antilope et la gazelle, le lapin et la colombe; et, quand j'étais assis sous le cèdre du Liban,[12] je voyais descendre sur ma tête, à travers les branches, les rayons que le Père éternel laissait échapper de ses doigts. Les animaux qui mangeaient dans ma main en me regardant avec douceur me rappelaient ce que ma mère m'enseignait d'Adam et des jours de l'innocence première. La Création réunie là, comme jadis dans la maison flottante du Patriarche,[13] se reflétait dans mes yeux, toute parée de grâce enfantine. Et rien ne me gâtait mon Paradis. Je n'étais pas choqué d'y voir des bonnes, des militaires et des marchands de coco. Au contraire, je me sentais heureux près de ces humbles et de ces petits, moi le plus petit de tous. Tout me semblait clair, aimable et bon, parce que, avec une candeur souveraine, je ramenais tout à mon idéal d'enfant.

Je m'endormis dans la résolution d'aller vivre au milieu de ce jardin pour acquérir des mérites et devenir l'égal des grands saints dont je me rappelais l'histoire fleurie.

Le lendemain matin, ma résolution était ferme encore. J'en instruisis ma mère. Elle se mit à rire.

—Qui t'a donné l'idée de te faire ermite sur le labyrinthe du Jardin des Plantes? me dit-elle en me peignant les cheveux et en continuant de rire.

—Je veux être célèbre, répondis-je, et mettre sur mes cartes de visite: "Ermite et saint du calendrier," comme papa met sur les siennes: "Lauréat de l'Académie de médecine et secrétaire de la Société d'anthropologie."

A ce coup, ma mère laissa tomber le peigne qu'elle passait dans mes cheveux.

—Pierre! s'écria-t-elle, Pierre! quelle folie et quel péché! Je suis bien malheureuse! Mon petit garçon a perdu la raison à l'âge où l'on n'en a pas encore.

Puis, se tournant vers mon père:

—Vous l'avez entendu, mon ami, à sept ans il veut être célèbre!

—Chère amie, répondit mon père, vous verrez qu'à vingt ans, il sera dégoûté de la gloire.

—Dieu le veuille! dit ma mère; je n'aime point les vaniteux.

Dieu l'a voulu et mon père ne se trompait pas. Comme le roi d'Yvetot,[14] je vis fort bien sans gloire et n'ai plus la moindre envie de graver le nom de Pierre Nozière dans la mémoire des hommes.

Toutefois, quand maintenant je me promène, avec mon cortège de souvenirs lointains, dans ce Jardin des Plantes, bien attristé et abandonné, il me prend une incompréhensible envie de conter aux amis inconnus le rêve que je fis jadis d'y vivre en anachorète, comme si ce rêve d'un enfant pouvait, en se mêlant aux pensées d'autrui, y faire passer la douceur d'un sourire.

C'est aussi pour moi une question de savoir si vraiment j'ai bien fait de renoncer dès l'âge de six ans à la vie militaire; car le fait est que je n'ai pas songé depuis à être soldat. Je le regrette un peu. Il y a, sous les armes, une grande dignité de vie. Le devoir y est clair et d'autant mieux déterminé que ce n'est pas le raisonnement qui le détermine. L'homme qui peut raisonner ses actions découvre bientôt qu'il en est peu d'innocentes. Il faut être prêtre ou soldat pour ne pas connaître les angoisses du doute.

Quant au rêve d'être un solitaire, je l'ai refait toutes les fois que j'ai cru sentir que la vie était foncièrement mauvaise: c'est dire que je l'ai fait chaque jour. Mais, chaque jour, la nature me tira par l'oreille et me ramena aux amusements dans lesquels s'écoulent les humbles existences.

GESTAS

Anatole France

> Gestas, dixt li Signor,[1] entrez en paradis.
>
> "Gestas, dans nos anciens mystères, c'est le nom du larron crucifié à la droite de Jésus-Christ."
>
> (AUGUSTIN THIERRY,[2] *la Rédemption de Larmor.*)

On conte qu'il est en ce temps-ci un mauvais garçon nommé Gestas, qui fait les plus douces chansons du monde. Il était écrit sur sa face camuse qu'il serait un pécheur charnel et, vers le soir, les mauvaises joies luisent dans ses yeux verts. Il n'est plus jeune. Les bosses de son crâne ont pris l'éclat du cuivre; sur sa nuque pendent de longs cheveux verdis. Pourtant il est ingénieux et il a gardé la foi naïve de son enfance. Quand il n'est point à l'hôpital, il loge en quelque chambrette d'hôtel entre le Panthéon et le Jardin des Plantes.[3] Là, dans le vieux quartier pauvre, toutes les pierres le connaissent, les ruelles sombres lui sont indulgentes, et l'une de ces ruelles est selon son cœur, car, bordée de mastroquets et de bouges, elle porte, à l'angle d'une maison, une sainte Vierge grillée dans sa niche bleue. Il va le soir de café en café et fait ses stations de bière et d'alcool dans un ordre constant: les grands travaux de la débauche veulent de la méthode et de la régularité. La nuit s'avance quand il a regagné son taudis sans savoir comment, et retrouvé, par un miracle quotidien, le lit de sangle où il tombe tout habillé. Il y dort à poings fermés du sommeil des vagabonds et des enfants. Mais ce sommeil est court.

Dès que l'aube blanchit la fenêtre et jette entre les rideaux, dans la mansarde, ses flèches lumineuses, Gestas ouvre les yeux, se soulève, se secoue comme le chien sans maître qu'un coup de pied réveille, descend à la hâte la longue spirale de l'escalier et revoit avec délices la rue, la bonne rue si complaisante aux vices des humbles et des pauvres. Ses paupières clignent sous la fine pointe du jour; ses narines de Silène[4] se gonflent d'air matinal. Robuste et droit, la jambe raidie par son vieux rhumatisme, il va s'appuyant sur ce bâton de cornouiller dont il a usé le fer en vingt années de vagabondage. Car, dans ses aventures nocturnes, il n'a jamais perdu ni sa pipe ni sa canne. Alors, il a l'air très bon et très heureux. Et il l'est en effet. En ce monde, sa plus grande joie, qu'il achète au prix de son sommeil, est d'aller dans les cabarets boire avec les ouvriers le vin blanc du matin. Innocence d'ivrogne: ce vin clair, dans le jour pâle, parmi les blouses blanches des maçons, ce sont là des candeurs qui charment son âme restée naïve dans le vice.

Or, un matin de printemps, ayant de la sorte cheminé de son garni jusqu'au *Petit More*,[5] Gestas eut la douceur de voir s'ouvrir la porte que surmontait une tête de Sarrasin en fonte peinte et d'aborder le comptoir d'étain dans la compagnie d'amis qu'il ne connaissait pas: toute une escouade d'ouvriers de la Creuse,[6] qui choquaient leurs verres en parlant du pays et faisaient des *gabs*[7] comme les douze pairs de Charlemagne. Ils buvaient un verre et cassaient une croûte; quand l'un d'eux avait une bonne idée, il en riait très fort, et, pour la mieux faire entendre aux camarades, leur donnait de grands coups de poing dans le dos. Cependant les vieux levaient lentement le coude en silence. Quand ces hommes s'en furent allés à leur ouvrage, Gestas sortit le dernier du *Petit More* et gagna le *Bon Coing,* dont la grille en fers de lance lui était connue. Il y but encore en aimable compagnie et même il offrit un verre à deux gardiens de la paix méfiants et doux. Il visita ensuite un troisième cabaret dont l'antique enseigne de fer forgé représente deux petits hommes portant une énorme grappe de raisin, et là il fut servi par la belle madame Trubert, célèbre dans tout le quartier pour sa sagesse, sa force et sa jovialité. Puis, s'approchant des fortifications, il but encore chez les distillateurs où l'on voit, dans l'ombre, luire les robinets de cuivre des tonneaux et chez les débitants dont les volets verts demeurent clos entre deux caisses de lauriers. Après quoi, il rentra dans les quartiers populeux et se fit servir le vermout et le marc en divers cafés. Huit heures sonnaient. Il marchait très droit, d'une allure égale, rigide et solennelle; étonné quand des femmes, courant aux provisions, nu-tête, le chignon tordu sur la nuque, le poussaient avec leurs lourds paniers ou lorsqu'il heurtait, sans la voir, une petite fille serrant dans ses bras un pain énorme. Parfois encore, s'il traversait la chaussée, la voiture du laitier où dansaient en chantant les boîtes de fer-blanc s'arrêtait si près de lui, qu'il sentait sur sa joue le souffle chaud du cheval. Mais, sans hâte, il suivait son chemin, sous les jurons dédaignées du laitier rustique. Certes, sa démarche, assurée sur le bâton de cornouiller, était fière et tranquille. Mais au dedans le vieil homme[8] chancelait. Il ne lui restait plus rien de l'allégresse matinale. L'alouette qui avait jeté ses trilles joyeux dans son être avec les premières gouttes du vin paillet s'était envolée à tire-d'aile, et maintenant son âme était une rookery brumeuse où les corbeaux croassaient sur les arbres noirs. Il était mortellement triste. Un grand dégoût de lui-même lui soulevait le cœur. La voix de son repentir et de sa honte lui criait: "Cochon! cochon! Tu es un cochon!" Et il admirait cette voix irritée et pure, cette belle voix d'ange qui était en lui mystérieusement et qui répétait: "Cochon! cochon! Tu es un cochon!" Il lui naissait un désir infini d'innocence et de pureté. Il pleurait; de grosses larmes coulaient sur sa barbe de bouc. Il pleurait sur lui-même. Docile à la parole du maître qui a dit: "Pleurez sur vous et sur vos enfants, filles de Jérusalem,"[9] il versait la rosée amère de ses yeux sur sa chair prostituée aux sept péchés[10] et sur ses rêves obscènes, enfantés par l'ivresse. La foi de son enfance se ranimait en lui, s'épanouissant toute fraîche et toute fleurie. De ses lèvres coulaient des prières naïves. Il disait tout bas: "Mon Dieu, donnez-moi de redevenir semblable au petit enfant que j'étais."

Un jour qu'il faisait cette simple oraison, il se trouva sous le porche d'une église.

C'était une vieille église, jadis blanche et belle sous sa dentelle de pierre, que le temps et les hommes ont déchirée. Maintenant elle est devenue noire comme la sulamite[11] et sa beauté ne parle plus qu'au cœur des poètes; c'était une église "pauvrette et ancienne" comme la mère de François Villon[12] qui, peut-être, en son temps, vint s'y agenouiller et vit sur les murailles, aujourd'hui blanchies à la chaux, ce paradis peint dont elle croyait entendre les harpes, et cet enfer où les damnés sont "bouillus,"[13] ce qui faisait grand'peur à la bonne créature. Gestas entra dans la maison de Dieu. Il n'y vit personne, pas même un donneur d'eau bénite, pas même une pauvre femme comme la mère de François Villon. Formée en bon ordre dans la nef, l'assemblée des chaises attestait seule la fidélité des paroissiens et semblait continuer la prière en commun.

Dans l'ombre humide et fraîche qui tombait des voûtes, Gestas tourna sur sa droite vers le bas côté où, près du porche, devant la statue de la Vierge, un if de fer dressait ses dents aiguës, sur lesquelles aucun cierge votif ne brûlait encore. Là, contemplant l'image blanche, bleue et rose, qui souriait au milieu des petits cœurs d'or et d'argent suspendus en offrande, il inclina sa vieille jambe raidie, pleura les larmes de Saint Pierre[14] et soupira des paroles très douces qui ne se suivaient pas. "Bonne Vierge, ma mère, Marie, Marie, votre enfant, votre enfant, maman!" Mais, très vite, il se releva, fit quelques pas rapides et s'arrêta devant un confessionnal. De chêne bruni par le temps, huilé comme les poutres des pressoirs, ce confessional avait l'air honnête, intime et domestique d'une vieille armoire à linge. Sur les panneaux, des emblèmes religieux, sculptés dans des écussons de coquilles et de rocaille, faisaient songer aux bourgeoises de l'ancien temps qui vinrent incliner là leur bonnet à hautes barbes de dentelle et laver à cette piscine symbolique leur âme ménagère. Où elles avaient mis le genou Gestas mit le genou et, les lèvres contre le treillis de bois, il appela à voix basse: "Mon père, mon père!" Comme personne ne répondait à son appel, il frappa tout doucement du doigt au guichet.

—Mon père, mon père!

Il s'essuya les yeux pour mieux voir par les trous du grillage, et il crut deviner dans l'ombre le surplis blanc d'un prêtre.

Il répétait:

—Mon père, mon père, écoutez-moi donc! Il faut que je me confesse, il faut que je lave mon âme; elle est noire et sale; elle me dégoûte, j'en ai le cœur soulevé. Vite, mon père, le bain de la pénitence, le bain du pardon, le bain de Jésus. A la pensée de mes immondices le cœur me monte aux lèvres, et je me sens vomir du dégoût de mes impuretés. Le bain, le bain!

Puis il attendit. Tantôt croyant voir qu'une main lui faisait signe au fond du confessionnal, tantôt ne découvrant plus dans la logette qu'une stalle vide, il attendit longtemps. Il demeurait immobile, cloué par les genoux au degré de bois, le regard attaché sur ce guichet d'où lui devaient venir le pardon, la paix, le rafraîchissement, le salut, l'innocence, la réconciliation avec Dieu et avec lui-même, la joie céleste, le contentement dans l'amour, le souverain bien. Par intervalles, il murmurait des supplications tendres:

—Monsieur le curé, mon père, monsieur le curé! j'ai soif, donnez-moi à boire, j'ai bien soif! Mon bon monsieur le curé, donnez-moi de quoi vous avez, de l'eau pure, une robe blanche et des ailes pour ma pauvre âme. Donnez-moi la pénitence et le pardon.

Ne recevant point de réponse, il frappa plus fort à la grille et dit tout haut:

—La confession, s'il vous plaît!

Enfin, il perdit patience, se releva et frappa à grands coups de son bâton de cornouiller les parois du confessionnal en hurlant:

—Oh! hé! le curé! Oh! hé! le vicaire!

Et, à mesure qu'il parlait, il frappait plus fort, les coups tombaient furieusement sur le confessionnal d'où s'échappaient des nuées de poussière et qui répondait à ces offenses par le gémissement de ses vieux ais vermoulus.

Le suisse qui balayait la sacristie accourut au bruit, les manches retroussées. Quand il vit l'homme au bâton, il s'arrêta un moment, puis s'avança vers lui avec la lenteur prudente des serviteurs blanchis dans les devoirs de la plus humble police. Parvenu à portée de voix, il demanda:

—Qu'est-ce que vous voulez?

—Je veux me confesser.

—On ne se confesse pas à cette heure-ci.

—Je veux me confesser.

—Allez-vous-en.

—Je veux voir le curé.

—Pourquoi faire?

—Pour me confesser.

—Le curé n'est pas visible.

—Le premier vicaire, alors.

—Il n'est pas visible non plus. Allez-vous-en.

—Le second vicaire, le troisième vicaire, le quatrième vicaire, le dernier vicaire.

—Allez-vous-en!

—Ah çà! est-ce qu'on va me laisser mourir sans confession? C'est pire qu'en 93,[15] alors! Un tout petit vicaire. Qu'est-ce que ça vous fait que je me confesse à un tout petit vicaire pas plus haut que le bras? Dites à un prêtre qu'il vienne m'entendre en confession. Je lui promets de lui confier des péchés plus rares, plus extraordinaires et plus intéressants, bien sûr, que tous ceux que peuvent lui défiler ses péronnelles de pénitentes. Vous pouvez l'avertir qu'on le demande pour une belle confession.

—Allez-vous-en!

—Mais tu n'entends donc pas, vieux Barrabas?[16] Je te dis que je veux me réconcilier avec le bon Dieu, sacré nom de Dieu![17]

Bien qu'il n'eût pas la stature majestueuse d'un suisse de paroisse riche, ce porte-hallebarde était robuste. Il vous prit notre Gestas par les épaules et vous le jeta dehors.

Gestas, dans la rue, n'avait qu'une idée en tête, qui était de rentrer dans l'église par une porte latérale afin de surprendre, s'il était possible, le suisse sur ses derrières et de mettre la main sur un petit vicaire qui consentît à l'entendre en confession.

Malheureusement pour le succès de ce dessein, l'église était entourée de vieilles maisons et Gestas se perdit sans espoir de retour dans un dédale inextricable de rues, de ruelles, d'impasses et de venelles.

Il s'y trouvait un marchand de vin où le pauvre pénitent pensa se consoler dans l'absinthe. Il y parvint. Mais il lui poussa bientôt un nouveau repentir. Et c'est ce qui assure ses amis dans l'espérance qu'il sera sauvé. Il a la foi, la foi simple, forte et naïve. Ce sont les œuvres plutôt qui lui manqueraient.[18] Pourtant il ne faut pas désespérer de lui, puisque lui-même, il ne désespère jamais.

Sans entrer dans les difficultés considérables de la prédestination ni considérer à ce sujet les opinions de Saint Augustin, de Gotesiale, des Albigeois, des wiclefistes, des hussites, de Luther, de Calvin, de Jansénius et du grand Arnaud,[19] on estime que Gestas est prédestiné à la béatitude éternelle.

Gestas, dixt li Signor, entrez en paradis.

LE JONGLEUR DE NOTRE-DAME[1]

Anatole France

I

Au temps du roi Louis,[2] il y avait en France un pauvre jongleur, natif de Compiègne,[3] nommé Barnabé, qui allait par les villes, faisant des tours de force et d'adresse.

Les jours de foire, il étendait sur la place publique un vieux tapis tout usé, et, après avoir attiré les enfants et les badauds par des propos plaisants qu'il tenait d'un très vieux jongleur et auxquels il ne changeait jamais rien, il prenait des attitudes qui n'étaient pas naturelles et il mettait une assiette d'étain en équilibre sur son nez. La foule le regardait d'abord avec indifférence.

Mais quand, se tenant sur les mains la tête en bas, il jetait en l'air et rattrapait avec ses pieds six boules de cuivre qui brillaient au soleil, ou quand, se renversant jusqu'à ce que sa nuque touchât ses talons, il donnait à son corps la forme d'une roue parfaite et jonglait, dans cette posture, avec douze couteaux, un murmure d'admiration s'élevait dans l'assistance et les pièces de monnaie pleuvaient sur le tapis.

Pourtant, comme la plupart de ceux qui vivent de leurs talents, Barnabé de Compiègne avait grand'peine à vivre.

Gagnant son pain à la sueur de son front, il portait plus que sa part des misères attachées à la faute d'Adam, notre père.

Encore, ne pouvait-il travailler autant qu'il aurait voulu. Pour montrer son beau savoir, comme aux arbres pour donner des fleurs et des fruits, il lui fallait la chaleur du soleil et la lumière du jour. Dans l'hiver, il n'était plus qu'un arbre dépouillé de ses feuilles et quasi mort. La terre gelée était dure au jongleur. Et, comme la cigale dont parle Marie de France,[4] il souffrait du froid et de la faim dans la mauvaise saison. Mais, comme il avait le cœur simple, il prenait ses maux en patience.

Il n'avait jamais réfléchi à l'origine des richesses, ni à l'inégalité des conditions humaines. Il comptait fermement que, si ce monde est mauvais, l'autre ne pourrait manquer d'être bon, et cette espérance le soutenait. Il n'imitait pas les baladins larrons et mécréants, qui ont vendu leur âme au diable. Il ne blasphémait jamais le nom de Dieu; il vivait honnêtement, et, bien qu'il n'eût pas de femme, il ne convoitait pas celle du voisin, parce que la femme est l'ennemie des hommes forts, comme il apparaît par l'histoire de Samson,[5] qui est rapportée dans l'Écriture.

A la vérité, il n'avait pas l'esprit tourné aux désirs charnels, et il lui en coûtait plus de renoncer aux brocs qu'aux dames. Car, sans manquer à la sobriété, il aimait à boire quand il faisait chaud. C'était un homme de bien, craignant Dieu, et très dévot à la Sainte Vierge.

Il ne manquait jamais, quand il entrait dans une église, de s'agenouiller devant l'image de la Mère de Dieu, et de lui adresser cette prière:

"Madame, prenez soin de ma vie jusqu'à ce qu'il plaise à Dieu que je meure, et quand je serai mort, faites-moi avoir les joies du paradis."

II

Or, un certain soir, après une journée de pluie, tandis qu'il s'en allait, triste et courbé, portant sous son bras ses boules et ses couteaux cachés dans son vieux tapis, et cherchant quelque grange pour s'y coucher sans souper, il vit sur la route un moine qui suivait le même chemin, et le salua honnêtement. Comme ils marchaient du même pas, ils se mirent à échanger des propos.

—Compagnon, dit le moine, d'où vient que vous êtes habillé tout de vert? Ne serait-ce point pour faire le personnage d'un fol dans quelque mystère?[0]

—Non point, mon Père, répondit Barnabé. Tel que vous me voyez, je me nomme Barnabé, et je suis jongleur de mon état. Ce serait le plus bel état du monde si on y mangeait tous les jours.

—Ami Barnabé, reprit le moine, prenez garde à ce que vous dites. Il n'y a pas de plus bel état que l'état monastique. On y célèbre les louanges de Dieu, de la Vierge et des saints, et la vie du religieux est un perpétuel cantique au Seigneur.

Barnabé répondit:

—Mon Père, je confesse que j'ai parlé comme un ignorant. Votre état ne se peut comparer au mien et, quoiqu'il y ait du mérite à danser en tenant au bout du nez un denier en équilibre sur un bâton, ce mérite n'approche pas du vôtre. Je voudrais bien comme vous, mon Père, chanter tous les jours l'office, et spécialement l'office de la très sainte Vierge, à qui j'ai voué une dévotion particulière. Je renoncerais bien volontiers à l'art dans lequel je suis connu, de Soissons à Beauvais,[7] dans plus de six cents villes et villages, pour embrasser la vie monastique.

Le moine fut touché de la simplicité du jongleur, et, comme il ne manquait pas de discernement, il reconnut en Barnabé un de ces hommes de bonne volonté de qui Notre-Seigneur a dit: "Que la paix soit avec eux sur la terre!"[8] c'est pourquoi il lui répondit:

—Ami Barnabé, venez avec moi, et je vous ferai entrer dans le couvent dont je suis prieur. Celui qui conduisit Marie l'Égyptienne[9] dans le désert m'a mis sur votre chemin pour vous mener dans la voie du salut.

C'est ainsi que Barnabé devint moine. Dans le couvent où il fut reçu, les religieux célébraient à l'envi le culte de la sainte Vierge, et chacun employait à la servir tout le savoir et toute l'habileté que Dieu lui avait donnés.

Le prieur, pour sa part, composait des livres qui traitaient, selon les règles de la scolastique, des vertus de la Mère de Dieu.

Le Frère Maurice copiait, d'une main savante, ces traités sur des feuilles de vélin.

Le Frère Alexandre y peignait de fines miniatures. On y voyait la Reine du ciel, assise sur le trône de Salomon,[10] au pied duquel veillent quatre lions; autour de sa tête nimbée voltigeaient sept colombes, qui sont les sept dons du Saint-Esprit:[11] dons de crainte, de piété, de science, de force, de conseil, d'intelligence et de sagesse. Elle avait pour compagnes six vierges aux cheveux d'or: L'Humilité, la Prudence, la Retraite, le Respect, la Virginité et l'Obéissance.

A ses pieds, deux petites figures nues et toutes blanches se tenaient dans une attitude suppliante. C'étaient des âmes qui imploraient, pour leur salut et non, certes, en vain, sa toute-puissante intercession.

Le Frère Alexandre représentait sur une autre page Ève au regard de Marie, afin qu'on vît en même temps la faute et la rédemption, la femme humiliée et la vierge exaltée. On admirait encore dans ce livre le Puits des eaux vives, la Fontaine, le Lis, la Lune, le Soleil et le Jardin clos dont il est parlé dans le cantique, la Porte du Ciel et la Cité de Dieu, et c'étaient là des images de la Vierge.[12]

Le Frère Marbode était semblablement un des plus tendres enfants de Marie.

Il taillait sans cesse des images de pierre, en sorte qu'il avait la barbe, les sourcils et les cheveux blancs de poussière, et que ses yeux étaient perpétuellement gonflés et larmoyants; mais il était plein de force et de joie dans un âge avancé et, visiblement, la Reine du Paradis protégeait la vieillesse de son enfant. Marbode la représentait assise dans une chaire, le front ceint d'un nimbe à orbe perlé. Et il avait soin que les plis de la robe couvrissent les pieds de celle dont le prophète[13] a dit: "Ma bien-aimée est comme un jardin clos."

Parfois aussi il la figurait sous les traits d'un enfant plein de grâce, et elle semblait dire: "Seigneur, vous êtes mon Seigneur!—*Dixi de ventre matris meae: Deus meus es tu.*" (*Psalm.* XXI, 11.)[14]

Il y avait aussi, dans le couvent, des poètes, qui composaient, en latin, des proses et des hymnes en l'honneur de la bienheureuse vierge Marie, et même il s'y trouvait un Picard[15] qui mettait les miracles de Notre-Dame en langue vulgaire et en vers rimés.

III

Voyant un tel concours de louanges et une si belle moisson d'œuvres, Barnabé se lamentait de son ignorance et de sa simplicité.

—Hélas, soupirait-il en se promenant seul dans le petit jardin sans ombre du couvent, je suis bien malheureux de ne pouvoir, comme mes frères, louer dignement la sainte Mère de Dieu à laquelle j'ai voué la tendresse de mon cœur. Hélas! hélas! je suis un homme rude et sans art, et je n'ai pour votre service, madame la Vierge, ni sermons édifiants, ni traités bien divisés selon les règles, ni fines peintures, ni statues exactement taillées, ni vers comptés par pieds et marchant en mesure. Je n'ai rien, hélas!

Il gémissait de la sorte et s'abandonnait à la tristesse. Un soir que les moines se récréaient en conversant, il entendit l'un d'eux conter l'histoire d'un religieux qui ne savait réciter autre chose qu'*Ave Maria.* Ce religieux était méprisé pour son ignorance; mais, étant mort, il lui sortit de la bouche cinq roses en l'honneur des cinq lettres du nom de Marie, et sa sainteté fut ainsi manifestée.

En écoutant ce récit, Barnabé admira une fois de plus la bonté de la Vierge; mais il ne fut pas consolé par l'exemple de cette mort bienheureuse, car son cœur était plein de zèle et il voulait servir la gloire de sa dame qui est aux cieux.

Il en cherchait le moyen sans pouvoir le trouver et il s'affligeait chaque jour davantage, quand un matin, s'étant réveillé tout joyeux, il courut à la chapelle et y demeura seul pendant plus d'une heure. Il y retourna l'après-dîner.

Et, à compter de ce moment, il allait chaque jour dans cette chapelle, à l'heure où elle était déserte, et il y passait une grande partie du temps que les autres moines consacraient aux arts libéraux et aux arts mécaniques. Il n'était plus triste et il ne gémissait plus.

Une conduite si singulière éveilla la curiosité des moines.

On se demandait, dans la communauté, pourquoi le frère Barnabé faisait des retraites si fréquentes.

Le prieur, dont le devoir est de ne rien ignorer de la conduite de ses religieux, résolut d'observer Barnabé pendant ses solitudes. Un jour donc que celui-ci était renfermé, comme à son ordinaire, dans la chapelle, dom prieur vint, accompagné de deux anciens du couvent, observer, à travers les fentes de la porte, ce qui se passait à l'intérieur.

Ils virent Barnabé qui, devant l'autel de la sainte Vierge, la tête en bas, les pieds en l'air, jonglait avec six boules de cuivre et douze couteaux. Il faisait, en l'honneur de la sainte Mère de Dieu, les tours qui lui avaient valu le plus de louanges. Ne comprenant pas que cet homme simple mettait ainsi son talent et son savoir au service de la sainte Vierge, les deux anciens criaient au sacrilège.

Le prieur savait que Barnabé avait l'âme innocente; mais il le croyait tombé en démence. Ils s'apprêtaient tous trois à le tirer vivement de la chapelle, quand ils virent la sainte Vierge descendre les degrés de l'autel pour venir essuyer d'un pan de son manteau bleu la sueur qui dégouttait du front de son jongleur.

Alors le prieur, se prosternant le visage contre la dalle, récita ces paroles:

—Heureux les simples, car ils verront Dieu![16]

—*Amen!* répondirent les anciens en baisant la terre.

NOTES

Le Pied de momie

1.—**chambre moyen âge:** "room furnished in the medieval style." Young Romantics of the generation of 1830 carried their revolt against the Classic principles of the 17th and 18th centuries into details of their private lives, and displayed a fondness for the gothic and the bizarre, tastes quite out of keeping with Classic restraint and reason.

2.—**un véritable Capharnaüm:** "a place of utter confusion." Capernaum was a busy commercial city of ancient Palestine, on Lake Tiberias.

3.—**Boule** (or Boulle): a style named from a famous French cabinet maker (1642-1732), and characterized by elaborate carving and inlays of metal and shell.

4.—**Louis XV:** King of France 1715-1774. The Louis XV style in furniture abounds in curves and carvings, but is somewhat less florid than the immediately preceding "style régence."

5.—**Louis XIII:** King of France 1610-1643. The furniture and architecture of this period are severe and massive.

6.—**Milan,** in northern Italy, has a historic reputation for the manufacture of arms.

7.—**tasses de Saxe et de vieux Sèvres:** Saxony, a state of northern Germany, and Sèvres, a town near Paris, have given their names to highly prized types of porcelain ware.

8.—**Bernard Palissy:** famous French enameler (1510-1590), known as the creator of the ceramic art in France.

9.—**verre de Venise:** Venice is still noted for beautiful and elaborate glass work and gives its name to the Venetian mirror.

10.—**cristal de Bohême:** Bohemia, now a part of Czechoslovakia, has long specialized in richly colored crystal.

11.—**on l'eût brûlé . . . . siècles:** "he would have been burned for his appearance three centuries ago," under the Inquisition.

12.—**qui ferait . . . . trophée:** "which would go well in your cluster of arms."

13.—**Josepe de la Hera:** possibly a reference to José de la

Hera, a Spanish patriot who, armed with a knife, performed prodigies of valor against the French in defense of Saragossa, in 1809.

14.—**Brahma . . . . Wishnou** (Vishnu): the first and second gods of the Hindu trinity.

15.—**Witziliputzili:** Aztec war god.

16.—**Corinthe:** Corinth, a flourishing city of ancient Greece and rival of Athens and Sparta.

17.—**Lysippe:** Lysippus, Greek sculptor of the 4th century B.C.

18.—**Hermonthis:** the name of a city in ancient Upper Egypt, applied fictitiously by Gautier to his heroine.

19.—**romantique:** for Romantic tastes, cf. note 1.

20.—**le cerveau . . . . perle:** "my mind mottled with streaks of gray," i.e. confused.

21.—**la bayadère Amani:** Amani was a Hindu dancing girl who visited Paris and was seen and described by Gautier (*Caprices et zigzags*, Paris, 1856, p. 415 ff.).

22.—**Isis:** Egyptian goddess, wife and sister of Osiris.

23.—**pays de Ser:** this should probably be taken as "the land of Osiris." The combined worship of Osiris and the sacred bull, Apis, received in Greek the name Serapis, in which Ser stands for Osiris.

24.—**Thèbes:** Thebes, a famous city of ancient Upper Egypt, and burial place of many kings.

25.—**d'un ton régence et troubadour:** the idea is, "in an elegant and courtly way." The Regency of Philippe d'Orléans, in power during the minority of Louis XV (1715-1723), is noted for its sophisticated and artificial social life. The Troubadours, Provençal poets of the Middle Ages, wrote technically elaborate and conventional poems of courtly love.

26.—**l'Amenthi:** Amentet was the antechamber to the Lower World in the Egyptian religion. In it, and under the supervision of Thoth and Anubis, the heart of a man was balanced against a feather, symbol of Righteousness or Truth, to determine his fitness to pass before Osiris, god of the Lower World, and enter a life of bliss.

27.—**Chéops . . . . Tubal Caïn:** *Cheops* and *Chephren*, kings of the Fourth Dynasty (38th century B.C.), where the builders respectively of the Great Pyramid and the second pyramid at Gîzah: *Psammetichus I* (664-610 B.C.) was of the Twenty-sixth Dynasty; *Sesostris* was a legendary king mentioned by Greek writers, and apparently compounded from the characters and achievements of Seti I and his son and successor Rameses II, kings of the Nineteenth Dynasty (first half of 13th century B.C.); *Amenoteph,* or Amen-hetep, was the name of four kings of the

Eighteenth Dynasty (beginning 1600 B.C.); *Chronos* was the Greek god of time; *Xisuthros,* or Utnapishtim, here represented as the father of Hermonthis, was the name of the Noah of the Babylonian flood legend; *Tubal Cain* was the brother of the Biblical Noah.

28.—**Kemé . . . . Nahasi:** *Kemet,* an ancient name for Egypt; *Nahasi,* a name given by the Egyptians to the black races of Africa.

29.—**Tmei . . . . Vérité:** Egyptian mythology is very complicated and inconsistent, but the legend underlying Gautier's idea is that Osiris is both the sun-god and the god of the Lower World, and that the sun, upon setting, goes to light the regions of the dead. Hence the connection of Tmei, a goddess of the Lower World, with the sun and with Truth, the criterion on which the dead are judged.

30.—**les morceaux d'Osiris:** according to one legend, Osiris was killed and cut in pieces by Set, god of Evil, but Isis recovered the fragments and restored life to her husband and brother.

31.—**M. Aguado:** a rich banker and art collector (1784-1842).

L'Esquisse mystérieuse

1.—**Saint-Sébald, à Nuremberg:** Sebaldus was a Danish preacher of the 9th or 10th century. After founding numerous churches, he settled in Nuremberg, Bavaria, of which he became the patron saint, and where a church, the Sebalduskirche, was erected in his honor. He was canonized in 1425.

2.—**c'était une affaire faite:** imperfect for conditional: "it would be finished."

3.—**Raphaël . . . . Téniers:** the great Italian master *Raphael* (1483-1520) and the Flemish *Teniers the Younger* (1610-1690) represent opposite extremes in painting, the first being associated with purely decorative qualities, color and composition, and the second with uncompromising realism.

4.—**il y avait . . . . poignées:** "it was enough to make you pull your hair out by the handful."

5.—**le dieu Hibou des Caraïbes:** the Caribbeans, aborigines of the West Indies, considered the owl a sacred bird.

6.—**que Dieu me soit en aide:** "so help me God."

7.—**ma place au soleil:** "my place in the sun," i.e. my right to share in the good things of the earth. This proverbial saying is traceable to the French philosopher Pascal (1623-1662): "Ce chien est à moi, disaient ces pauvres enfants; c'est là ma place au soleil; voilà le commencement et l'image de l'usurpation de toute la terre." (*Pensées,* ms. 73.)

La Partie de billard

1.—**château Louis XIII:** see *Le Pied de Momie,* note 5.

2.—**les automnes de Compiègne:** Compiègne, to the northeast of Paris, is the site of a castle famous in French history and one of the centers of court society under Napoleon III, whose reign was brought to an end by the Franco-Prussian war.

3.—**les bandes rendent bien:** "the cushions are lively."

4.—**Turenne endormi sur un affût:** Henri de La Tour d'Auvergne, vicomte de Turenne (1611-1675), was one of the greatest of French generals. Having been missed from home, as a child, he was discovered asleep upon a gun-carriage.

5.—**quand je vous disais:** "didn't I tell you."

6.—**nom d . D . . . :** *nom de Dieu,* a strong French oath.

La Pendule de Bougival

1.—**Bougival:** a small town on the Seine, a short distance west of Paris.

2.—**Munich:** the capital of Bavaria, southern Germany, famous for its art collection.

3.—**second Empire:** the reign of Napoleon III, lasting from 1852-1870.

4.—**Campana:** the art collection of the Italian marquis de Campana, which was transported to Paris in 1861, contained many Etruscan terra cottas, whose somewhat elaborate ornaments gave rise to a taste and a style known as "Campana."

5.—**boulevard des Italiens:** one of the great Paris boulevards, just west of the Opéra, and noted for many fine stores.

6.—**article de Paris:** "Parisian," i.e. smart, or modish.

7.—**pendule des Bouffes:** the reference here is to the theatre of the Bouffes-Parisiens, founded in 1855 under the direction of Offenbach, and located first on the Champs-Élysées and later in the Passage Choiseul. It was devoted at first to light operettas, with frivolous and catchy music—"bouffonneries musicales." This "pendule des Bouffes" rang in a tinkling and carefree way suggestive of the music of the Bouffes-Parisiens.

8.—**l'heure de la Bourse . . . . Madame:** the only time the clock succeeded in telling was the time for the broker husband to go to the stock exchange and the time when Madame received her lover. In pastoral romances the lovers and their ladies were traditionally shepherds; hence in affectedly poetic language a "berger" was a lover, and "l'heure du berger" the hour when a lady received her "berger."

9.—**la guerre:** the Franco-Prussian war of 1870.

10.—**Krüpp:** Alfred Krupp (1810-1887), the famous German manufacturer of artillery.

11.—**musée de Siebold:** a museum of natural history at Munich.

12.—**mein Gott:** German for "My God"—"mon Dieu!"

13.—**à sujet:** decorated with figures or statuettes.

14.—**Polymnie:** the muse of lyric poetry.

15.—**l'horloge de Strasbourg:** Strassburg, capital of Alsace, is famous for its cathedral, which contains the scarcely less famous astronomical clock. This clock, installed from 1838-1842 in replacement of a medieval one, has, among many interesting mechanical devices, figures of the twelve apostles, who emerge upon a platform at the stroke of noon and march around the image of Christ.

16.—**Mendelssohn et Schumann:** two famous German composers (1809-1847, and 1810-1856).

17.—**la Grande Duchesse et le Petit Faust:** *La Grande Duchesse de Gerolstein,* an operetta by Jacques Offenbach (1819-1880), founder of the Bouffes-Parisiens; *Le Petit Faust,* a composition of the same type by Florimond Rongé, called Hervé (1825-1892).

18.—**mise en goût:** "her appetite whetted."

19.—**Isar:** a tributary of the Danube, and the river upon which Munich is located.

20.—**Titien:** paintings by Titian (1477-1576), the great Venetian artist.

21.—**conseiller aulique:** Aulic Councilor, a member of the highest German tribunal.

22.—**faire sauter la coupe:** "coupe" here means the "cut," at cards, and the expression means "to cheat at cards."

23.—**le roi Louis:** Louis II of Bavaria, king from 1864-1886.

24.—**les Maîtres chanteurs:** *Die Meistersinger*, opera by Richard Wagner (1813-1883).

25.—**Le Phoque à ventre blanc:** "the white-bellied seal," apparently the name of some forgotten popular composition.

Printemps

1.—**Dourgues:** the scene of Zola's story is in the extreme south of France, not far from Marseille, where the river Durance flows in a westerly direction to empty into the Rhone near Avignon.

2.—**se disputent . . . . vite:** "are vying with each other to see which will grow fastest."

3.—**Grenoble:** chief city of the department of Isère, and situated at the foot of the Alps.

Été

1.—The battle with which this story is concerned seems intended to be one in the Italian campaign of 1859, in which France and Piedmont defeated Austria; but identification of the engagement cannot be pushed very far. For one thing, the last major engagement of the campaign of 1859 occurred on June 24, and Zola speaks of "une nuit de juillet"; for another, thirty-three years elapse between the events of *Été* and those of *Hiver*, and only fifteen between the campaign of 1859 and the publication of *Les Quatre Journées de Jean Gourdon*. Other difficulties are in the way of connecting the battle with the Italian campaigns of the first Napoleon. But battles between France and Austria, under conditions similar to those described, have been of sufficiently frequent occurrence to make the materials of this story quite acceptable for fictional purposes.

2.—**Grenoble . . . . Dourgues:** see *Printemps*, notes 3 and 1.

3.—**la Durance:** see *Printemps*, note 1.

Un Accident

1.—**Saint-Médard . . . . Convulsionnaires:** the church of **Saint-Médard** is located on the Paris Left Bank, at the junction of the **rue Mouffetard** and the Avenues des Gobelins, and is named in honor of a sixth century bishop of Noyon. **Pâris** (1690-1727) was a Jansenist deacon who was buried in the graveyard of Saint-Médard and at whose grave miracles were said to be performed. Pilgrims to his grave committed extravagancies which gave them the name of **Convulsionnaires**, and which led to the closing of the cemetery in 1732.

2.—**où ils jouent . . . . tourniquet:** "where they play tourniquet for pots of wine." *Tourniquet* is a game of chance resembling roulette.

3.—**sauf . . . . retourner:** "getting off with saying a short prayer and returning."

4.—**rue Lhomond:** a small street whose southern end is a block from the rue Mouffetard.

5.—**Bollandiste:** Bolland (1596-1665), a Jesuit of Antwerp, began a large collection of *Vies des Saints*, and the continuations of this work came to be known as *Bollandistes*.

6.—**croua! croua!:** a sound in imitation of the caw of a crow.

The clergy were sometimes vulgarly called "corbeaux," in allusion to their black costume.

7.—**après s'être accusée . . . . restitution:** "after having confessed to making a market penny, always protested vigorously at the mere mention of restitution." A servant going to market and charging her masters more than she paid for the goods bought, is said to "faire sauter l'anse du panier."

8.—**quoi?:** "what?" is popularly used in England in a similar sense, difficult to paraphrase: "almost a brother, what?"

9.—**le cœur sur la main:** "open-hearted," i.e. frank and with nothing to conceal.

10.—**je prends mes habitudes:** "I make my arrangements (for board)."

11.—**près de ses pièces:** "hard up," "down to his small change."

12.—**l'air tout chose:** "an odd air," i.e. he seemed to be acting queerly.

13.—**m'en voilà pour cinq ans:** "I'm in for five years of it." According to the conscription act of 1818, whose provisions, with slight modifications, were in force for the next fifty years, the contingent annually to be added to the standing army was made up by having lots drawn among youths attaining their majority in that year. Those who drew lucky numbers, and those who could show that they were the chief support of a family (e.g. "fils de veuve") were exempted. Substitutes could be purchased by those of sufficient means. At the time of this story, the drawing of certain numbers entailed service in the colonies.

14.—**un mauvais dé de loto:** "an unlucky number." *Loto* is a game played on a board covered with numbered squares; the players draw in turn numbered blocks from a bag, and when they get a number corresponding with a number on the board, they cover the square.

15.—**le boulevard Arago:** another street in the same section of Paris, at one point a block and a half south of the rue Mouffetard.

16.—**après:** "what of it?" "what is it to you?"—a frequent use of *après,* the sense being greatly assisted by the intonation and attitude.

17.—**ne voilà-t-il pas:** "doesn't he go and . . ."—a popular use of *voilà* as a verb.

18.—**à moi!:** "help!"

La Vieille Tunique

1.—**la campagne d'Italie:** the war of 1859, between France, allied with Piedmont, and Austria.

2.—main: "hand" in the sense of handwriting.

3.—zouave: the Zouaves are a corps of French infantry in North Africa, and wear fez, short blue jacket, and baggy red trousers.

4.—le père Vidal: "old Vidal."

5.—Grenelle: a quarter on the Left Bank, near the Champ de Mars and the Eiffel tower.

6.—l'argent de sa croix: the Cross of the Legion of Honor, when given for military distinction, brings with it a small pension.

7.—ruban rouge: a red ribbon is worn in the buttonhole of civilian clothes to indicate the Legion of Honor.

8.—chez Latour . . . . à la Belle-Jardinière: Latour and **la Belle-Jardinière**, the latter of which is still well-known, are stores on the Right Bank, and are here representative of places where cheap and ready-made clothing may be bought. The **rue Montorgueil** runs north from Les Halles, the central markets.

9.—pantalon de fatigue: canvas trousers worn on fatigue duty.

10.—l'Ecole-Militaire: barracks in Grenelle, originally built as a military school.

11.—l'Empire: i.e. the Second Empire (1852-1870), that of Napoleon III.

12.—avenue de la Mothe-Piquet: a street in Grenelle, between the École-Militaire and the Champ de Mars.

13.—boulevard de Grenelle: a street running southeast from the river, and intersecting with the avenue de la Mothe-Piquet.

14.—le triple galon d'or: the triple gold stripe indicates the rank of captain.

15.—premier zouaves: i.e. "premier bataillon des zouaves."

16.—Melegnano: on June 9, 1859, the French defeated the Austrians at this village of northern Italy.

17.—qui sifflent . . . . midi: La-Soif was capable of downing a glass of eau-de-vie at each stroke of the clock at noon.

18.—la quatrième du second: i.e., "la quatrième compagnie du second bataillon."

19.—toucha sa prime: a bonus is offered for reënlistment.

20.—Kabylie: a part of Algeria.

21.—les habits blancs: "the Austrians," who wore light-colored uniforms.

22.—en deux temps: "in two counts," "to the count of two."

23.—emporter le morceau: "carry the position."

24.—il n'y en a plus que pour une fois: "there are enough left for only one more job."

25.—c'est du Plutarque: i.e. like an exploit from Plutarch's *Lives.*

26.—**Charenton:** a quarter on the eastern extremity of Paris containing a large lunatic asylum.

27.—**Corse:** the Corsicans traditionally exercise the right of vendetta, taking a life for a life.

Aux Champs

1.—**jusqu'à plus faim:** "until hunger was satisfied."

2.—**je m'y ferais . . . . jours:** "I'd like this every day."

3.—**sont-ils jolis:** "aren't they cute."

4.—The following points are to be noted in the language and pronunciation of the peasants: final -re and -l are frequently dropped—*prend'* for *prendre*, *i'* for *il*; many mute e's are dropped—*d'mander* for *demander*; *ben* (pronounced *bẽ*) for *bien*; *pi* for *puis*; *qué qu't'en* for *qu'est-ce que tu en*; *c'est-i* for *est-il*, *est-ce*; *éfant* for *enfant*, *c't* for *cet*; *quéqu'z'ans* for *quelques ans*; *mé* for *moi*, *té* for *toi*, *sieus* for *suis*, *fieu* for *fils*; confusion of numbers in verbs—*je vendions*; *p'tiot* (*petiot*) for *petit*; *elle s'a conduite* for *elle s'est conduite.*

5.—**qui prenait dix-huit ans:** "who was going on eighteen."

6.—**niants:** "nobodies" (dialectal from *néant*, nothing).

7.—**Mon sang . . . . tour:** "it turned my blood," "gave me a jolt."

Un Lâche

1.—**Tortoni:** a once celebrated café and fashionable rendezvous on the Boulevard des Italiens.

L'Inquiéteur

1.—**arias:** here the popular word *aria*, meaning "difficulty," "embarrassment," rather than an operatic aria.

2.—**où donner de la tête:** "where to turn."

3.—**pour déréglés qu'ils fussent:** "extravagant though they were."

4.—**ingénieur-possibiliste:** "engineer and progressive." A "possibiliste" is a moderate socialist.

5.—**rectiligne:** "rectilinear," i.e. "straightforward."

6.—**dont . . . . faire:** "in whose praise it is no longer necessary to speak," his reputation being so well established.

7.—**la Parque:** "the Fate," Atropos, one of the three "Parcae" of classical mythology, and the one who cut the thread of human life. The meaning here is that Death maintained its activities in disregard of the delays of the *Innovateurs*.

8.—**les cœurs en retard:** "hearts behind the times," i.e. who were so unmodern as to give way to grief.

9.—**champ d'asile:** "last resting-place," "cemetery."

10.—**n'était-ce pas . . . . soustraire:** "wasn't it enough to make you want to escape from it all."

11.—**Don Juan:** the legendary great lover of stage and verse.

12.—**prit congé à l'anglaise:** "took informal leave," i.e. slipped off without saying good-bye.

13.—**au constat de:** "in consideration of the fact of."

14.—**ladite:** "the aforesaid."

15.—**recevez, etc.:** the formulas for closing a letter are so familiar that it is sometimes considered unnecessary, particularly in reporting a letter, to write more than the first word. This letter might have closed: "Recevez, monsieur, l'expression de notre considération la plus distinguée."

L'Héroïsme du docteur Hallidonhill

1.—**curateur:** here not in its usual sense of "curator" but "curer."

2.—**sous huit jours:** "within eight days."

3.—**une écumoire:** "a skimmer"; we should say, "a sieve."

4.—**Victoria station:** one of the chief railway stations of London.

5.—**Douvres:** Dover, the Channel port, corresponding with Calais on the French side.

6.—**Marseille:** the chief French seaport on the Mediterranean; **Nice** a popular resort on the French Riviera.

7.—**paradoxale nourrice normande:** paradoxical because in this instance the rôles were reversed, and the nursling took up the nurse.

8.—**capables . . . . Middlesex:** "capable of breaking in the skulls of the highest prize-winning bulls of Middlesex." Middlesex County contains a part of the Metropolitan Area of London.

9.—**Westminster:** Westminster Abbey, where only royalty and the most famous of men are buried. *Saurai* here means "I shall know how to," "shall be able to."

10.—**de vouloir bien le suivre:** "to be good enough to follow him."

11.—**purement formelle:** here, "that was merely a matter of form."

12.—**Newgate:** a celebrated prison of London.

L'Imagination

1.—**Cornelia Tosti:** the name of the great actress is fictional. **Frédégonde** is probably intended to be the *Frédégonde et Brunehaut*, of Népomucène Lemercier (1771-1840), which is the story of the wife of the sixth century Merovingian king Chilperic I. The dramatist **Eusebio Nasone** and his play **Mélissandre** are fictitious.

2.—**elle n'en pouvait plus:** "she was tired out."

3.—**drame:** a "drame" is a play which combines tragedy and comedy, and may be in prose or in verse. It is frequently wholly tragic in tone, but is not a "tragédie" because it does not conform to the rules for tragedy.

4.—**au dire des "Courriers des théâtres":** "according to the dramatic columns," of the newspapers.

5.—**la Crocetta . . . . Ernani: le Sphinx** is a play by Octave Feuillet (1821-1890) **Ernani,** probably an Italian version of Hugo's famous *Hernani,* or Verdi's opera, based on the same play; **la Crocetta** and **Monetto,** probably fictitious actors.

6.—**le tout-Florence:** i.e. everybody of importance in Florence.

Hermengarde

1.—**le faubourg Saint-Germain:** the most aristocratic quarter of Paris, on the Left Bank, opposite the Louvre and the Tuileries.

2.—**tant bien que mal:** "indifferently well."

3.—**la rue Saint-Dominique:** a street of the Faubourg, running parallel to the river from the Invalides to the Ministère de la Guerre.

4.—**un appartement de cadet:** "an apartment suitable for a younger son" of a noble family.

5.—**se promener au Bois:** the Bois de Boulogne, a large park and forest on the western outskirts of Paris, a favorite place for driving and riding.

6.—**à la queue-leu-leu:** "in a row." *Leu* is an old form of *loup* which has survived in this expression, meaning "one directly behind the other," as wolves were reputed to walk.

7.—**éducation de Sacré-Cœur:** "a convent education," *Sacré-Cœur* here refers to a congregation of nuns devoted to the adoration of the Sacred Heart.

8.—**Family-Hôtel:** a name often used for small and quiet hotels, and here made to serve as the type.

9.—**Conseil d'État:** as at present constituted this *Conseil* is something like the Privy Council of England, a consultive body; but it also has final jurisdiction in many legal matters.

10.—**faire une tête:** "be up in arms," "offer sharp opposition."

11.—**si j'accepte!:** "do I accept!"

12.—**comte du pape:** as given in recent times, the papal countship is purely a title of honor bestowed on a person of any nationality whom the Holy See wishes to favor, and its prestige varies according to the religious complexion of the country in which it is bestowed.

13.—**une douce violence:** see note on *sommations respectueuses*, below.

14.—**sommations respectueuses:** the act by which a child who has reached his majority summons his parents to consent to his marriage, and after which he may marry without their consent.

15.—**rue du Bac:** a street running south from the Seine, somewhat cramped, but still in the right district.

16.—**Rohan . . . . Montmorency:** two ancient and illustrious noble families of France.

17.—**kiosques:** advertisements may be displayed on the windows of the small kiosks where newspapers are sold in the large cities.

18.—**pignons . . . . ceinture:** the Ceinture is a small railway encircling Paris within the fortifications. On "gable ends," and elsewhere about the stations, there is space available for advertising.

19.—**comme des cartes:** i.e. the newspaper references were as clear as if cards of announcement had been sent around.

20.—**R. P.:** *Révérend Père.*

21.—**obole:** "the widow's mite," a small contribution meritorious because of the poverty of the giver (see *Mark* XII, 41-44).

22.—**chevalier:** the *chevalier*, or knight, was rated lowest in the hierarchy of nobility, but the rank had practically died out by the nineteenth century. As a rank in the order of the Legion of Honor, however, it still exists.

23.—**Charles X:** King of France (1824-1830) overthrown by the revolution of July. He was the last king of the elder branch of the Bourbon dynasty, and under him the old nobility enjoyed privileges and a prestige that were lost under his successor, the bourgeois king Louis-Philippe.

24—**Caleb:** the name of a character in Scott's *Bride of Lammermoor*, become proverbial as the type of the faithful old servant.

25.—**Halles:** les Halles are the central markets of Paris.

Nausicaa

1.—The background for this story is furnished by Homer's *Odyssey*, which recounts the adventures of Ulysses after the fall of Troy. The following summary gives the points essential to the comprehension of *Nausicaa.*

Ulysses, husband of Penelope and father of Telemachus, came from Ithaca, a Greek island in the Ionian Sea. He distinguished himself at the siege of Troy, but after the fall of the city a malignant destiny kept him wandering for twenty years before he succeeded in regaining Ithaca. He visited the island of the lotus-eaters (Lotophagi), who lived on a plant that produced forgetfulness of the past and indifference as to the future. Sailing next to the western coast of Sicily, he entered, with twelve companions, the cave of the Cyclops Polyphemus. This giant devoured six of Ulysses' companions and kept the rest prisoners; but Ulysses, having made the giant drunk and deprived him with a burning pole of his one eye, made good his escape, with his companions, by concealing himself and them under the bodies of sheep which the Cyclops let out of his cave. He visited Telepylos, the home of the Laestrygons, where the gigantic and ferocious inhabitants killed and ate some of his companions. After his escape he was carried to the island of Aea (*Ea*), where lived the sorceress Circe. Some of his companions were changed into swine by the wand of Circe, but Ulysses received from the god Hermes a plant called moly, which enabled him to resist her enchantments and restore his companions to their original shape. Later he passed the island of the Sirens, who sang enticing songs to lure sailors to shipwreck; but he remained unscathed by filling his companions' ears with wax and tying himself to the mast while within earshot of the island. At the island of Thrinacia (*l'île du Soleil*) his companions killed some of the oxen of Helios, the Sun God, and as a consequence their ship was wrecked by lightning; but Ulysses escaped to the island of Ogygia, inhabited by the nymph Calypso. After a long stay here he set out again on a raft, but a final wreck cast him on Scheria, the island of the Phaeacians (*Phéaciens*), where he was discovered by Nausicaa, daughter of the king Alcinous, under conditions detailed in Lemaître's story. The Phaeacians provided him with a ship which conveyed him to Ithaca.

Meanwhile his son Telemachus had grown to manhood, and the faithful Penelope had rejected all offers of marriage from importunate suitors who were devouring the substance of the absent Ulysses. The latter, arriving disguised as a beggar, made himself known to Telemachus, and a plan was contrived whereby Penelope promised her hand to the one of the suitors who could draw the bow of Ulysses. All failed; Ulysses then stepped up, drew the bow, and with it slew all the suitors.

The atmosphere of the *Odyssey* is well maintained in Lemaître's story by the use of Homeric stock epithets—"l'ingénieux Ulysse," "la mer poissonneuse," and by other echoes.

2.—**qu'est-ce que cela fait:** "what matter?"

3.—**le puissant époux de Héra:** i.e. Zeus, the greatest of the gods. Zeus and Hera correspond to the Roman Jupiter and Juno.

4.—**Dulichios . . . . Zacynthe:** Dulichion (*Dulichios*), a territory on the mainland just east of Ithaca; Samos and Zacynthus, islands close to the south of Ithaca.

5.—**s'en fut à la découverte:** "went exploring."

6.—**Neptune:** the god of the sea. Strictly speaking he should here be called Poseidon, his Greek name, instead of by the Latin name.

7.—**Priam:** king of Troy, killed upon the capture of the city.

8.—**Ménélas, Agamemnon:** Menelaus was king of Lacedaemon and husband of Helen, whose carrying away by Paris led to the Trojan war. He and his older brother Agamemnon were leaders among the Greeks at the siege, Agamemnon being the commander-in-chief.

9.—**Ilion** (Ilium): Troy.

Jose et Josette

1.—**la fête de la paroisse:** i.e. the feast of the patron saint of the town.

2.—**Jose tira au sort:** i.e. he was called upon for military service under a law similar to the one described in note 13 on *Un Accident*.

3.—**la quantité d'or . . . . manches:** rank in continental armies is indicated by stripes or other insignia on the sleeves, in the case of commissioned officers in gold or silver.

4.—**bas de laine:** "a stocking" full of money, a "nest-egg," i.e. inheritance.

L'Ermitage du Jardin des Plantes

1.—**Jardin des Plantes:** the botanical and zoological gardens of Paris, situated on the Left Bank, and extending from the rue Geoffroy Saint-Hilaire to the river; farther down the river lived Anatole France himself (Pierre in this story). The site of his house on the Quai Malaquais is now occupied by the École des Beaux-Arts.

2.—**culottes fendues:** breeches with a vertical split in the rear, for natural conveniences; for very small children.

3.—**Vie des Saints:** there are many such works; perhaps this one was a *Bollandiste* (cf. *Un Accident,* note 5).

4.—**saint Siméon Stylite:** three saints by this name lived, from motives of piety, on the tops of pillars; the first of the series, a fifth century Syrian, occupied this position for thirty years.

5.—**fontaine:** here, a tank for water, with a tap beneath.

6.—**saint Nicolas de Patras:** the saint that seems indicated here is Nicholas of Patara, in Lycia, Asia Minor, rather than Patras, Greece. This Nicholas, bishop of Myra, Lycia, in the third century, became the patron saint of children, and legends of his generosity led to the custom of giving secretly on the eve of Saint Nicholas, a custom later transferred to Christmas.

7.—**Labre:** a Frenchman (1748-1783) and Carthusian monk.

8.—**les fils de saint François:** i.e. the Franciscan monks, an order founded about 1210 by Saint Francis of Assisi.

9.—**Antoine et Jérôme:** Saint Anthony (251-356), an early hermit of the Thebaid, in Upper Egypt, is celebrated for his resistance to temptations; Saint Jerome (340?-420), especially noted for his translation of the Bible into Latin (the Vulgate), also spent some years of his life as a hermit.

10.—**Paul l'Ermite:** (228?-341?) the first hermit, and a long resident of the Thebaid.

11.—**sainte Marie l'Égyptienne:** (*ca.* 345-421) after a youth spent in debauchery in the city of Alexandria, Egypt, St. Mary the Egyptian went on a pilgrimage to Jerusalem, and thereafter spent a solitary and austere life in the wilderness near the Jordan river.

12.—**le cèdre du Liban:** a specimen of the famous Cedars of Lebanon, brought to France in the first part of the eighteenth century and planted in the Jardin des Plantes.

13.—**la maison flottante du Patriarche:** Noah's ark.

14.—**le roi d'Yvetot:** an allusion to the poem of Béranger (1780-1857). It begins:

> Il était un roi d'Yvetot
> Peu connu dans l'histoire,
> Se levant tard, se couchant tôt,
> Dormant fort bien sans gloire.

The *roi d'Yvetot* is the type of contented and unambitious person.

Gestas

1.—**dixt li Signor:** "dit le Seigneur" (Old French).

2.—**Augustin Thierry:** a famous French historian, noted for his *Récits des temps mérovingiens*, and other works (1795-1856).

3.—**entre le Panthéon et le Jardin des Plantes:** the Panthéon is a monument built as a church but secularized by the Revolution and made the burial place of famous men. It is situated on the Left Bank, on the summit of the old Mount Saint Genevieve. For the Jardin des Plantes, cf. *L'Ermitage*, note 1.

4.—**Silène:** Silenus, the Satyr of classical mythology, is represented as a jovial old man with a round paunch, a bald head, and a wide, stubby nose.

5.—**Petit More:** "At the Sign of the Little Moor," a drinking shop with a painted Saracen's head as a sign.

6.—**la Creuse:** the name of a department in the center of France, from which these workmen hailed.

7.—**gabs:** the name applied to the jesting braggadocio in which the Peers of Charlemagne used to indulge.

8.—**le vieil homme:** not here in the literal sense, but "the former self," "the old sinful nature." Cf. *Epistle to the Romans*, VI, 6.

9.—**"Pleurez . . . . Jérusalem":** the words of Christ to the women who followed him lamenting, as he was being led away to crucifixion (*Luke* XXIII, 27, 28).

10.—**sept péchés:** the seven cardinal sins, as recognized in Church doctrine since the time of Gregory the Great (Pope 590-604), are: pride, covetousness, lust, envy, gluttony, anger, sloth.

11.—**noire comme la sulamite:** the Shulamite is the Bride, the heroine of the Biblical *Song of Songs* (*Song of Solomon*). Cf. "I am black, but comely, O ye daughters of Jerusalem, as the tents of Kedar, as the curtains of Solomon," the words of the Bride (*Song of Songs* I, 5).

12.—**la mère de François Villon:** François Villon is the great French lyric poet and vagabond of the 15th century. The *Ballade que feit Villon à la requeste de sa mère* is a prayer to the Virgin, put in the mouth of his mother, and contains these lines:

> Femme je suis povrette et ancienne,
> Qui riens ne sçay, oncques lettre ne leuz;
> Au monstier voy dont suis parroissienne,
> Paradis painct, où sont harpes et luz,
> Et ung enfer où damnez sont boulluz:
> L'ung me faict paour, l'autre joye et liesse.

13.—**bouillus:** bouillis, "boiled."

14.—**larmes de Saint Pierre:** tears of repentance, like those of Peter after denying Christ (*Luke* XXII, 61, 62).

15.—**c'est pire qu'en 93:** in 1793 the Revolutionary government abolished the worship of God and established the cult of Reason.

16.—**Barrabas:** the robber whom Pilate offered to the Jews for crucifixion in place of Jesus (see *Matthew* XXVII, 15-17).

17.—**sacré nom de Dieu:** a deliberately startling juxtaposition of an expression of piety with a strong oath.

18.—**ce sont les œuvres . . . . manqueraient:** cf. *Epistle of James,* II, 26: "For as the body without the spirit is dead, so faith without works is dead also."

19.—**prédestination . . . . du grand Arnaud:** the doctrine of predestination holds that certain men are foreordained by God to salvation. *Saint Augustine* (354-430) was the greatest of the Church Fathers, and author of famous *Confessions* and theological treatises. *Gottschalk* (*Gotesiale*) of Orbais was a Benedictine theologian of the 9th century who took a conspicuous part in a controversy on predestination and grace. The *Albigensians* (*Albigeois*) were members of a religious sect of the south of France, against whom Pope Innocent III proclaimed a crusade in 1209. The *Wycliffites* (*wiclefistes*) were followers of John Wycliffe (died 1384), an English reformer and precursor of the Reformation. The *Hussites* were followers of John Huss (1369-1415), himself a follower of Wycliffe. *Luther* (1483-1546) was the great leader of the German Reformation. *Calvin* (1509-1564) was a French Protestant reformer of Geneva, and founder of a large branch of the reformed doctrine. *Jansen* (*Jansénius,* 1585-1638) was a Dutch theologian whose chief work dealt with the problems of grace, free will, and predestination. *Le Grand Arnaud* (1612-1694) was a French theologian who defended Jansenism against the Jesuits.

Le Jongleur de Notre-Dame

1.—**Le Jongleur de Notre-Dame:** for the source of this story, see *Introduction,* p. 24.

2.—**au temps du roi Louis:** with seventeen Louis as kings of France, this indication is not very precise; probably Louis VII (king 1137-1180) is meant.

3.—**Compiègne:** an old city northeast of Paris, in the department of l'Oise. Cf. *La Partie de billard,* note 2.

4.—**Marie de France:** a French poetess of the 12th or 13th century, who composed a series of *Lais* and *Fables.* The fable referred to here is called *D'un Gresillon è d'un Fromi*—"The Cricket and the Ant"; the same subject is treated in La Fontaine's *La Cigale et la Fourmi* (*Fables,* I, 1).

5.—**Samson:** the story of Samson and Delilah is to be found in *Judges* XIV-XVI.

6.—**un fol dans quelque mystère:** the *mystères* were religious plays of the Middle Ages; in them there were usually comic parts, the buffoon being called a *fol* (*fou*).

7.—**Soissons, Beauvais:** cities respectively a short distance east and a short distance west of Compiègne.

8.—**que la paix . . . . terre:** from the greeting of the angels to the shepherds at the Nativity of Christ—"on earth peace, good will toward men." The literal translation of the Greek gives "men of good pleasure," which more nearly renders "hommes de bonne volonté." (*Luke* II, 14.)

9.—**Marie l'Égyptienne:** see *L'Ermitage,* note 11.

10.—**le trône de Salomon:** the throne of Solomon is described in I *Kings* X, 18-20.

11.—**les sept dons du Saint-Esprit:** there has been great diversity among theologians as to the seven "gifts of the Spirit," or cardinal virtues, but since the time of Saint Augustine there has been some agreement on the following: wisdom, fortitude, temperance, justice (the virtues of the ancients), and faith, hope, and charity (the Christian virtues). But the virtues given here more closely parallel the gifts of the spirit given in *Isaiah* XI, 2.

12.—**le Puits d'eaux vives . . . . Vierge:** the allegorical interpretations of the *Song of Songs* have been many, those identifying the Bride with the Church and with the Virgin being prominent. The allusions in this passage may be found in *Song of Songs* II, 1; IV, 12, 15; V, 13; VI, 10; *Genesis* XXVIII, 17.

13.—**le prophète:** Solomon, *Song of Songs* IV, 12.

14.—**Psalm. XXI, 11:** the division into chapters of the Vulgate version differs from that of the King James; in the latter the reference is *Psalms* XXII, 10.

15.—**un Picard:** Picardy was an ancient province of France to the north of Paris. The Picards spoke a dialect differing from that of the Île de France which became the standard of France.

16.—**heureux . . . . Dieu:** a combination of two of the Beatitudes: "Blessed are the poor in spirit: for theirs is the kingdom of heaven.—Blessed are the pure in heart: for they shall see God." (*Matthew* V, 3, 8.)

VOCABULARY

From the vocabulary have been omitted:

1) The first 200 words of the Henmon word list. These are words of such frequent occurrence that a very slight reading experience must familiarize the student with them.

2) All pronouns; possessive, demonstrative, interrogative, and numeral adjectives; days of the week and months of the year.

3) Words closely resembling the English in orthography, when the meaning is the same. This includes many cognates such as those ending in **-ité** for *-ity*, **-eux** for *-ous*, adverbial **-ment** for *-ly*, etc.

4) Adverbs in **-ment** when the adjective is given and no new idea is introduced.

5) Inflected forms. Feminine forms of adjectives, when not formed simply by adding **-e**, are given under the masculine.

Some words falling within the above categories are included for considerations of idiom or special use, but some of the commonest idioms and those readily understandable by inspection are omitted.

Abbreviations used: adj., adjective; *adv.*, adverb; *esp.*, especially; *f.*, feminine; *fam.*, familiar; *impers.*, impersonal; *m.*, masculine; *n.*, noun; *pl.*, plural; *pop.*, popular.

A

abaisser to lower
abasourdir to stun, dumbfound
abattement *m.* dejection, prostration
abattre to knock down, beat down; **s'— sur,** to fall upon, descend upon
abîme *m.* abyss
abord *m.* access, approach; **d'—,** at first
aborder to land; to approach
aboutir to end, issue
abréger to abridge, shorten
abri *m.* shelter; **à l'— de,** sheltered from
abriter to shelter
abrutir to stupefy, besot
absoudre to absolve, give absolution
acajou *m.* mahogany
accablement *m.* dejection, languor, discouragement
accabler to overwhelm, crush
accent *m.* tone, accent
accentué accented, accentuated
accès *m.* access, attack
accompagner to accompany
accomplir to accomplish, make, do
accorder to grant, allow; **s'—,** to agree, correspond, fit
accourir to run up
accoutumer to accustom; **s'—,** to become accustomed
accrocher to hang up, hook on; **s'—** ,to hang on, cling
accroître to increase; **s'—,** to grow, increase, improve
accroupir (s') to crouch, squat
accueillir to receive, entertain
acheter to buy
achever to finish, complete
acier *m.* steel

acquérir to acquire
acquéreur *m.* buyer
acquitter to acquit; to pay; **s'— d'une dette,** to pay a debt
âcre sharp, acrid
actuel, -le present
actuellement at present
acuité *f.* acuteness, keenness
adjoindre (s') to associate with one's self, add to the staff
adjoint *m.* deputy mayor
admettre to admit; to allow, approve
adoucir to soften
adresse *f.* skill
adresser to address; **s'— à,** to apply to, appeal to
advenir to occur, befall; **ce qu'il en est advenu,** what has become of him (her)
ægipan *m.* aegipan, satyr, imp
affaiblir to weaken; **s'—** to grow weaker
affaire *f.* affair, matter; *pl.* business
affaisser (s') to sink down collapse
affectueu-x, -se affectionate
afficher to post, placard
affligeant distressing, harrowing
affliger to afflict, distress
affluence *f.* crowd, numbers
affluent *m.* tributary (river)
affoler to madden
affreu-x, -se frightful, dreadful
affût *m.* gun-carriage
afin de, afin que so as, in order that
agacer to provoke, exasperate
agenouiller (s') to kneel
agir to act; **s'—,** *impers.* to be a question of
agissement *m.* conduct, activity
agiter to agitate, stir up, move, set in motion, wave; **s'—,** to stir, move, be restless
agonie *f.* death agony
agoniser to be dying; (*pop.* for **agonir**) to torment
agrandir to enlarge, open wide
aigle *m.* eagle
aigre sour, bitter, sharp
aigri embittered
aigu sharp, keen; shrill
aiguille *f.* needle; hand (watch or clock)
aiguillette *f.* shoulder knot
ail *m.* garlic
aile *f.* wing
ailleurs elsewhere; **d'—,** besides, furthermore
aimable lovable, amiable
aîné *adj.* & *n.* oldest, older son (daughter)
airain *m.* bronze, brass
ais *m.* board, plank
aise *f.* contentment, ease; **à l'—,** at ease; unhampered
aisément easily
ajouter to add
albâtre *m.* alabaster
alcool *m.* alcohol, alcoholic drink
alentour around, about; **d'—,** neighboring, surrounding
aligné in line
aliment *m.* food
allée *f.* passage, lane
allégresse *f.* light-heartedness, joy
allonger to extend, lengthen
allumer to light
allure *f.* gait, pace; carriage, demeanor
alors que when
alouette *f.* lark (bird)
alourdir to make heavy, dull
alti-er, -ère proud, stately
amande *f.* almond
amandier *m.* almond tree
amant *m.* lover, wooer; **-e,** *f.* sweetheart, mistress
amarrer to moor, make fast
amas *m.* mass, heap
ambiant ambient, surrounding
ambulant ambulatory, itinerant, walking
âme *f.* soul
amener to lead, bring; *pop.* to draw
am-er, -ère bitter
ameublement *m.* furnishings, furniture
amitié *f.* friendship, liking
amonceler to heap up

amoncellement *m.* heap, accumulation
amorce *f.* priming, percussion cap
amour *m.* love; figure of Cupid; —-**propre,** self-respect, self-interest
amoureu-x, -se in love; *n.*, lover, suitor
ampleur *f.* amplitude, wideness
amputer to amputate
anachorète *m.* anchorite, recluse
analogue analogous, similar
ancien, -ne former, old; *n. m.* ancient, elder
ancre *f.* anchor
anéantir to annihilate, prostrate
ange *m.* angel
anglais English; **à l'anglaise,** in the English manner
angle *m.* angle, corner
angoisse *f.* anguish
anguille *f.* eel
anhélation *f.* gasp, breathlessness
anneau *m.* ring
année *f.* year
ânonner to blunder through, recite falteringly
anse *f.* handle (of basket, pot, etc.)
antithétique antithetic, contrasting
antre *m.* den
apaiser to appease, soothe, calm
apercevoir to perceive, notice, observe; **s'—,** to notice
aplatir to flatten
apostolat *m.* apostleship
apôtre *m.* apostle
apparaître to appear
appareil *m.* equipment, apparatus; display, magnificence
apparemment apparently
apparence *f.* appearance
appartenir to belong
appel *m.* call; roll-call
appesantir to weigh down, make heavy
applaudissement *m.* applause; *esp.* in *pl.*
appliquer to apply; **s'— à,** to apply one's self to, make it a study to
appointements *m. pl.* salary
apporter to bring
appréciation *f.* judgement, opinion
apprécier to appreciate, esteem
apprendre to learn; to instruct, inform of, teach
apprêter to prepare
approcher to bring near; to come near; **s'— de, — de,** to approach, come near to
approuver to approve, agree
appui *m.* prop, support; sill (window)
appuyer to press, lay, support against, rest; **s'—,** to lean
après-demain day after to-morrow
après-dîner *m.* afternoon
après-midi *m. or f.* afternoon
aquarelle *f.* watercolor
ara *m.* macaw (kind of parrot)
araignée *f.* spider
arbre *m.* tree;— **aérien,** respiratory tract
arbuste *m.* shrub
archimillionnaire *n. & adj.* multimillionaire
archimiraculeu-x, -se supremely miraculous
arête *f.* fishbone
argent *m.* silver; money
argot *m.* slang, jargon
argumenter to argue
armer to arm; to cock (a gun)
armoire *f.* wardrobe, case
armure *f.* armor
arracher to snatch, tear out, tear away
arrêté *m.* decision, order
arrêter to stop; to resolve upon, decide; **s'—,** to stop, come to a stop; to pause, dwell upon
arrière behind, back; *n. m.* back part, rear, stern; —-**boutique** *f.* back shop
arrivée *f.* arrival
arrondir to round, round out
arroser to water
artère *f.* artery
ascendance *f.* rise, increase; **en—,** on the increase
ascenseur *m.* elevator
asile *m.* refuge, retreat

aspect *m.* appearance
assemblée *f.* meeting, assembly, congregation
asseoir to seat; **s'—**, to sit, sit down
assez enough; rather; considerable
assiette *f.* plate
assis seated
assistance *f.* assistance; audience
assister to be present, attend; to accompany; to help
assombrir (s') to become dark, cloud
assommer to overpower, beat to death
assoupir (s') to doze, to fall asleep
assourdir to muffle, lower (voice)
assurément assuredly, surely
assurer to make certain, establish; to assure; to declare
astuce *f.* craft, cunning, astuteness
atelier *m.* studio, workshop
atermoyant dilatory
âtre *m.* hearth
atroce cruel, atrocious
attacher to fasten, attach; **s'— à,** to cling to, fasten on to; to result from
attarder (s') to delay, loiter
atteindre to attain, reach
atteint attacked, affected; reached
attendre await, wait, wait for; **s'— à,** to expect
attendrir to touch, move, affect; to make tender
attendrissement *m.* tenderness
attentat *m.* criminal attempt, crime
attente *f.* waiting, expectancy
atterré cast down, dejected
attester to certify, attest, be witness to
attiédir to make lukewarm
attirer to attract, draw
attrister to sadden, cast down, depress
aube *f.* dawn
auberge *f.* inn
aucun no, none, not . . . any
audace *f.* audacity; insolence
auge *f.* trough
aujourd'hui to-day
aumônière *f.* alms-purse
auparavant before
auprès (de) near, beside
auréole *f.* halo
aurore *f.* dawn
aussitôt immediately
autant as much, as many, so much, as long; **— que** so far as; **d'— plus**, all the more
autel *m.* altar
auteur *m.* author
automate *m.* automaton
autour (de) around, about
autrefois formerly, in the past
autrichien, -ne Austrian
autrui others, other people
avaler to swallow
avance *f.* advance; **d'—,** in advance
avancer to advance, move forward; **s'—,** to advance one's self; to be ahead; to be well along, far spent (of time)
avanie *f.* insult, affront
avant before; *n. m.* front
avant-bras *m.* forearm
avant-garde *f.* vanguard
avare *m.* miser
avenir *m.* future
aventure *f.* adventure; chance; **à l'—,** at random
aventurer (s') to venture, risk one's self
averse *f.* shower
avertir to warn; to notify
avertisseur *m.* call-boy (theatre)
aveu *m.* avowal, confession
aveugle blind
aveugler to blind
avis *m.* opinion; advice
aviser to consult, consider; to notify; **s'—,** to notice, discover
aviver to sharpen, intensify, irritate; **s'—,** to become intensified, sharpen
avoine *f.* oats
avouer to confess, admit

B

babil *m.* prattle
babouche *f.* oriental slipper
badaud *m.* idler

badiner to trifle, play
bagarre *f.* brawl
bague *f.* ring
baguette *f.* wand
baie *f.* bay; bay-window
baigner to bathe
bain *m.* bath; **ville de —s,** watering place, spa
baiser to kiss; *n. m.* kiss
baisser to lower, sink; **se —,** to stoop, lower one's self
baladin *m.* mountebank, buffoon
balafre *f.* gash
balance *f.* balance, pair of scales
balancement *m.* swinging, swaying
balancer to balance, offset; to swing, sway
balancier *m.* pendulum
balayer to sweep
balbutier to stammer, mumble
balle *f.* bullet, ball
ballot *m.* bale, bundle
banc *m.* bench
bande *f.* band; cushion (billiards)
bandeau *m.* headband
bandelette *f.* band, fillet
banlieue *f.* suburban district, suburb
banque *f.* bank; banking
banqueroute *f.* bankruptcy
baptême *m.* baptism
baquet *m.* tub, bucket
barbe *f.* beard; feather (of a pen); *pl.* lappets (folds hanging from peaks of head-dress)
barbelure *f.* barbed tooth
barbiche *f.* goatee
barder to arm, dress in armor
bari *m.* sacred ship of Egyptian mythology
bariolé streaked, party-colored
barre *f.* bar, band, stripe
barreau *m.* bar
barrière *f.* stile, rail, barrier
bas, -se low; **en —,** below, down; **de — en haut,** from bottom to top
bas *m.* stocking
basalt *m.* basalt, dark volcanic rock
bas-côté *m.* lateral aisle (church)
basculer to swing, swing out, tip off
basque *f.* flap, coat-tail
bast bah!
bataille *f.* battle
batailleu-r, -se combative, pugnacious
bâtarde *f.* style of penmanship (cross between vertical and sloping)
bâtir to build
bâtisse *f.* construction, stonework
bâton *m.* stick, staff
battant *m.* leaf (door or table), **ouvrir à deux —s,** open wide
battement *m.* beating
batterie *f.* battery; scuffle, fight
battre to beat; **se —,** to fight
bavard talkative
bavardage *m.* prattle, gossip
bavarder to chatter, gossip, talk much
bavarois *adj. & n.* Bavarian, inhabitant of Bavaria (southern Germany)
bave *f.* drivel, slaver, foam
Bavière *f.* Bavaria (southern Germany)
bayadère *f.* East Indian dancing girl
béat blissful
béatitude *f.* state of bliss, beatitude
beau, bel, belle beautiful, handsome; **avoir — faire,** to do in vain, be useless to do
bec *m.* beak; jet (gas)
béguine *f.* devout woman; nun
belette *f.* weasel
bénéfice *m.* profit, advantage
bénir to bless; (past participle **béni** and **bénit**); **eau bénite,** holy water
bénitier *m.* font, holy water basin
berceau *m.* cradle
bercer to cradle, rock, lull
besace *f.* wallet, pouch
besogne *f.* task
besogner to labor, toil
besoin *m.* need; **avoir — de,** to need
bestiaux *m. pl.* cattle

bête *f.* beast; stupid person
bêtise *f.* stupidity; blunder; silly thing, absurdity
beuglement *m.* bellow
beurre *m.* butter
biche *f.* female deer; **pied de —**, claw-shaped chair leg
bidon *m.* can, cask
bien *m.* good; estate; *pl.* goods, property; **homme de —**, honest or virtuous man
bien-être *m.* well-being
bienheureu-x, -se blessed
bien que although
bientôt soon
bienveillance *f.* kindness, friendliness, benevolence
bière *f.* bier
bigarré streaked, party-colored
bijou *m.* piece of jewelry, trinket
billard *m.* billiards; billiard table
bille *f.* billiard ball; marble (for play)
billet *m.* ticket; note
biscuit *m.* biscuit, unglazed porcelain
bistouri *m.* bistoury, surgical knife
bitume *m.* bitumen
blafard dull, wan, pale
blague *f.* mockery, jesting, "kidding"
blanc, -he white; **mettre du —**, to chalk the cue (billiards); **nuit blanche**, sleepless night
blancheur *f.* whiteness
blanchir to whiten, turn white, be white; to whitewash
blé *m.* wheat
blême wan, pale
blessé *adj. & n.* wounded, wounded man
blesser to wound
blessure *f.* wound
bleu blue
bleuâtre bluish
bloc *m.* (*pop.*) prison, guard-house, lock-up
blouse *f.* smock, work jacket
boire to drink
bois *m.* wood; woods
boiserie *f.* wainscoting
boîte *f.* box, case; **— osseuse (du crâne)**, brain cavity
boiteu-x, -se lame
bombe *f.* bomb-shell
bondir to bound, leap
bonheur *m.* happiness, good fortune
bonhomie *f.* good nature
bonhomme *m.* good fellow, good man
bonne *f.* maid, nursemaid
bonnet *m.* cap; bonnet
bonté *f.* kindness, goodness
bord *m.* edge, border
bordé bordered, lined
bordée *f.* broadside; **tirer une —**, (*pop.*) to go on a spree
borduré bordered
borne *f.* boundary, limit
bosse *f.* hump; knob, protuberance
botte *f.* bunch, bundle
botte *f.* boot, high shoe
bouc *m.* he-goat
bouche *f.* mouth
boucher to stop, stop up
boucher *m.* butcher
boucherie *f.* butcher shop
bouclier *m.* buckler, shield
boudeu-r, -se sulky
boue *f.* mud
bouffée *f.* gust, puff
bouffer to puff, swell
bouge *m.* hovel, den
bouger to budge, stir, move
bougie *f.* candle
boule *f.* ball, sphere
bouledogue *m.* bull-dog
boulet *m.* ball, cannon-ball
bouleversement *m.* confusion, upheaval
bouleverser to overthrow, upset, throw into confusion
bouquet *m.* bunch, cluster, bouquet
bourdonnement *m.* buzzing, humming
bourdonner to hum, buzz
bourgeron *m.* short smock, jacket
bourgmestre *m.* burgomaster, mayor
bourrasque *f.* squall

bourrer to stuff, cram
bourse *f.* purse; Bourse, stock exchange
boussole *f.* compass
bout *m.* end; bit; **au — de** at the end of, after; **joindre les deux —s,** to make both ends meet; **à — de bras,** at arm's length
bouteille *f.* bottle; **vert —,** bottle green
boutique *f.* shop
bouton *m.* button; **— de manchette,** cuff-link
boutonnière *f.* buttonhole
brancard *m.* stretcher; shaft (of cart or litter)
brandir to brandish, wave
branle *m.* shaking, motion
branler to wag, shake
bras *m.* arm; **saisir à — le corps,** to seize around the body
brasier *m.* glowing coals or sticks
brave brave, dashing; honest, worthy
br-ef, -ève short, brief; quick, abrupt; in short (as *adv.*)
bréhaigne sterile, barren
bride *f.* bridle; **à — abattue,** at full speed
briller to shine
brin *m.* blade (of grass); sprig, bit, particle
briser to break; to wear out (with fatigue)
britannique British
broc *m.* pot, jug (or its contents)
brocatelle *f.* figured fabric of wool and silk
brodequin *m.* lace-boot
broder to embroider
broderie *f.* embroidery, embellishment
bronchiteu-x, -se (for **bronchitique**) bronchitic, afflicted with bronchial complaints
brosser to brush
brosseur *m.* officer's servant
brouette *f.* wheelbarrow
brouillard *m.* fog, mist
broussaille *f.* brush, brambles
broyer to grind, crush
bru *f.* daughter-in-law
bruissement *m.* rattling, noise
bruit *m.* sound, noise; rumor
brûler to burn; **— la cervelle,** to blow out the brains
brûlure *f.* burn, burning
brumeu-x, -se misty, shadowy
brun *adj.* & *n.* brown, dark, dark-complexioned person
brunir to brown, make brown
brusque abrupt, sudden, brusque
brusquerie *f.* suddenness, abruptness
bruyant noisy, clattering
bruyère *f.* sweetbrier
bûche *f.* log
bûcher *m.* woodshed
buée *f.* reek, mist
buisson *m.* bush
buissonneu-x, -se bushy
bureau *m.* desk; office
but *m.* end, object, purpose

C

çà here; **— et là,** here and there, to and fro; **ah — !,** come now!
cabalistique cabalistic, mystic
cabane *f.* hut, shed
cabaret *m.* wine shop
cabinet *m.* cabinet; office
cabrer (se) to rear
cabriolet *m.* cab, cabriolet
cacher to hide
cachot *m.* dungeon
cadavre *m.* corpse
cadeau *m.* gift
cadet, -te *adj.* & *n.* youngest, younger son (daughter)
cadran *m.* dial, face (of a clock)
cadre *m.* frame
café *m.* coffee; coffee house, café; **— au lait,** coffee with milk; the corresponding color.
café-concert *m.* cabaret, restaurant-theatre
caillou *m.* pebble, stone
caisse *f.* case, chest, coffer, till; **— d'épargne,** savings bank
caissier *m.* cashier, treasurer
caisson *m.* ammunition wagon
calcul *m.* calculation, estimate
calèche *f.* open carriage

calendrier *m.* calendar
calligraphique calligraphic, of penmanship
camarade *m.* & *f.* comrade, mate; **— de pièce,** room-mate
cambrer to arch, bend
camisole *f.* bodice; **— de force,** straitjacket
campagnard *m.* rustic, country person
campagne *f.* country; campaign
camper to camp; **se —,** to plant one's self, stand before
camus flat-nosed
candeur *f.* simplicity, ingenuousness
canicule *f.* dog-days (July 22–Aug. 23)
canif *m.* pocketknife
canne *f.* cane
canon *m.* cannon; barrel (of gun)
canot *m.* boat
canoti-er, ère rower, boater
cantinière *f.* canteen woman, sutler
cantique *m.* canticle, hymn
capitonné padded
capote *f.* overcoat (military), cloak
caqueter to cackle
carabine *f.* carbine, short rifle
carafon *m.* small carafe, decanter
carré square
carreau *m.* window-pane
carrefour *m.* cross-roads
carrément squarely, straightforwardly
carrosse-lit *m.* carriage supplied with bed, sleeping carriage
carrure *f.* breadth (of shoulders)
carte *f.* card, visiting card (**— de visite**)
cas *m.* case; **dans tous les —,** in any case
caserne *f.* barracks
caserner to quarter, barrack
casquette *f.* cap
casser to break, crack
casse-tête *m.* blackjack, billy
casuel *m.* perquisites, casual revenue
cauchelimarde (**cochelimarde**) *f.* kind of sword
cauchemar *m.* nightmare
cause *f.* cause; case, trial
causer to cause; to chat
causerie *f.* talk, chat
caution *f.* bail
cave *f.* cellar
caveau *m.* vault
céder to yield
cèdre *m.* cedar
ceint encircled, surrounded
ceinture *f.* belt; waist; **chemin de fer de —,** railroad going around the outskirts of a city
céladon *adj.* & *n. m.* pale green
célèbre famous
célébrer to celebrate, praise
céleste celestial, heavenly
célibataire *adj.* & *n.* unmarried person, bachelor
cendre *f.* ashes
cep *m.* vine-stalk
cependant however; meanwhile
cercle *m.* circle; club
cercler to loop, hoop
cercueil *m.* coffin
cerner to encircle, surround
certes indeed, most certainly
cerveau *m.* brain
cervelle *f.* brains, head
cesse *f.* ceasing, cessation, respite
cesser to stop, cease
chagrin *m.* sorrow, trouble, grief; *adj.*, sad
chair *f.* flesh
chaire *f.* throne; pulpit
chaise *f.* chair
châle *m.* shawl
chaleur *f.* heat, warmth
chamarré bedizened, decked out
chambre *f.* room
chambrette *f.* little room
champ *m.* field
champignon *m.* mushroom; fungus (medical)
chance *f.* (good) fortune, luck
chanceler to stagger, totter; to waver, falter
chandelle *f.* candle
chanoinesse *f.* canoness
chanson *f.* song
chanter to sing

chantier *m.* stone-yard, open-air workshop; **sur le —,** at work, on the job
chanvre *m.* hemp
chapardeur *m.* thief, marauder
chapeau *m.* hat; **— à claque,** cocked hat
chapelet *m.* rosary, chaplet
chapitrer to lecture, reprimand
char *m.* chariot; hearse
charcuter to hack, hack off
charge *f.* charge; burden, expense, obligation
charger to charge; to load; to commission, entrust; **se — de,** to undertake
charmille *f.* bower, bowered lane
charnel, -le carnal, of the flesh
charretée *f.* cartload
charrette *f.* cart
charrier to cart; to carry down (of a river)
chasser to chase, hunt, drive
chat *m.* cat
chatouiller to tickle
chaud warm, hot; **avoir —,** to be hot (of persons); **faire —,** to be hot (of weather)
chauffer to warm, heat; to grow warm; **cela chauffe,** things are getting warm
chaume *m.* stubble, stubble field; thatch
chaumière *f.* thatched cottage
chaussée *f.* causeway, highway, street
chausser to put on (the feet)
chaussette *f.* sock
chauve-souris *f.* bat
chaux *f.* lime; **blanchir à la —,** to whitewash
chef *m.* chief; **— de bataillon,** major, *commandant*
chemin *m.* road, way; **— de fer,** railway
cheminée *f.* fireplace; chimney
cheminer to proceed, walk
chêne *m.* oak
ch-er, -ère dear
chercher to look for, search; to try
chéri beloved, dear, cherished
cheval *m.* horse
chevelure *f.* hair, head of hair
chevet *m.* head (of bed, or person in lying posture)
cheveu *m.* hair (*esp. pl.*)
cheville *f.* ankle
chien *m.* dog; hammer, cock (firearms)
chiffonné piquant
chiffonner to rumple; to vex, annoy
chiffre *m.* figure, number, total
chignon *m.* hair twisted behind, chignon
chimère *f.* chimera, mythical monster
chimérique chimerical, delusive, fantastic
chirurgical surgical
chirurgien *m.* surgeon
choc *m.* shock, collision
chœur *m.* chorus
choir to fall
choisir to choose
choix *m.* choice; **de —,** choice (*adj.*)
chômer to be out of work; to lie fallow
choquer to clash, strike against, clink (glasses); to shock, disturb
chou *m.* cabbage
Christ *m.* Christ; crucifix
chuchotement *m.* whisper, whispering
chuchoter to whisper
chute *f.* fall
cible *f.* target
cicatrice *f.* scar
ciel *m.* sky, heaven; *pl.* **cieux,** heavens
cierge *m.* wax candle, taper
cigale *f.* cicada; grasshopper
cil *m.* eyelash
cilice *m.* haircloth shirt
cime *f.* top, peak
cinquantaine *f.* half hundred, age of fifty
ciseau *m.* chisel
cité *f.* city; old city
citer to cite, quote
cithare *f.* zither (musical instrument)
civière *f.* stretcher

clair clear, bright, light-colored; **— de lune** *n. m.* moonlight
clairière *f.* glade, clearing
clair-obscur *m.* chiaroscuro, light and shade
clairon *m.* bugle
clamer to clamor
clapotement *m.* plashing, slapping
clapoter to plash, slap
clapotis *m.* see **clapotement**
claquer to crack, slap
clarté *f.* light, clearness, brightness
classer to rate, class, classify
clavecin *m.* harpsichord
clef *f.* key
cligner to blink, wink
cliquetis *m.* clank, clatter
cloche-pied *m.* hopping on one foot
clochette *f.* small bell
clos closed, shut
clou *m.* nail, stud; (*fam.*, theatre) chief attraction, high spot
clouer to nail, fasten
cocher *m.* coachman
cochon *m.* pig
coco *m.* licorice water
codex *m.* pharmacopoeia, book of drugs
coffret *m.* small chest, casket
cohue *f.* mob, crush
coiffer to cap, to wear on the head
coiffure *f.* head-dress; **— de nuit,** nightcap
coin *m.* corner
coing *m.* quince
col *m.* collar
colère *f.* anger
coléreu-x, -se choleric, irascible
colis *m.* parcel, package
collège *m.* school (secondary)
coller to stick; to press against; (*pop.*) to inflict, "soak."
collet *m.* collar, neck
colline *f.* hill
colombe *f.* dove
colosse *m.* colossus, giant
colporter to peddle, take from door to door
comateu-x, -se comatose, insensible
combattre to oppose, combat
combien how much
combiner to combine, contrive, execute
comble *m.* top; **de fond en —,** from top to bottom
combler to heap, load; to crown; to overwhelm
commandement *m.* command; word of command
commander to order, command
commencement *m.* beginning
commère *f.* goodwife, gossip
commode convenient; easy-natured, accommodating
commodité *f.* convenience
communauté *f.* community; monastery
communier to receive the sacrament, communicate
compagne *f.* (female) companion
compagnie *f.* company
compassé formal, stiff, restrained
compasser to proportion, regulate
complaisant obliging, indulgent, kind
complice *adj.* & *n.* accomplice, privy to, accessory to
comprendre to understand; to include
compte *m.* account, score, reckoning; **se rendre — de,** to comprehend, get a clear idea of; **se tromper sur le — de quelqu'un,** to be mistaken about some one
compter to count; to believe; **à — de,** from, dating from
comptoir *m.* counter
concevoir to conceive
concours *m.* competition, rivalry
conduire to conduct, guide; to drive (a carriage); **se —,** to behave
conduite *f.* conduct
conférence *f.* lecture; conference
confesse (*after* **à** *or* **de**) confession (to a priest)
confiance *f.* confidence; **de —,** confidently
confidence *f.* disclosure, confidence; **faire —,** to confide, tell
confier to confide, entrust
confiteor *m.* (Latin) formal prayer of confession

confondre to confuse, mix, confound
confrère *m.* colleague
confusément vaguely, confusedly
congé *m.* leave, permission; discharge (military); **prendre —,** to take leave
congédier to dismiss, discharge
conjoint *m.* **-e** *f.* spouse, married partner
connaissance *f.* knowledge, acquaintance; consciousness
conquérir to conquer
consacrer to devote
conscience *f* conscience; perception, awareness
conseil *m.* council; counsel, advice
consentment *m.* consent
conservateur *m.* keeper, custodian; *adj. & n.* conservative
conserver to preserve, keep
consigne *f.* orders, password; **forcer la —,** to force the sentry, infringe orders
consommateur *m.* drinker, customer (in a café)
constant fixed, unwavering, constant
constat *m.* formal authentication
constater to observe, ascertain; to establish, certify
constellé studded, strewn
construire to build, construct
consultant *m.* consulter, patient
contenir to contain, restrain
contenu *m.* contents
conter to tell, recount
continu continuous, steady
contraindre to constrain, oblige; *past participle,* contraint, constrained, stiff
contrariant vexatious, provoking
contrarier to oppose; to be in constrast to; to annoy
contrée *f.* countryside, region
convaincre to convince
convenable suitable; proper, decent
convenances *f. pl.* propriety, decency
convenir to agree, agree upon; to be suitable
conversion *f.* turn; wheeling
convive *m. & f.* guest
convoi *m.* funeral procession
convoiter to covet
cophte *m.* Coptic, ancient Egyptian language
copieu-x, -se copious, liberal
coq *m.* rooster; **rouge comme un —,** red as a rooster's comb
coquillage *m.* shell fish
coquille *f.* shell; guard (of a sword)
corbeau *m.* crow
corbillard *m.* hearse
cordage *m.* rope, cable
corde *f.* string, rope
cordelette *f.* small cord, braid
cordon *m.* cord, ribbon, bell-pull
cornet *m.* horn, conch
cornouiller *m.* cornel, dogberry (tree or wood)
corps *m.* body; corps; **à — perdu,** headlong; **— à —** *m.* hand-to-hand fight
corriger to correct; **se —,** to reform
corromperie *f.* (for **corruption**) corruption, depravity, perversity
corse *adj. & n.* Corsican
cortège *m.* procession
côte *f.* rib, side; slope; coast; **— à —,** side by side
côté *m.* side; **à — de,** beside; **du — de,** in the direction of, toward, by; **mettre de —,** to put aside; **à ses côtés,** beside him
coteau *m.* slope, little hill; vineyard
côtoyer to border, skirt
cou *m.* neck
couchant *m.* west
couche *f.* bed
coucher to lay, lay down; to spend the night; **se —,** to lie down, go to bed
coude *m.* elbow
coudoiement *m.* elbowing, press
coudoyer to elbow
coudre to sew
coulée *f.* flowing; tapping (of molten metal)
couler to flow; to pour; to pass, spin out; **se —,** to slip, steal, slide

couleuvre *f.* adder
couloir *m.* corridor, passage
coup *m.* blow, stroke, dash, shot; — **de pied,** kick; — **de main,** helping hand; — **de colère,** gust of anger; — **de vent,** gust, storm; — **de feu,** fire (gun), action; — **de sang,** stroke, rush of blood to the head; — **de poing,** blow with the fist; — **d'œil,** glance; — **sur —,** one after another; **manquer son —,** to miss, fail; **d'un seul —,** at one swoop; **du premier —,** at the very first; **à ce —,** at this, thereupon; **tout à —,** all of a sudden; **tout d'un —,** all at once
coupable guilt, blameworthy
coupe *f.* cut; shape; **faire sauter la —,** to cheat at cards
coupe *f.* goblet, chalice
couper to cut, break; to interrupt, cut off
cour *f.* court; yard, courtyard; **faire la — à,** to court
couramment currently, in common practice
courant current, present
courant *m.* current
courber to curve, bend over; **se —,** to bow, stoop, humble one's self
courbure *f.* curve
courge *f.* gourd, pumpkin
courir to run
couronne *f.* crown; wreath
cours *m.* course, continuation
course *f.* race, flight, course
court short
courtiser to court
couteau *m.* knife
coûter to cost; **en —,** to be hard, cost
couvent *m.* monastery
couvrir to cover
cracher to spit
crainte *f.* fear
crainti-f, -ve apprehensive
crampon *m.* hook, hold-fast
cramponné clinging to
crâne *m.* skull, head
crâne bold, haughty
craquelé *m.* crackled enamel
crasse *f.* filth, layer of dirt
crasseu-x, -se filthy
crayeu-x, -se chalky
créer to create
crépitation *f.* crackling
crépusculaire (*adj.*) twilight
crépuscule *m.* twilight
cresson *m.* water-cress
cressonni-er, -ère of water-cress
crésus *m.* Croesus, very rich man
crête *f.* crest
creuser to dig, hollow, hollow out
creu-x, -se hollow, sunken, deep; *n. m.* hollow
crevassé split, gaping
crever to burst, crack, stave in, punch in; die (like a dog)
cri *m.* cry, shout; squeak
criard clamorous
cribler to riddle
cric *m.* jack (for lifting)
crin *m.* horsehair
crise *f.* crisis; attack, paroxysm
crisper to contract, shrivel
croasser to caw, croak
croc *m.* hook; *pl.* fangs
crochu hooked
croiser to cross
croître to grow, increase
croix *f.* cross
croquant *m.* good-for-nothing, wretch
croque-mort *m.* (*pop.*) undertaker
croquis *m.* sketch, rough draft
crosse *f.* butt-end (of a gun)
crouler to collapse, fall in, give way
croûte *f.* crust; **casser une —,** have a light lunch, "snack"
cru raw; harsh, coarse; **à — sur la pierre,** on the bare stone
crue *f.* rise, swelling, flood
cueillir to pick, gather
cuiller *f.* spoon; spoonful
cuillerée *f.* spoonful
cuir *m.* leather
cuirasse *f.* cuirass, breastplate
cuire to cook
cuisine *f.* kitchen; cooking, cuisine
cuisini-er, -ère *m.* & *f.* cook
cuivre *m.* copper
cuivré copper-colored
culotte *f.* breeches

culte *m.* worship
cultivateur *m.* farmer
culture *f.* culture; cultivated land
cupide greedy
curatif *m.* cure, curative agent
cure *f.* rectory, priest's house
cuve *f.* vat, tub
cuvette *f.* basin
cygne *m.* swan

D

daigner to deign, condescend, be so good as to
dalle *f.* slab, flagstone
damas *m.* damask, flowered silk
damasquiné damascened, inlaid with figures in another metal
dame *f.* lady, woman
davantage more
dé *m.* die (for playing)
débarrasser to rid
débarquer to land, disembark
débattre (se) to struggle, writhe
débitant *m.* retailer, vendor
débiter to recite, deliver
déborder to overflow; to project
déboucher to issue, come out; to uncork
debout standing
décédé *adj. & n.* deceased
décemment decently, with propriety
décence *f.* propriety, decency
déception *f.* deception; disappointment
décerner to award, bestow
décès *m.* decease, death
décharger to discharge
décharné emaciated
déchéance *f.* fall, decay
déchevelé dishevelled
déchiqueté tattered
déchirant piercing, harrowing
déchirement *m.* tearing, ripping
déchirer to tear
déchirure *f.* rent, tear
décidément decidedly, certainly
décoller to unfasten, unstick, release
décombres *m. pl.* ruins, rubbish
déconcerter to disconcert, confuse
découper to carve, cut, cut up; **se —**, to stand out, show up against
découverte *f.* discovery
découvrir to discover
décrié discredited, decried, disreputable
décrocher to unhook, take down; (*fam.*) to acquire
décroiser to uncross
décroissant decreasing
dédaigner to disdain
dédale *m.* labyrinth
dedans: (au —) within, inside
dédit *m.* forfeit
défaillir to weaken, fail, faint
défaire to undo, unmake
défait wasted, pale
défilé *m.* filing by, procession
défiler to file by, pass off; to rattle off, string off
défoncer to break, stave in, batter
défroque *f.* cast-off clothes
défunt *adj. & n.* deceased
dégagé free, graceful
dégager to extricate; **se —**, to release one's self from; to emanate
dégel *m.* thaw
dégénérescent degenerating
dégoût *m.* disgust
dégoûter to disgust
dégoutter to drip
degré *m.* step
dehors outside
déjà already
déjeuner to lunch, breakfast
délabrement *m.* shabbiness, dilapidation
délai *m.* extension of time, delay
délicatesse *f.* delicacy
délices *f. pl.* delight
délicieu-x, -se delicious, delightful
délier to untie
délire *m.* deliriousness, frenzy
déloger to dislodge
démailloter to unswathe
demain to-morrow
demande *f.* request; question; request for the hand in marriage

demander to ask; **se —**, to wonder; **être demandé,** to be in demand
démarche *f.* gait, bearing; step, proceeding, course
démasquer to unmask, show up
déménager to change one's residence, move out
démence *f.* madness, insanity
démener (se) to hustle, move rapidly and excitedly
démesuré immeasurable, huge
démeubler to strip of furniture
demeure *f.* dwelling, house
demeurer to live, lodge; to remain, continue, be left
demi half
demi-jour *m.* half-light, faint light
démission *f.* resignation
dénaturé unnatural, barbarous
dénicher to take out of the nest; to hunt out, hunt down
denier *m.* farthing
dénouer to untie
dent *f.* tooth
dentelé denticulated, notched, indented
dentelle *f.* lace, lacework
dentelure *f.* indenting, notching
denticulé denticulated, indented
départ *m.* departure
dépasser to go beyond, pass, surpass
dépêche *f.* dispatch
dépêcher to dispatch; **se —**, to hurry
dépense *f.* expenditure, expense
déployer to deploy, spread out
dépoitraillé with bare breast
dépoli roughed, unpolished
déposer to put down; to deposit
dépôt *m.* garrison
dépouiller to despoil, strip
dépouilleur *m.* despoiler
depuis since, for
député *m.* Deputy, member of Chamber of Deputies
déranger (se) to trouble one's self, put one's self out; to lead a disorderly life, go wrong
déréglé disordered
dériver to turn from the course
derni-er, -ère last
dérober to steal; **se —**, to slip away, steal away;
dérobé hidden, secret, furtive
déroute *f.* rout
derrière behind; *n. m.* rear; *pl.* rearguard, rear (of an army)
descendre to descend; to take or carry down
descente *f.* descent; **— de lit,** bedside rug
désert *adj. & n. m.* deserted, desert
désespéré in despair; *n.* desperate person
désespérer to despair
désespoir *m.* despair
désheurer to disturb the hours of, derange
désigner to indicate, designate
désintéressement *m.* disinterestedness
désœuvrement *m.* want of occupation; **par —**, idly
désoler to ravage, desolate
désorienté out of direction, off reckoning
désormais henceforth; thereafter
dès que as soon as, when
dessécher to dry up
dessein *m.* to project, plan
desservir to take away the dishes, clear a table
dessin *m.* design, drawing
dessiner to draw; **se —**, to stand out
dessous below, underneath; **au — de,** under, below
dessus above; **reprendre le —**, get the upper hand again
destiner to design, intend, destine
détacher to detach; **se —**, to stand out against, stand out from
dételer to unharness, unhitch
détendre to relax, let down
détourner to turn aside
détraquer to disorder, throw into confusion
détremper to dilute, dissolve
détruire to destroy
deuil *m.* mourning

devant before; **courir au- — de,** to run to meet
devanture *f.* shop-front
devenir to become
dévêtir to undress
deviner to guess; to distinguish, make out; **se —,** to understand each other, see through each other
dévisager to stare at, look up and down
devoir *m.* duty, task; *pl.* rites
dévorer to consume, devour
dévot devoted, devout; *n.* devout person
dévouement *m.* devotion
diable *m.* devil; **à la —,** at random, all wrong
diacre *m.* deacon
dicter to dictate
Dieu *m.* God
difficile difficult
digne worthy; dignified
diriger to direct, steer; **se —,** to go
discours *m.* speech, talk, conversation
discuter to discuss, argue
disjoindre to disunite, separate
disparaître to vanish, disappear
dispenser to exempt, dispense; **se — (de)** to excuse one's self from, spare one's self
disponible available
disputer to dispute, argue; **se —,** to quarrel over, fight for
distillateur *m.* distiller
distinguer to make out, distinguish
distraction *f.* inattention, distraction
distraire to distract, divert, entertain
distrait absent-minded, inattentive
distribuer to distribute
divers various, sundry
diviser to divide
doigt *m.* finger
dom lord, dom (title in monastic orders)
domestique domestic; *n. m. & f.* servant
dominat-eur, -rice dominant, dominating; *n.* ruler
dominer to look over, command
dompter to subdue, subjugate
don *m.* gift
donataire *m. & f.* donee, recipient of a donation
donner to give; **— sur,** to open on
donneur *m.* giver, dispenser
dorénavant for the future, henceforth
dorer to gild; **doré** gilded, golden
dormir to sleep
dos *m.* back; **avoir sur le —,** to be saddled with
dot *f.* dowry
douairière *f.* dowager
douceur *f.* gentleness, sweetness, softness; comfort, indulgence
doué endowed
douleur *f.* pain, grief, sorrow
douloureu-x, -se painful, mournful, grievous, sad.
doute *m.* doubt
douteu-x, -se doubtful
dou-x -ce soft, sweet, gentle, mild
douzaine *f.* dozen
doyen *m.* dean
dramaturge *m. & f.* dramatist
drap *m.* cloth; sheet
drapeau *m.* flag
dresser to straighten; to raise; **se —,** to straighten up, stand erect, loom up
dressoir *m.* dresser, shelves for dishes
droit right; straight; **tout —,** straight ahead
drôle funny; *n. m.* rascal
drôlet, -te amusing
ducat *m.* gold coin worth a little over $2
duchesse *f.* duchess; kind of sofa
dur hard; **— pour les hommes,** hard on the men
durant during, for
durer to last, endure

E

eau *f.* water; **—-de-vie,** *f.* brandy
ébauche *f.* rough sketch
ébène *f.* ebony
éblouissement *m.* dazzling, astonishment
ébranler to shake, cause to totter
écart *m.* digression; **à l'—,** apart, aside
écartelé quartered
écarter to set aside, move apart; to spread; to divert
échafaudage *m.* scaffolding
échafauder to scaffold; to pile up
échange *m.* exchange
échanger to exchange
échapper to escape; **s'—,** to slip away, escape
échauffer to warm up, excite
échelle *f.* ladder
échevelé disheveled
échevin *m.* sheriff, alderman
échine *f.* spine
échouer, s'échouer to run aground, be stranded; to fail
éclabousser to splash, spatter
éclair *m.* flash, lightning
éclairage *m.* lighting
éclairer to light, light up; **s'—,** to become light
éclat *m.* burst; shine; brilliance, splendor, distinction
éclatant brilliant, dazzling
éclater to burst, break out; **— de rire,** to burst out laughing
école *f.* school
économie *f.* economy; *pl.* savings
économiser to save
écouler (s') to pass, slip away, flow away
écouter to listen, listen to
écraser to crush, annihilate
écrier (s') to cry, cry out
écrire to write
écrit *m.* written agreement
écriture *f.* writing, handwriting; **l'Écriture,** Holy Writ, the Bible
écroulement *m.* wreck, ruin
écueil *m.* reef, rock
écumoire *f.* skimmer
écurie *f.* stable
écusson *m.* escutcheon, shield, plaque
édifiant edifying
effarer to frighten, startle
effaroucher to scare, startle
effectivement in fact
effet *m.* effect, result; **en —,** true, for a fact; **à l' — de,** with a view to; **— de théâtre,** dramatic effect, dramatic moment
effeuiller to pluck, pick to pieces (as a flower)
effleurer to graze, touch lightly
effondrer (s') to fall in, give way, collapse
efforcer (s') to try, strive, struggle
effrayant fearful, terrifying
effrayer to terrify
effréné unbridled, wild
effroi *m.* fright, dismay
effroyable fearful, terrible
égal equal, like; **c'est —,** just the same; **humeur —e,** even-tempered
également equally; also
égarer to mislead, bewilder; **s'—,** to lose one's way; to wander, ramble
égayer to cheer, enliven
église *f.* church
égorger to kill, slaughter
égoutter to drain
élan *m.* start, dash, rush; transport, outburst
élancer (s') to bound, rush
élargir to enlarge, stretch; **s'—,** to grow larger; to stretch out, extend, spread
élève *m. & f.* pupil, student
élever to erect, raise; to bring up (children); **s'—,** to rise, arise, stand
élevé lofty
éloge *m.* eulogy, praise
éloigner to send away, get away; **s'—,** to go away, recede
émail enamel, enameled work (*pl.* **émaux**)
emballeur *m.* packer
embaucher to hire, enlist
embaumé embalmed
embêter to annoy, pester

emboîter to joint, fit in; **— le pas,** to walk close behind
embouchure *f.* mouth (of a river)
embraser to kindle, set on fire
embrassement *m.* embrace
embrasser to kiss, embrace
embusquer to conceal, ambush
émeraude *f.* emerald
émietter (s') to crumble
éminemment eminently
emmaillotage *m.* swathing, swaddling
emmener to lead away, take away
émoi *m.* emotion, excitement
émouvoir (s') to be moved, be stirred up
emparer (s') to take possession of (**de**)
empâter to stuff, cram
empêcher to hinder, prevent
empesé starched, stiffened
empiler to pile, huddle
empire *m.* empire; ascendancy; **— sur soi-même,** self-control
emplir to fill
emploi *m.* employment, use
employer to use
empoigner to seize, lay hold of
empoisonnement *m.* poisoning
empoisonner to poison
emporter to carry off, carry away, carry (military)
empressé assiduous, eagerly polite
emprise *f.* clasp
ému affected, moved, touched
encaissé incased
enclume *f.* anvil
encoignure *f.* corner; small piece of furniture to fit a corner
encolure *f.* neck and shoulder build
encombre *m.* hindrance, obstacle, accident
encombré encumbered, littered, cluttered
encombrement *m.* obstruction, stoppage
encontre: à l'— de, as opposed to, as contrasted with
encore que although
encre *f.* ink
endémique endemic, characteristic of a limited region
endolori sore, aching
endormir (s') to fall asleep
endosser to put on
endroit *m.* place, spot, region
énergique energetic, vigorous
enfance *f.* childhood
enfant *m.* & *f.* child; **bon —,** good fellow, good sport
enfantement *m.* child-bearing; reproduction
enfanter to bear, bear a child, bring forth
enfantin childish
enfer *m.* hell; *pl.* Hades, the Lower World
enfermer to close in, lock in
enfler to swell
enfoncer to bury, plunge, sink; to break down, beat in; **s'—,** to sink
enfoui buried
enfuir (s') to run away, escape
engageant engaging, attractive
engager to engage, pledge; **s'— sur, dans,** to enter, step on or into
engin *m.* machine, instrument
engouement *m.* infatuation
enguirlandé engarlanded, dressed up
enlacer (s') to embrace, entwine
enlever to take up, carry off, take off
enluminer to illumine, color
ennuyeu-x, -se annoying, embarrassing, boring
énorme enormous
enragé enthusiastic; obstinate
enroué hoarse
ensanglanté bloody
enseigne *f.* sign-board, sign
enseigner to teach
ensemble together
ensorceler to bewitch
ensuite then, next, afterwards
entamer to cut, cut into; to begin
entassement *m.* heaping up, heap, pile
entasser to heap up, accumulate
entendre to hear, understand; **s'— bien ensemble,** to get along well together

entente *f.* understanding, agreement, intelligence
enterrement *m.* burial
enterrer to bury
entêtement *m.* stubbornness, obstinacy
enti-er, -ère entire, whole
entortiller to twist, wind about
entour *m.* **à l'—,** around
entourage *m.* attendants, circle, those around
entourer to surround
entraîner to draw, carry away, sweep away, drag away; to entail, involve
entraver to impede
entre between
entre-bâiller to half-open (a door)
entrechoquer (s') to knock together, clack
entrecoupé broken, faltering
entrée *f.* entrance, entry
entrefaites *f. pl.* time, interval; **à quelque temps de ces —,** some time later
entremêlé intermingled
entretenir to support
entr'ouvrir to half-open
envahir to invade
envelopper to wrap, envelop
envenimer (s') to become poisoned, rankle, fester
envers *m.* reverse side, back; **à l'—,** on the wrong side; **mettre l'âme à l'—,** to upset (a person)
envi: à l'—, in emulation, competition; **célébrer à l'—,** to vie with each other in celebrating
envie *f.* envy, desire; **avoir — de,** to want
environ about, approximately
environs *m. pl.* neighborhood
envoler (s') to fly off
envoyer to send
épais, -se thick, dense
épanouir (s') to expand, open, bloom
épanouissement *m.* opening, spreading, blooming
épargne *f.* saving, thrift; **caisse d'—,** savings bank
épargner to save, spare
éparpiller to scatter, spread
épars scattered
épaule *f.* shoulder
épauler to put to the shoulder
épée *f.* sword
éperdu distracted, wild
épervier *m.* sparrow-hawk
épeuré frightened
épi *m.* ear (of grain)
épidémie *f.* epidemic
époque *f.* time, period
épouse *f.* wife
épouser to marry
épouvantable appalling, fearful
épouvante *f.* terror
épouvanter to terrify
époux *m.* husband; *pl.* husbands or husband and wife
éprouver to feel, experience; to test, try
équilibre *m.* equilibrium, balance
érailler to fray; **éraillé:** (of a voice) hoarse, rasping; (of a mirror) shattered
ermitage *m.* hermitage
ermite *m.* hermit
errant wandering
escalier *m.* staircase
escarpolette *f.* swing
esclave *adj. & n.* slave
escouade *f.* squad, gang
espacer to space
espagnol *adj. & n.* Spanish, Spaniard
espèce *f.* species, kind; (*fam.*) contemptible person; *pl.* specie; **espèces sonnantes,** hard cash
espérance *f.* hope
espèrer to hope
espoir *m.* hope
esprit *m.* spirit, mind, wit; **le Saint Esprit,** the Holy Ghost, Holy Spirit
esquisse *f.* sketch
essayer to try
essayeur *m.* assayer, money tester
essor *m.* flight, swing
essoufflé out of breath
essuyer to wipe
estafette *f.* courier
estampe *f.* print; **Bible en —s,** Bible illustrated with prints

estimer to esteem; to consider, think
estomper to shade off (drawing)
estrade *f.* platform
étable *f.* stable, cattle-shed
établir to establish; **s'—,** to set up an establishment, marry; *impers.* **il s'établit** there began
étage *m.* stage; floor, storey
étagère *f.* shelf, shelves
étain *m.* tin; pewter
étal *m.* stall
étaler to display, spread out; **s'—,** to be on display
étape *f.* stage
état *m.* state, condition; **— major** *m.* general staff
été *m.* summer
éteindre to extinguish, put out; **s'—,** to go out; to pass away; to die down
étendre to extend, stretch out, spread
étinceler to sparkle
étiquette *f.* label
étirer (s') to stretch, stretch out
étoffe *f.* stuff, cloth
étoile *f.* star
étoiler to star, mark with a star
étonnement *m.* astonishment
étonner to astonish
étouffer to stifle
étourdiment thoughtlessly
étourdissement *m.* dizziness
étrange strange
étrang-er, ère *adj.* & *n.* foreign, foreigner, stranger
étrangler to strangle
être *m.* being
étreindre to press, clasp
étreinte *f.* embrace
étroit narrow, close, cramped
étrusque Etruscan (from Etruria, ancient central Italy)
évanouir (s') to faint, lose consciousness
éveiller to awaken; **s'—,** to wake up
événement *m.* event
évent *m.* open air; **à l'—,** heedless, thoughtless
éventré ripped open, wide open
éviter to avoid
évoluant passing through a series of transformations; changing, shifting
évoquer to call up, summon, conjure up
exactement accurately, exactly
exaltation *f.* excitement, emotion
exaucer to hear favorably, grant (a prayer)
excellent excellent; **— pour quelqu'un,** very kind to someone
exciter to stimulate, incite
exemple *m.* example; **par —,** (interjection of surprise) why!
exercice *m.* exercise, practice, use
exhalaison *f.* exhalation
exigeant exacting, strict
exiger to exact, require, call for
expédier to dispatch, perform
expéditi-f, -ve expeditious
expéditionnaire *m.* clerk, forwarding clerk
expier to expiate
expliquer to explain; **s'—,** to express one's self
exprès specially, expressly, on purpose
exprimer to express
expulser to expel, eject, throw out
expumer to cough up
extase *f.* ecstasy
exténué exhausted
extrémité *f.* extreme, excess
ex-voto *m.* votive offering

F

fabrique *f.* factory; church revenue
face *f.* front, face; **en — de,** opposite; **de —,** from the front, full face; **faire — à,** to face, confront
fâché vexed, sorry, angry
fâcheu-x, -se troublesome, difficult
facile easy
façon *f.* way, fashion
faction *f.* guard, duty
factionnaire *m.* soldier on duty, sentry
facture *f.* bill
faculté *f.* faculty, ability; school, department

fade flat, tasteless, unsavory
faible weak, faint
faiblesse *f.* weakness
faillir to be on the point of, to almost —
faim *f.* hunger; **avoir —,** to be hungry
faisan *m.* pheasant
faisceau *m.* sheaf, bundle
fait *m.* fact, deed; **en — de,** in the matter of, as regards; **tout à —,** wholly; **au —,** as a matter of fact, in fact; **— divers** *m.* miscellaneous item
famé reputed, famed; **mal —,** with a bad reputation
fameu-x, -se famous; excellent, capital
famille *f.* family
fané faded
fange *f.* mud
fanion *m.* pennon
fantaisie *f.* fancy, imagination
fantasia *f.* dare-deviltry, wild actions
fard *m.* rouge, make-up
farouche wild, savage
faubourg *m.* suburb, quarter
faubourien, -ne *adj. & n.* inhabitant of a *faubourg*
faute *f.* mistake, fault, sin; want; **— de,** for want of
fauteuil *m.* armchair
fauve tawny
fau-x, -sse false
favori *m.* sidewhisker
fée *f.* fairy
feindre to pretend
fêlé cracked, split
félicitation *f.* congratulation (*esp. in pl.*)
féliciter to congratulate
fêlure *f.* crack
fémur *m.* femur, thigh-bone
fendre to split, rend, cleave
fenestré fenestrated, with openings
fenêtre *f.* window
fente *f.* crack
fer *m.* iron; iron tip
fer-blanc *m.* tin
ferme *f.* farm, farmhouse
ferme firm, resolute
fermer to close
fermi-er *m.* farmer; **-ère,** *f.* farmer's wife
féroce fierce, ferocious
ferraille *f.* old iron
ferrailleur *m.* dealer in old iron
fesser to spank
feston *m.* festoon
festoyer to feast, celebrate
fête *f.* feast, celebration, holiday; anniversary, birthday; **faire la —,** lead a pleasure-seeking life
feu *m.* fire; **faire —,** to fire (a gun); **faire le coup de —,** to be in action, be under fire; **rose-—,** flame-colored rose; **— d'artifice,** fireworks
feuillage *m.* foliage, leaves
feuille *f.* leaf; sheet
fiacre *m.* cab
ficher (*fam.*) to put, give; **vous allez me — la paix,** leave me alone, will you?
fichu *m.* neckerchief
fidèle faithful
fi-er, -ère proud
fierté *f.* pride
fièvre *f.* fever
fiévreu-x, -se feverish
figure *f.* figure, face; **faire —,** to cut a figure
figurer to represent, depict; **se —,** to imagine, picture
figurine *f.* small figure, image
fil *m.* thread
filament *m.* filament, thread
fil-en-quatre *m.* (*pop.*) brandy
filer to speed, hurry along, be off
filet *m.* trickle, stream
fille *f.* daughter; girl; **vieille —,** old maid
fillette *f.* little girl, young girl
filleul *m.* godson
fils *m.* son
fin *f.* end, finish
fin fine, delicate; clever, subtle
finir to finish; **en —,** to end it all; **— par,** to end up by, come to, finally to
fixer to fasten, set; to stare at
flacon *m.* flask, vial

flambant blazing, flaming
flambée *f.* fire of twigs, blaze
flâner to stroll, loiter
flanquer (*pop.*) to give, fling, "soak"
flaque *f.* puddle
flasque lank, limp
flèche *f.* arrow
fleur *f.* flower
fleurette *f.* little flower
fleuri flowered, flowering, decked with flowers
fleuve *m.* river (flowing into sea)
flingot (*pop.*) rifle
florin *m.* silver coin worth about 2 shillings
flot *m.* wave, stream, flood
flotter to float
fluet, -te slender
foi *f.* faith; **ma —!** I declare!
foire *f.* fair
fois *f.* time, occasion; **à la —**, all at once, all together; **deux — sur trois,** two times out of three
fol *m.* buffoon
folie *f.* madness
foncé deep (color)
foncièrement fundamentally
fond *m.* bottom; further end; depth; background; **à —**, thoroughly, to the bottom; **au — de**, at the bottom of, deep in, buried in; **au —**, at bottom, deep down
fondateur *m.* founder
fondre to melt
fontaine *f.* fountain, spring; tank
fonte *f.* casting, cast
force *f.* strength, force, skill; **à — de**, by dint of, by virtue of
forcené *m.* madman
formel, -le explicit, positive
formule *f.* formula, form
fosse *f.* pit; grave
fossé *m.* ditch
fossoyeur *m.* grave-digger
fo-u, -lle *adj.* & *n.* mad, wild; madman, madwoman
foudre *f.* thunder, thunderbolt
foudroyer to strike by lightning; to thunderstrike; to blast, batter
fouet *m.* whip
fouiller to search, rummage, probe
foule *f.* crowd
fouler to tread. trample
fourgon *m.* van, baggage wagon
fourmilière *f.* ant-hill
fournir to furnish
fourrer to cram, stuff
fourrier *m.* quartermaster
fourrure *f.* fur, fur piece
fracasser to shatter, fracture
fraîcheur *f.* freshness, coolness
frais *m.* *pl.* expenses, charges, expense
fra-is, -îche fresh, cool
fraise *f.* strawberry
franchement frankly
franchir to clear, pass, cross
frange *f.* fringe
frapper to strike, knock
frayeur *f.* fright
frêle frail, light, delicate
frémir to shudder, quiver
frémissement *m.* quiver, shiver, shudder
frénétique frenzied, frantic
frère *m.* brother
frétillement *m.* wagging, frisking
frétiller to frisk, wriggle
friandises *f. pl.* sweets
fripier *m.* second-hand clothes dealer
friser to curl, frizz; to graze, be close to
frisson *m.* shudder, quiver, thrill
frissonner to tremble; to shimmer
froid cold; **avoir —**, to be cold (of persons); **faire —**, to be cold (of weather)
froissement *m.* rumpling, crushing
froisser to rumple, wrinkle, muss; to offend
frôler to brush past, graze, touch lightly
fronde *f.* sling
front *m.* front; forehead, brow
frotter to rub
fruiti-er, -ère *m.* & *f.* fruiterer, green grocer
fuir to flee; to disappear, recede.
fuite *f.* flight
fumée *f.* smoke
fumer to smoke

fumoir *m.* smoking-room
funèbre funeral, funereal; dismal; ominous
funeste baneful, sinister, deadly
funiculaire funicular, operated by a cable
fureter to rummage
furieu-x, -se furious, mad
fusain *m.* charcoal (drawing)
fuseau *m.* spindle; **tourné en —,** spindle-shaped
fusil *m.* gun, rifle
fusiller to shoot (execute)
fuyant fleeting, receding, vanishing

G

gab *m.* (Old French) brag, jest
gâchette *f.* trigger-spring
gaffeur *m.* one who makes a *gaffe* ("break," faux-pas)
gages *m. pl.* wages
gagner to gain, win, earn; to reach, attain; to carry, overcome
gaillard *m.* vigorous fellow; blade, gay dog
gaillardement joyously, briskly
galoche *f.* clog, slipper; **menton de (en) —,** long pointed chin
galon *m.* chevron, officer's stripe
gamin *m.* urchin, lad; **-e** *f.* small girl; tomboy
gamme *f.* scale (music); **chanter la — à,** to lecture soundly
ganté gloved; **— de clair,** with light-colored gloves
garçon *m.* boy, young man; bachelor; waiter
garde *f.* care, watch, guard; **prendre —** be careful, watch, be careful not to
garder to keep, guard, keep to; **se — de,** to be careful not to
gardeur *m.* keeper
gardien *m.* keeper, guard; **— de la paix,** policeman, gendarme
gare look out!; **sans crier —,** without warning
gargote *f.* cheap eating-house
garni furnished; *m.* furnished room
garrotter to pinion, bind
gars *m.* lad, fellow
gâteau *m.* cake
gâter to spoil
gauche left; awkward
gaufrure *f.* goffering, pressure print, imprint
gaz *m.* gas, gas light
gazette *f.* newspaper
gazon *m.* turf, grass
géant *m.* giant
geler to freeze
géminé double, twin
gémir to groan, moan, lament
gémissement *m.* moan, groaning
gênant embarrassing
gêné embarrassed; hard up
gêner to hinder, embarrass; **ne pas se — pour,** not to hesitate to
génie *m.* genius
genou *m.* knee
gentilhomme *m.* noble
gentilhommerie *f.* nobility, gentility
geôlier *m.* jailer
gérant *m.* **-e** *f.* manager
germe *m.* seed
germer to sprout, take form
[**gésir**] (defective verb) to lie; *imperfect 3 singular* **gisait,** *present participle,* **gisant**
geste *m.* gesture; **avoir un —** to make a gesture
gibet *m.* gibbet, gallows
gifler to slap in the face
gilet *m.* vest
girouette *f.* weather-cock
gisait, gisant see [**gésir**]
givre *m.* hoar-frost, rime
glabre hairless
glace *f.* ice; ice cream; mirror
glacé icy, frozen; shot, lustered (of stuffs)
glacer to freeze, ice, chill
glacial frigid, icy
gland *m.* acorn
glapissant yelping, shrill
glisser to slip
gloire *f.* glory
godet *m.* receptacle for mixing colors
gonfler to swell
gorge *f.* throat

gorgée *f.* swallow, draught
gothique *f.* gothic writing
gouailleu-r, -se mocking, quizzical
gouffre *m.* gulf, abyss
goulot *m.* neck (of a bottle)
goût *m.* taste
goûter to taste, savor, experience
goutte *f.* drop
gouvernante *f.* housekeeper
grabat *m.* pallet, wretched bed
grâce *f.* grace, favor; gracefulness, elegance; — **à,** thanks to; **demander —,** to ask for quarter
gracieu-x, -se graceful, agreeable
grade *m.* rank
grain *m.* grain; bead; texture; — **de raisin,** (single) grape
grand great, tall, large; — **air,** open air; **au — trot,** at a fast trot; **ouvrir tout —,** to open wide
grandir to grow, grow up, grow large
grange *f.* barn
grappe *f.* bunch (of grapes)
gras, -se fat, rich
gravats *m. pl.* (or **gravois**) rubble, rubbish from masonry
graver to engrave, cut, carve
gravier *m.* gravel
gredin villain, scoundrel
greffier *m.* clerk of the court
grêle *f.* hail
grelot *m.* little bell
grelotter to shiver
grenier *m.* granary; loft, attic
grenouille *f.* frog
griffe *f.* claw; clutch
grignoter to nibble
grillage *m.* grilling, lattice
grille *f.* grating, railing, fence, gate
grillé barred, railed in
grillon *m.* cricket
grimper to climb
grincement *m.* scraping, grating
grippe *f.* antipathy; **prendre quelqu'un en —,** to take an antipathy to some one
gris gray; — **de perle,** pearl gray
grisâtre grayish
griser to intoxicate
grogner to grunt, growl, grumble
grommeler to grumble, grunt
grondement *m.* rumbling, growling
gronder to scold; to growl, rumble
gros, -se large, big, fat; heavy; rough (of sea)
grossi-er, -ère gross, coarse, blatant
grossir to make larger, become larger
grouiller to swarm, teem; (*pop.*) to budge, stir
grue *f.* crane
guère scarcely, hardly, hardly at all
guéridon *m.* small table
guérir to heal; to recover
guérite *f.* sentry box (figuratively of the confessional)
guerre *f.* war
guêtre *f.* gaiter, legging
guetter to watch for, be on the watch for
gueule *f.* mouth, muzzle
guichet *m.* wicket, small window
guide *m.* guide; soldier of a select cavalry (1st and 2nd Empires)
guindé stiff, strained; *m.* strain, unnaturalness
guipure *f.* guipure (a kind of lace)

H

(Aspirate h indicated thus: **'h**)
habile skilful
habileté *f.* skill
habiller to dress
habilleuse *f.* dressing woman
habit *m.* coat, suit; evening clothes (**— noir**)
habitude *f.* habit; **d' —,** as usual
'hacher to hack
'hachure *f.* hatching, close fine lines for shading in engraving
'haie *f.* hedge
'haillon *m.* rag
'haine *f.* hate
'haineu-x, -se full of hate, spiteful
'haïr to hate
haleine *f.* breath
'haleter to pant
'halle *f.* market, market-place
'hameau *m.* hamlet

'hangar *m.* shed
'hardi bold; powerful
'hasard *m.* chance; **au —,** at random
'hâte *f.* haste; **à la —,** hastily
'hâter to hasten
'hausse-col *m.* gorget, neck armor
'hausser to raise; to shrug
'haut high, tall; **la —e mer,** the open sea; *m.* top
'hautain haughty
'hauteur *f.* height
hâve wan
hebdomadaire weekly
hébété stupefied
'hein what!
hélas alas!
hémicycle *m.* semicircle
'hennir to neigh
'hennissement *m.* neighing
herbe *f.* grass
héritage *m.* legacy, heritage; **faire un —,** to receive a legacy
héritier *m.* heir; **héritière** *f.* heiress
hétéroclite bizarre, eccentric
heure *f.* hour; **tout à l'—,** in a moment
heureu-x, -se happy; fortunate; blessed
'heurt *m.* collision, bump, shock
'heurter to bump, knock, strike against
'hibou *m.* owl
hier yesterday
hiératique hieratic, priestly
histoire *f.* history; story; affair, business
hiver *m.* winter
'hochement *m.* shaking, wagging (of the head)
'hocher to shake, wag
'hollandais Dutch
'homard *m.* lobster
honnête honest, upright; decent, virtuous
honnêtement uprightly; civilly
honoraires *m. pl.* fee
'honte *f.* shame; **avoir —,** to be ashamed
'honteu-x, -se ashamed; shameful
hôpital *m.* hospital; charity hospital; asylum (for the poor)
horloge *f.* clock
'hors outside, beyond; **— de moi,** beside myself
hostie *f.* host, consecrated wafer
hôte *m.* host; guest
hôtel *m.* hotel; mansion, town house
'hotte *f.* basket (carried on the back); hood (chimneys, windows)
'houblon *m.* hops
'houzarde (hussarde): à la —, in the hussar style
huile *f.* oil
huilé oiled, oily
humeur *f.* disposition; (good, bad) humor; vexation, ill-temper
humilié humiliated, humbled, abased
'hurlement *m.* howl, scream
'hurler to howl, yell, shriek

I

ibis *m.* ibis, sacred bird of Egyptians
icelui, icelle, *pl.* **iceux, icelles = celui-là, celle-là,** etc. (language of legal procedure)
idée *f.* idea
if *m.* triangular stand for candles or lamps
ignorer not to know, be ignorant of
illustre illustrious
illustrer (s') to make one's self illustrious, become famous
imiter to imitate
immoler to immolate, sacrifice
immondices *f. pl.* impurity, sins, vileness
immortelle *f.* everlasting (flower)
impasse *f.* blind alley
impassible impassive
impératrice *f.* empress
importer to be important; to matter; **qu'importe!** what matter?; **n'importe,** never mind, no matter
imposer (s') to be prescribed, become necessary
impôt *m.* tax
impressionner to impress, move, affect

imprimer to imprint, impart; to print
imprimeur *m.* printer
impuissance *f.* impotence, powerlessness
impuissant impotent, powerless
impuni unpunished
inabordable unapproachable, inaccessible
inachevé unfinished
inapaisable unappeasable
inattendu unexpected
incendie *m.* fire, conflagration
inciseur *m.* one who cuts open
incliner to bend, incline; **s'—**, to bow, stoop
inconnu unknown
incontinent at once, forthwith
inconvenance *f.* impropriety
inconvenant improper
inconvénient *m.* disadvantage, inconvenience
incroyable unbelievable
Inde *f.* also *pl.* **Indes** India
indécis uncertain, undecided
indéfinissable indefinable
index *m.* forefinger
indicible indescribable, unspeakable
indienne *f.* calico, print
indigne unworthy
indigné indignant, shocked
indiscutable indisputable, incontestable
indou Hindu
inébranlable immovable, unshakable
inégal uneven, unequal
inégalité *f.* inequality
inépuisé unspent, unexhausted
inexprimable inexpressible
infamie *f.* infamy; base action, base thing
infécond barren, unfruitful
inférieur lower; inferior
infini infinite
infirme invalid, feeble
infliger to inflict
in-folio *m.* folio, large volume
information *f.* inquiry; **prendre des —s,** to make inquiries
informe shapeless
informer (s') to make inquiries, inquire
ingénier (s') to strive, tax one's ingenuity
ingénieur *m.* engineer
ingénieu-x, -se ingenious, clever
ingrat ungrateful; thankless
inhumation *f.* interment, burial
inimitié *f.* hostility
injure *f.* insult
injurieu-x, -se insulting, reviling
innocemment innocently
innocenter to acquit, exonerate
inondation *f.* flood
inonder to flood, overwhelm
inouï unheard of, unprecedented
inqui-et, -ète uneasy
inquiéter to disturb
inquiéteur troubler, disturber
inquiétude *f.* uneasiness, alarm, worry
insérer to insert
insolite unusual
insouciance *f.* heedlessness
insouciant heedless, unworried
institut-eur, -rice *m.* & *f.* teacher, school teacher
instruction *f.* education; instruction; **salle d'—**, courtroom (for preliminary hearings)
instruire to teach, instruct, inform; **instruit,** informed; educated
insurgé *adj.* & *n.* insurgent, revolter
intempesti-f, -ve untimely
interdire to forbid, prohibit
intérieur *m.* interior; home
interroger to question, consult, examine
interrompre to interrupt
intime intimate; inward, inmost
intransigeance *f.* inflexibility, unwillingness to compromise
introduire to put in, introduce
inusité unaccustomed, unusual
inutile useless; needless
inutilité *f.* uselessness
invité *m.* guest
iodé iodized, impregnated with iodine
irriter to irritate, anger

isoler to isolate, separate
ivre drunk
ivresse *f.* intoxication; **avoir un coup d'— héroïque,** heroically intoxicated
ivrogne *m.* drunkard
ivrognerie *f.* drunkenness

J

jadis formerly, in former times
jalousie *f.* jealousy
jalou-x, -se jealous
jambe *f.* leg
jardin *m.* garden
jardinier *m.* gardener
jarretière *f.* garter
jaunâtre yellowish
jaune yellow
jeannette *f.* cross on a neck chain
jet *m.* gush, spurt, jet
jeter to throw; **— l'œil,** to cast a glance
jeu *m.* game; play; acting; **même —,** same thing (business) again
jeûner to fast
jeunesse *f.* youth
joindre to join, add; **— les deux bouts,** to make both ends meet; **se —,** to meet; **joint,** joined, clasped
joli pretty, nice
jongler to juggle
jongleur *m.* juggler
joue *f.* cheek
jouer to play; **faire — la serrure,** to turn the lock
joufflu (*fam.*) chubby
jouir to enjoy, possess
joujou *m.* toy
jour *m.* day; light; **petit —,** dawn; **grand —,** broad daylight
journal *m.* newspaper
journée *f.* day, course of the day; day's work
jui-f, -ve *adj. & n.* Jewish, Jew
jupe *f.* skirt; flare, skirt (of a coat)
jurer to swear
juron *m.* oath, curse
jus *m.* juice, liquor
juste exact, precise, right; **au —,** exactly
justesse *f.* accuracy, truth, justness

K

képi *m.* military cap
kreutzer *m.* halfpenny
kriss *m.* creese, dagger

L

là-bas down there
labourer to plow
labyrinthe *m.* maze, labyrinth
lâche cowardly; *m.* coward
lâcher to loose, let go, relax; **— un coup de feu,** to fire; **lâchez-tout,** "drop everything," confusion
lâcheté *f.* cowardice
là-dessus thereupon
là-haut up there
laine *f.* wool
laisser to let, leave; **se — faire,** to offer no resistance
lait *m.* milk
laiteu-x, -se milky
laitier *m.* milkman
lambeau *m.* rag, shred
lame *f.* blade; wave
lampas *m.* figured silk
lancer to throw, hurl, shoot out; to utter
lancier *m.* lancer
lancinant shooting (of pains)
langue *f.* tongue; language
languissant languid, languishing
lapin *m.* rabbit
large wide; *m.,* the open, open water, open sea
larme *f.* tear
larmoyant tearful, in tears
larron *adj. & n.* thieving, thief
las, -se weary, relaxed
lasser (se) to get tired
latte *f.* lath
lauréat *m.* laureate, one who has received a prize
laurier *m.* laurel
lavandière *f.* washerwoman
laver to wash
lécher to lick
lecture *f.* reading

légende *f.* legend; inscription, title
lég-er, -ère light
légume *m.* vegetable
lendemain *m.* the next day
lent slow
lenteur *f.* slowness, leisureliness
lentille *f.* lens
lestement briskly, lightly
lever to raise; **se —**, to rise
lever *m.* rising, rise
lèvre *f.* lip
lézard *m.* lizard
liasse *f.* bundle
libation *f.* libation; potation; **faire des —s,** to drink deep
libre free; **libre-penseur** freethinker
lier to tie, bind
lierre *m.* ivy
lieu *m.* place; **au — de,** in place of; **au — que,** whereas, while; **avoir —**, to take place
lieue *f.* league (2½ miles)
lignée *f.* line (of descendants), family
limbes *m. pl.* limbo, vague state
linge *m.* linen
liquoriste *m.* liquor dealer
lire to read
lis *m.* lily
lit *m.* bed
livre *m.* book
livre *f.* pound (weight)
livrer to give, deliver; **se — à,** to apply one's self to; to give one's self over to; **— bataille,** to give battle
locataire *m. & f.* tenant, lodger
loge *f.* dressing room
logement *m.* residence, quarters
loger to lodge, live
logette *f.* cell, stall, box
loggia *f.* (Italian) loggia, roofed open gallery
logis *m.* lodging, home
loi *f.* law
loin far; **au —**, afar
lointain distant
Londres London
long long; **le — de,** along, the length of
longer to skirt, run beside, follow along
longtemps long (time)
loque *f.* rag, tatter
loqueteu-x, -se ragged
lors then; **pour —**, for the time; under the circumstances
lorsque when
loto *m.* loto, a game of chance
louable laudable
louange *f.* eulogy; *pl.* praise
louer to praise
louis *m.* gold coin worth 20 francs
loup *m.* wolf
loupe *f.* magnifying glass
lourd heavy; clumsy
lubie *f.* whim
lubréfiant (for **lubrifiant**) lubricating
lucarne *f.* skylight, attic window
lueur *f.* light, glow, glimmer
lugubre dismal, lugubrious
luire to shine, gleam
luisant *m.* gloss, reflection
lumière *f.* light
lune *f.* moon
lunettes *f. pl.* spectacles
lustrer to make lustrous
lutte *f.* struggle
lutter to struggle, wrestle
luxe *m.* luxury

M

macabre macabre, ghastly, ghostly
machinal mechanical, automatic
mâchoire *f.* jaw
maçon *m.* mason
maculé spotted, blotted
madère *m.* Madeira wine
madone *f.* madonna
madras *m.* bandana, Madras kerchief
magasin *m.* store
magnanime magnanimous, noble-spirited
magot *m.* Chinese figure, grotesque
magot *m.* (*pop.*) hidden store of money, hoard
maigre thin, meager
maigrir to grow thin
main-forte *f.* assistance

maint many, many a
maintenant now
maintenir to maintain, support
maire *m.* mayor
maïs *m.* Indian corn
maître *m.* master; **maître-autel** *m.* high altar; **maître d'école** schoolmaster
majestueu-x, -se majestic
mal badly, evilly
mal *m.* evil; trouble, pain
malachite *f.* malachite, (a native green carbonate of copper)
malade ill; *n. m. & f.* sick person
maladresse *f.* blunder
malais Malay, of the Malay Peninsula
mâle male, manly
maléfice *m.* sorcery, spell
malgré in spite of
malheur *m.* misfortune, unhappiness
malheureu-x, -se *adj. & n.* unhappy, unfortunate, unfortunate person
malveillant malevolent, ill-disposed
maman *f.* mama, mother
manant *m.* clodhopper, boor
manche *m.* handle; neck (of a violin)
manche *f.* sleeve
manchette *f.* cuff; **bouton de —,** cuff-link
manger to eat
manivelle *f.* crank, handle, lever
manquer to be missing, lack; to miss, fail
mansarde *f.* garret, garret window
mansardé in the attic, under a Mansard roof
manteau *m.* mantle, cloak
marâtre *f.* step-mother; unkind mother
marbré mottled
marbrure *f.* marbling, mottling
marc *m.* brandy made from lees
marchand *m.* merchant, vendor
marchander to bargain
marchandise *f.* merchandise, commodity
marche *f.* step
marché *m.* market; **par-dessus le —,** into the bargain; **bon —,** cheap
marcher to walk, move, progress
mare *f.* pool
marée *f.* tide
margelle *f.* edge (of a well), curbstone
mari *m.* husband
marier to give in marriage; **se —,** to marry, get married
marin marine, of a seaman
marine *f.* navy; **soldat de —,** marine
marmaille *f.* (*fam.*) crowd of brats
marmot *m.* brat, little chap
marmotter to mumble
marque *f.* mark; marker
marteau *m.* hammer
martyre *m.* martyrdom
massif *m.* clump, group (of hedges, trees, etc.)
mastic *m.* putty; putty-colored
mastroquet *m.* wine shop
masure *f.* hovel
matelot *m.* sailor
mater to curb, subdue
matinal early, morning
matinée *f.* morning, course of the morning
maudire to curse
mauresque *adj. & n.* Moorish; Moorish man or woman
mauvais bad
mécanique *f.* mechanics, machinery; **à la —,** mechanically, by machinery
méchant wicked, bad, ill-natured
mèche *f.* lock, wisp (of hair)
mécréant *adj. & n.* infidel
médecin *m.* doctor
médication *f.* medical treatment, formula of treatment
méfiant distrustful, suspicious
meilleur better
mêler to mix, mingle; **s'en —,** to be concerned, implicated
menace *f.* threat
ménage *m.* housekeeping; household; **se mettre en —,** to set up housekeeping
ménager to be careful of, husband

ménagère *f.* housewife
mendiant *adj.* & *n.* begging, mendicant, beggar
mener to lead, conduct, steer
menotte *f.* hand (child talk); *pl.* handcuffs
mentir to lie (tell a lie)
menu small, minor
mépris *m.* disregard, scorn
méprisable contemptible, to be scorned
mépriser to scorn, despise
mercerie *f.* notions (small household effects and articles of clothing)
mérovingien, -ne *adj.* & *n.* Merovingian, pertaining to the 1st Frankish dynasty of Gaul (500–752 A.D.)
merveille *f.* prodigy, miracle
merveilleu-x, -se marvellous, extraordinary
mésallier (se) to contract a misalliance, marry beneath one
messe *f.* mass (sacrament)
mesure *f.* measure; moderation; meter; **passer la —,** to go to extremes; **à — que,** in proportion as, as
métier *m.* trade, craft, calling; loom
mets *m.* food, dish
mettre to place, put, put on; **se — à,** to begin
meuble *m.* piece of furniture; *pl.* furniture
meurtre *m.* murder
meurtrier *m.* murderer
meurtrir to bruise, crush
miauler to mew
miaulement *m.* mewing
mi-côte: **à —,** half way up the hill
midi *m.* noon; south (of France)
mignon, -ne dainty, delicate
milieu *m.* middle; medium
militaire military; *m.* soldier
mimer to mime, mimic
mince thin
mine *f.* appearance, face
ministère *m.* ministry
minuit *m.* midnight
mioche *m.* & *f.* (*fam.*) brat, urchin
miroiter to glitter
mise *f.* placing, setting, laying; **—en fosse,** burial
misérable wretched, worthless, poor; *n.* wretch
misère *f.* poverty, misery, wretchedness
miséricorde *f.* mercy
mitraille *f.* grapeshot
mitrailleuse *f.* Gatling gun, rapid fire gun
mitre *f.* miter; head-band, fillet
mobile *m.* motive, spring of action, consideration
mobilier *m.* furniture
moelle *f.* marrow
moelleu-x -se soft
moellon *m.* small stone in mortar
moignon *m.* stump (of amputated limb)
moindre less, least
moine *m.* monk
moins less; **au —, du —,** at least
moire *f.* changing color, iridescence, moire
mois *m.* month
moisson *f.* harvest
moitié *f.* half
mollement indolently, languidly
mollesse *f.* softness; slackness, relaxation
mollet *m.* calf (of the leg)
mollir to soften
momie *f.* mummy
monde *m.* world; people, society, crowd, group, company
monnaie *f.* coin; money
montagne *f.* mountain
montant *m.* upright (of a ladder); door-post
Mont-de-Piété *m.* pawnshop
monter to rise, go up; to raise, take up; **se —,** to amount to
monticule *m.* hillock
montre *f.* watch
montrer to show, display
moquer to mock; **se — de** to make fun of; **se — bien de** to care a lot for (ironical), to have no use for
morale *f.* morals; moral philosophy, system of ethics; **faire de la —,** to moralize, lecture, reprove

morceau *m.* piece
mordre to bite; — **à** to bite into; to comprehend, get on to
more (maure) *adj.* & *n.* Moorish, Moor
morfondre (se) to be chilled through
moribond *adj.* & *n.* moribund, person in a dying state
mort *f.* death
mort *adj.* & *n.* dead, dead person; **tête de** —, death's head, skull
mo-u -lle soft
mouche *f.* fly
moucher to blow the nose
mouchoir *m.* handkerchief
mouiller to wet
mourir to die
mousqueterie *f.* musketry, rifle fire
mousse *f.* moss
moutard *m.* (*pop.*) brat, youngster
mouton *m.* sheep
moxa *m.* moxa, cautery (for burning on the skin)
moyen -ne middle; — **âge** Middle Ages; *m.* means; **au — de** by means of
muet -te dumb, silent
mulet *m.* mule (male)
mur *m.* wall
mûr ripe
muraille *f.* wall
murer to wall up
mûrir to ripen
musaraigne *f.* shrew (small mole-like animal)
musée *m.* museum
muser to dally, amuse one's self, loiter
musette *f.* haversack, knapsack
mystère *m.* mystery; mystery play (medieval religious play)
mystérieusement mysteriously

N

nager to swim
naissance *f.* birth
naître to be born; to dawn
naphte *m.* naptha
nappe *f.* tablecloth; surface, sheet
narine *f.* nostril
nati-f -ve native
natrum *m.* natron (native soda)
natte *f.* mat; braid
natté braided
naturel *m.* nature; **au** — in a life-like way
naufrage *m.* shipwreck
naufragé shipwrecked
nauséabond nauseous, loathsome
navire *m.* ship
navrer to distress, harrow
néant *m.* emptiness, nothingness
nef *f.* nave
négoce *m.* trade
neige *f.* snow
ne m'oubliez pas *m.* forget-me-not (flower)
nerf *m.* nerve; sinew, cord
nerveu-x -se nervous; keen
nervosisme *m.* nervous affection, nervous irritability; — **élégiaque,** hysterical despondency
net -te neat, clean
neu-f -ve new; **à** —, newly, freshly
névrose *f.* neurosis, nervous affection
nez *m.* nose
niche *f.* recess (for a statue)
nid *m.* nest
nimbe *m.* halo, nimbus
nimbé surrounded by a halo
niveau *m.* level
noce *f.* wedding; debauch
noceur *m.* gay dog, profligate
noir black; — **animal** animal black (made from charring bones)
noisette *f.* hazel-nut
nom *m.* name
nommer to name; to elect, appoint
normand *adj.* & *n.* Norman
notaire *m.* notary
note *f.* note, bill
notoirement notoriously, clearly
nourrice *f.* nurse, wet-nurse
nourrir to nourish, feed; to support; to cherish
nourrisson *m.* nursling, nursing child
nourriture *f.* food
nouve-au -lle new; **de** —, anew, again; — **-né** new-born child

nouvelle *f.* item of news; *pl.* news
noyer to drown
nu naked, bare; **—-tête** bareheaded
nuage *m.* cloud
nue *f.* cloud; *pl.* skies
nuée *f.* cloud, swarm, shower
nuit *f.* night
numéro *m.* number
nuque *f.* nape (of the neck)

O

obéir to obey; to respond to
obéissance *f.* obedience
obéissant obedient
obole *f.* small coin, mite; small contribution
obsèques *f. pl.* obsequies, funeral
obstination *f.* obstinacy, persistence
obus *m.* shell
obvier to obviate, prevent
occuper to occupy; **s'— de** to concern one's self with, attend to
odeur *f.* odor, fragrance
œil-de-bœuf *m.* small round or oval window
œuvre *f.* work; charitable undertaking, charity; **mettre en —** to put in operation
offensant offensive
offense *f.* affront, injury, insult
office *m.* post, function, duty; (religious) service, mass; **d'—** officially
offrande *f.* offering
offrir to offer; to present; to treat to
ogive *f.* gothic arch, rib
oie *f.* goose
oignon *m.* onion
oiseau *m.* bird
olfactif olfactory, pertaining to the sense of smell
olivier *m.* olive tree
ombrageu-x, -se suspicious
ombre *f.* shadow, shade
omettre to omit
ondée *f.* shower
onduleu-x, -se undulating
ongle *m.* nail, claw
onglé provided with nails or claws
opérer to effect, bring about
opportun opportune, expedient
or *m.* gold
or now, well (*loose connective*)
oraison *f.* prayer
oranger *m.* orange tree
oratoire oratorical
orbe *m.* orbit; outline, outer edge
orbite *m.* eye-socket
ordinaire ordinary; **à son —**, according to his custom
ordonnance *f.* order; prescription; orderly; **officier d'—**, aide de camp
orduri-er, -ère filthy, ribald
oreille *f.* ear
oreiller *m.* pillow
orgueil *m.* pride
orgueilleusement proudly
oriflamme *f.* oriflamme (ancient royal standard of France); standard
orner to decorate, ornament
ornière *f.* rut
orphelin *m.* orphan
orteil *m.* big toe, toe
orthographe *f.* spelling, orthography
os *m.* bone
oser to dare
osseu-x, -se bony, of bone
ôter to remove, take off
oubli *m.* forgetfulness, oblivion; oversight
oublier to forget
ours *m.* bear
outrance *f.* extreme, excess; **à l'—**, to the limit, to the bitter end
outrancier *m.* extremist, committer of excess
outre beyond; **— Rhin**, beyond the Rhine; **en —**, in addition
ouverture *f.* opening
ouvrage *m.* work
ouvrier *m.* workman, working man
ouvrir to open

P

pacotille *f.* small bundle of baggage; trumpery; **de —**, cheap, shoddy

pagne *m.* waist-cloth, sarong
pagode *f.* pagoda; **en —**, pagoda-like
païen -ne *adj. & n.* pagan, heathen
paille *f.* straw
paillet -te pale (of wine)
pain *m.* bread
pair *m.* peer
paisible peaceful
paix *f.* peace
palais *m.* palace
palais *m.* palate
palier *m.* landing, stair-head
pâlir to grow pale
palmier *m.* palm tree
pâmer (se) to swoon, faint
pampre *m.* vine branch
pan *m.* flap, corner
panache *m.* plume
panier *m.* basket
panneau *m.* panel
panoplie *f.* panoply, group of arms
panser to dress (a wound)
paon *m.* peacock
pape *m.* Pope
paperasse *f.* paper, useless paper
papetier *m.* stationer
paquebot *m.* steamer, liner
paquet *m.* bundle, parcel; mass (of water)
paraître to seem, appear
paraphe (parafe) *m.* flourish (on a signature)
parapluie *m.* umbrella
paraschite *m.* embalmer
parbleu (exclamation of intensity or approval) yes indeed! I should say so!
parchemin *m.* parchment
parcheminé parchment-like
parcourir to go over, run through, traverse
pardi popular modification of **par Dieu**
pareil like, such a
parent *m.* **-e** *f.* relative, parent
parenté *f.* relationship
parer to adorn
paresse *f.* laziness
paresseu-x -se lazy
parfait perfect
parfois sometimes
parmi among, in the midst of
paroi *f.* wall
paroisse *f.* parish; parish church
paroissien -ne *m. & f.* parishioner
parole *f.* word, speech, talk; faculty of expression
parrain *m.* godfather
parsemer to sprinkle, stud, dot
part *f.* share, part; **de toutes — s**, from (on) all sides; **à —**, aside; **à — lui** to himself; **quelque —**, somewhere
partager to divide, share
particularité *f.* peculiarity
particulier particular, peculiar, characteristic; *m.* individual
partie *f.* part; game, match
partition *f.* musical score
parvenir to arrive; to succeed
pas *m.* step, pace, gait; **au —** at a walking pace; **au — gymnastique,** double-quick; **sur les — de** on the heels of, close behind
passage *m.* passage, passing; way; **au —**, in passing
passant *m.* passer-by
passer to pass; **se —**, to take place, happen; to pass away
pâte *f.* paste, plastic material
pâtée *f.* paste, mess (for feeding animals, or familiarly, people)
patère *f.* curtain hook
pathétique pathetic, touching; *m.* pathos
patiemment patiently
patrie *f.* country, fatherland
patrimoine *m.* patrimony, heritage
patron *m.* master, employer
patte *f.* paw, foot, claw (*fam.* of human hand); **à quatre —s** on all fours
pâturage *m.* pasture
pâture *f.* pasturage, food
paume *f.* palm (of hand)
paupière *f.* eyelid
pauvresse *f.* beggar woman
pauvret -te poor little
pauvreté *f.* poverty
pavé *m.* pavement, paving stone
pays *m.* country, home country; (*pop.*) fellow-countryman
paysage *m.* landscape

paysan -ne *m.* & *f.* peasant
peau *f.* skin
péché *m.* sin
pécheur *m.* sinner
pectoral breast-plate
pedum *m.* staff of pastoral divinities
peigne *m.* comb
peigner to comb
peindre to paint
peine *f.* difficulty; trouble, harm; grief; **à peine** barely, hardly; **ce n'est pas la —,** it is not worth while; **faire de la — à** to distress, hurt
peiner to toil
peintre *m.* painter
peinture *f.* painting
pelletée *f.* shovelful
peloton *m.* platoon, squad
pelouse *f.* lawn
pencher to bend, tip, incline; **se —,** to bow, stoop
pendant *m.* counterpart, mate
pendre to hang, suspend
pendule *f.* clock
pénétrer to penetrate; to fathom, comprehend; **— dans,** to enter; **se — de,** to absorb, steep one's self in
pénible painful; difficult
pénitence *f.* penitence, penance
pensée *f.* thought
pension *f.* pension; boarding-house
pente *f.* slope
percer to pierce
perche *f.* pole; **— à houblon,** hop-pole
perdre to lose; **perdu,** remote, forgotten
péripétie *f.* vicissitude
perler to sparkle, pearl; **perlé,** pearly, adorned with pearls
permission *f.* permission; pass
péronnelle *f.* stupid loquacious woman; gossip
perron *m.* landing; flight of steps before a house
perroquet *m.* parrot; (*pop.*) absinthe
perruque *f.* wig
personnage *m.* personage; character, part (theatre)
perte *f.* loss; **à — de vue,** as far as one can see
pesant heavy
peser to weigh, be heavy
pétillement *m.* crackling
petit-fils *m.* grandson
peuplé peopled, populated
peuplier *m.* poplar
peur *f.* fear; **avoir —,** to be afraid
peut-être perhaps
Pharaon *m.* Pharaoh, Egyptian king
pharaonesque Pharaoh-like
phoque *m.* seal
phrase *f.* sentence
phtisique *adj.* & *n.* consumptive
physionomie *f.* physiognomy, aspect, appearance
pie *f.* magpie
pièce *f.* piece; room (of a house); piece of money; play
pierre *f.* stone
pierre-ponce *f.* pumice-stone
pierreries *f. pl.* precious stones
piétinement *m.* stamping, trampling
piéton *m.* pedestrian
pieu-x, -se pious, devout
pignocher to pick, nibble at food
pignon *m.* gable end, gable
pile *f.* pile; battery
piler to pound, crush
pilier *m.* pillar
pimprenelle *f.* pimpernel (small scarlet, white or purple flower)
pinacothèque *f.* museum of paintings (*esp.* that of Munich)
pince *f.* pincers, nippers; claw (of lobster)
pincée *f.* pinch
pincement *m.* pinching; close fit
pincer to pinch, nip
piquer to prick, stick, spear
piqûre *f.* pricking, puncture
pire *adj.* worse
pis *adv.* worse; **tant — pour eux,** so much the worse for them
piscine *f.* pool; baptismal font, font
pistolet *m.* pistol

piteusement pitifully, woefully
pitoyable pitiful
place *f.* place, room; town square
placement *m.* placing; sale, investment
plafond *m.* ceiling
plaidoirie *f.* plea; *pl.* pleadings (law)
plaindre to pity; **se —**, to complain, moan
plainte *f.* complaint, moan
plaire to please; **se — à**, to take pleasure in, enjoy
plaisant amusing
plaisanter to joke
plaisanterie *f.* joke
plaisir *m.* pleasure
plan *m.* plane; plan
planche *f.* plank, board; *pl.* the boards, stage
plancher *m.* floor
planer to soar; to hang over
plante *f.* plant; sole (of foot)
planter to plant, fix
plantureu-x, -se abundant, fertile
plaque *f.* plate, slab; badge, decoration
plat flat; **à —**, flat, flattened
plat *m.* plate, dish
plateau *m.* tray; plateau, upland
plâtre *m.* plaster
plein full
plessimètre *m.* instrument for sounding the chest
pleurer to weep, cry
pleureur *m.* weeper, mourner
pleuvoir to rain
pli *m.* fold, tuck, pleat; wave, depression (in land)
plier to fold, bend
plomb *m.* lead
ployer to bend, fold
pluie *f.* rain
plume *f.* pen; feather
plupart *f.* most, majority
plusieurs several
poche *f.* pocket
poêle *m.* stove
poétiser to make poetical
poids *m.* weight
poignard *m.* dagger
poignarder to stab
poignée *f.* handful; clasp, shake (of the hands)
poignet *m.* wrist
poil *m.* hair, bristle
poing *m.* fist, hand; **dormir à —s fermés,** to sleep soundly
point *m.* point; **— du jour,** sunrise, dawn
pointe *f.* point; break (of day), dawn
pointer to rise, appear
poire *f.* pear
poirier *m.* pear tree, wood of pear tree
poisson *m.* fish
poissonneu-x, -se filled with fish
poitrail *m.* breast (of a horse); animal-like breast (of a person)
poitrine *f.* breast
polir to polish; **poli,** polished; polite
polisson *m.* scamp, ragamuffin
politesse *f.* politeness
pomme *f.* apple; head (of a cane); **— de terre,** potato
pommette *f.* cheek-bone
pompes funèbres *f. pl.* company of undertakers
pont *m.* bridge
populaire *m.* populace, common people
porc *m.* pig, hog
porche *m.* portal
portée *f.* range; **à —**, within range
porte-hallebarde *m.* halberd carrier
porter to bear, carry; **tout porte à croire,** everything points to
poser to place, set down; to rest, stand; to pose
pot-au-feu *m.* heavy soup, stew
potence *f.* gallows
poudreu-x, -se dusty, powdery
poule *f.* hen, chicken; **chair de —,** goose flesh
poulie *f.* pulley
poumon *m.* lung
poupée *f.* doll
pourboire *m.* tip
pourceau *m.* hog, pig, swine
pourpre purple
pourrir to rot

poursuivre to pursue, continue
pourtant nevertheless, however, yet
pourvu que provided (that)
poussah *m.* small wooden image ballasted so as to be self-righting
pousser to push, impel; to utter; to grow
poussière *f.* dust
poussiéreux, -se dusty
poutre *f.* beam
praticien *m.* practitioner; — **légiste** practising lawyer
pratique *f.* practice, observance; custom, trade
pratiquer to practice; to cut, contrive, make (an opening)
pré *m.* meadow
préadamite before Adam
préalablement previously, first
prêcher to preach
précieu-x, -se valuable, precious
précipiter to precipitate; **se —**, to rush
précis precise, exact; **à sept heures —es**, at exactly 7 o'clock
prédication *f.* preaching
préjugé *m.* prejudice
prendre to take; **s'y —**, to go about it
prescrire to prescribe, require
préséance *f.* precedence
présentement at present
presque almost
pressé pressed (together); hurried, in a hurry
pressentir to foresee, have a presentiment of
pressoir *m.* press (for wine, oil, etc.)
prêt ready
prétendant *m.* suitor
prétendu so-called, claimed
prêter to lend
prétexter to pretend, feign
prêtre *m.* priest
preuve *f.* proof
prévenir to warn; to notify; to predispose, prepossess
prévoir to foresee
prier to pray, request, entreat
prière *f.* prayer, entreaty
prieur *m.* prior
prime *f.* premium, bonus
princi-er, ère princely, of a prince
principe *m.* principle
printemps *m.* spring
prise *f.* pinch (of snuff)
priver to deprive
prix *m.* price, value, cost
probe upright
procédé *m.* proceeding, procedure, behavior, act
procès *m.* lawsuit
prochain next; *m.* neighbor, fellow-creature
proche near
produire to produce, occasion; **se —**, to occur
produit *m.* product; offspring
profond deep, profound
profondeur *f.* depth
progressiste progressive
projet *m.* plan, project
prolongé prolonged
promener to cause to pass or walk; to pass, run, take; **se —**, to take a walk or drive
promettre to promise
promise *f.* fiancée
promu promoted
propos *m.* talk, discourse; *pl.* remarks; idle words; **à — de**, on the subject of, about
propre suitable; own; clean
propret, -te tidy, neat
propriété *f.* property
prose *f.* hymn (rhymed but without meter)
prosterner (se) to prostrate one's self
protéger to protect
provisoirement provisionally, temporarily
prunelle *f.* pupil (of the eye)
pschent *m.* Pharaonic crown
public *m.* public; audience
puisque since (causal)
puissance *f.* power, strength
puissant powerful
puits *m.* well, shaft, pit
pulmonaire *adj.* & *n.* of the lungs; with diseased lungs, consumptive
punir to punish
punition *f.* punishment

pupitre *m.* desk
pur pure
pylône *m.* gateway to Egyptian temple

Q

quai *m.* quay
quand même in spite of everything, at any price
quant (à) as for, as regards
quart *m.* quarter
quartier *m.* quarter; — **général,** headquarters
quasi as if, almost
quasiment almost, practically
quelconque whatever, of some sort
quelquefois sometimes
quelqu'un some one
quémandeu-r, -se *adj.* & *n.* importunate; persistent asker
queue *f.* tail; cue (billiards); **à la — leu leu,** in a file, one after another
quinzaine *f.* about fifteen; fortnight
quitter to leave; to take off
quoique although
quotidien, -ne daily

R

rabbinique rabbinic, characteristic of a rabbi
raccourci *m.* abridgement, epitome; **en** —, foreshortened (drawing)
racheter to buy back, redeem
racine *f.* root
raconter to recount, tell
radeau *m.* raft
radieu-x, -se radiant
radjah *m.* rajah, Indian potentate
radoucir (se) to modify one's tone, soften down
raffermir (se) to become firm, stiffen up
raffinerie *f.* refinery
rafraîchissement *m.* refreshment
rage *f.* rage; madness
rageusement angrily, sullenly
raide stiff; **être tué** —, to be killed outright
raidir to stiffen
railleu-r, -se mocking, jesting; *n.* mocker, jester
rainure *f.* groove
raison *f.* reason; **avoir** —, to be right
raisonnement *m.* reasoning
raisonner to reason, reason out; to argue, discuss
rajeuni with youth restored, rejuvenated
râle *m.* rattle in the throat, death-rattle
râler to have the death-rattle; to gasp hoarsely
rallumer to light again
ramage *m.* flowers (on stuffs)
ramasser to pick up
rame *f.* oar
ramener to bring back, lead back, draw back, retrieve
rampe *f.* ramp, inclined plane; footlights
ramper to crawl
rancune *f.* rancor
rang *m.* rank, row; order
rangé steady, dependable
rangée *f.* row, range
ranimer to revive, reawaken
rapetisser to make smaller, shrink, lessen
rappel *m.* recall; curtain call (theatre)
rappeler to recall; to remind; **se** —, to remember
rapport *m.* connection, relation; — **à,** about, regarding
rapporter to bring back; to yield, bear; to report, relate
rapprocher to bring close together; **se** —, to draw close
rare rare; scattered, sparse, thin
raser to shave; to graze, skim
rasoir *m.* razor
Raspelhaus (German) house of correction, lockup
rassurer to reassure
rastaquouère *m.* lavish foreigner with unknown source of revenue
râteau *m.* rake
rattraper to catch again, regain
rature *f.* erasure

rauque hoarse
ravin *m.* ravine, river bed
ravine *f.* mountain torrent, river bed
ravir to ravish, take away
rayé striped
rayon *m.* ray
rayonner to radiate
réaliser to make real, realize (on)
rebaiser to kiss again
rebattre to beat again; to din in the ears; to tell over and over
rebondi plump, round
rebord *m.* border, edge
réchauffer to warm again, warm; **se —**, to get one's self warm
recherche *f.* search, searching, research, **à la — (de)**, in search (of)
rechercher to seek out, seek after
récif *m.* reef
réciproque mutual, reciprocal, common
récit *m.* story, recital
réclame *f.* advertisement, publicity
réclamer to demand, claim
récolte *f.* harvest, crop, vintage
récolter to reap, gather in
recommandé registered (letter)
reconduire to lead back, take back; to accompany to the door, show out
reconnaissance *f.* gratitude
reconnaissant grateful
reconnaître to recognize, realize, admit
recoucher (se) to lie down again
recourber (se) to grow hooked, bend; **recourbé,** rounded, curved back
recouvrer to regain, recover
recouvrir to cover again, cover
recréat-eur, -rice re-creative, restoring
récréer (se) to amuse one's self, seek amusement
récrier (se) to exclaim, protest
recueillir to gather in; **se —**, to collect one's self, compose one's self; **recueilli,** calm, composed
recul *m.* recoil; **effet de —**, draw shot (billiards)
reculer to recoil, draw back, withdraw
redevable indebted
redevenir to become again
redingote *f.* frock-coat
redoute *f.* redoubt, fort
redouter to dread, fear
redresser to straighten; **se —**, to stand erect, straighten up
réduit *m.* retreat, recess
refaire to remake, do again
réfléchir to reflect, consider; **réfléchi,** reflective, thoughtful
refléter to reflect
refluer to flow back
refroidir to chill, cool off
refuser to refuse; **se —**, to deny one's self
regagner to regain
regard *m.* look, glance; **au — de,** in comparison with, contrasted to
regarder to look at; to concern
règle *f.* rule
régler to order, regulate, arrange
regorger to be crowded, overflow
reine *f.* queen
reins *m. pl.* loins, back
rejaillir to gush out, spout; to rebound, reflect; **rejaillissant,** splashing, gushing, spurting
rejoindre to rejoin; to meet again; to overtake
réjouir to gladden, delight; **se —**, to rejoice
relâche *m.* remission, respite
relation *f.* relation, respect; *pl.* connections
relaxer to release
relever to raise again, raise; to set off; **se —**, to rise, get up again
religieu-x, -se religious; *n.* person in orders, cleric, nun
relire to read again
reluire to glitter, gleam
remède *m.* remedy
remercier to thank
remettre to put back; to hand, give over; to defer, postpone; **se — à,** to begin again (to), to return to; **se — en route, to start off again**

remonter to remount, mount; to date back (to); to rise again; to wind (clocks)
remplacer to replace, supply a substitute for
remplir to fill, fulfil
remuer to move
renaître to be born again
renard *m.* fox
rencontre *f.* meeting
rencontrer to meet, find
rendre to render; to restore, return, give back, send back; to yield; **se — (à)** to go; **se — compte de,** to realize, comprehend
rêne *f.* rein
renfermer to shut in, lock in, enclose
rengager (se) to re-enlist
renoncer to renounce, give up
rente *f.* annual income, revenue
rentrée *f.* reappearance, return (to the theatre)
rentrer to re-enter, come home, come back
renverser to invert, overthrow; **se —,** to bend backwards; **renversé,** thrown down, thrown back, collapsed
renvoyer to send away; to postpone; to send back, reflect
répandre to spread; to give out, diffuse; to spill
reparaître to reappear
réparer to repair
repas *m.* meal
repentir (se) to repent
repentir *m.* repentance
répéter to repeat; to rehearse
répétition *f.* rehearsal
répit *m.* respite, stopping
replier to fold again; to bend back, twist
répliquer to reply, retort
répondre to reply, respond
reporter to carry back; **se —,** to return
repos *m.* rest, repose
reposer to replace, put back; to rest
repousser to repulse, push off; to grow again
reprendre to take again; to reply, resume; to take to (the sea) again
représentation *f.* performance (theatre)
reprise *f.* resumption; **à différentes —s,** repeatedly
requête *f.* formal request, petition
résidence *f.* residence; palace
résonner to resound
résoudre to resolve, decide
respectueu-x, -se respectful
respirer to breathe
ressentir to feel, experience
ressort *m.* spring
ressortir to stand out; **faire —,** to set off
ressouvenir *m.* faint recollection; twinge
ressuscité *adj. & n.* resuscitated, resurrected person
reste *m.* rest, remainder; **du —,** moreover; **au —,** besides
résumer (se) to sum up
retard *m.* delay
reteindre to dye again
retenir to retain, hold back; to secure, hold; to remember
retentir to resound, sound, ring out
retirer to withdraw, take out, take away; **se —,** to retire
retomber to fall again, fall back
retour *m.* return; **de —,** back; **sans —, sans espoir de —,** irretrievably, irrevocably
retourner to turn again, turn over; to return; **s'en —,** to come away, come back, return
retrait *m.* retreat, sequestered place
retraite *f.* retreat (for solitary prayer and meditation)
retroussé tucked up, rolled up
retrouver to find again, find, meet again
réunion *f.* meeting
réunir (se) to gather, meet, collect
réussir to succeed
rêve *m.* dream
réveil *m.* awakening
réveiller to awaken, stir up; **se —,** to wake up
révéler to reveal
revenant *m.* ghost

revenir to come back, come again; to recover
rêver to dream, dream of, muse
revers *m.* back, reverse
revêtir to invest, endow, clothe
rêveur *m.* dreamer; *adj.* dreamy, thoughtful (*f.* **-se**)
revivre to live again
revoir to see again
révolter to shock, horrify
revue *f.* review, inspection
révulsé displaced, rolled back (of eyes)
révulsif *m.* revulsive (treatment or medicament producing strong reaction)
rez-de-chaussée *m.* ground floor
ribambelle *f.* swarm, string
ricanement *m.* sneering laugh
ricaner to jeer, sneer
richesse *f.* wealth
ride *f.* wrinkle
ridé wrinkled
rideau *m.* curtain
ridicule ridiculous; *m.* ridiculousness, absurdity
rigolade *f.* (*pop.*) amusement, gay life
rigole *f.* gutter, small trench
rigueur *f.* rigor, severity; **de —**, required, requisite
rire to laugh
rire *m.* laugh
rivage *m.* shore, bank, side
rive *f.* shore, bank
rivière *f.* river
robe *f.* dress; **— de chambre,** dressing gown
robinet *m.* tap, faucet
rocaille *f.* rock-work, stones and pebbles set in ornament
rocher *m.* rock
rôder to roam, prowl
rogner to clip, cut, pare
roi *m.* king
roide stiff
roidir to stiffen
rompre to break
ronce *f.* bramble, brier
ronde *f.* round, patrol; round vertical handwriting
ronfler to snore; to hum, thunder, roar
ronger to gnaw, eat away
rosace *f.* rose-window
roseau *m.* reed
rosée *f.* dew
rose-thé *f.* tea rose
rouage *m.* wheels, works
roue *f.* wheel; **faire la —**, to spread the tail (peacock)
rouge red
rougeur *f.* redness, blushing, blush
rougir to redden; to blush
rouille *f.* rust
rouillé rusty
roulement *m.* rolling, rumbling, drumming
rouler to roll; to tumble, overthrow; to knock about
roussâtre russet, reddish
route *f.* route, road; **faire — avec,** to accompany
rouvrir to open again
rou-x, -sse red (hair), reddish
royaume *m.* kingdom
ruban *m.* ribbon
rubané ribboned, rolled thin
rubis *m.* ruby
rude harsh, rough, uncouth, violent
rue *f.* street
ruelle *f.* alley
ruer (se) to rush, throw one's self
rugir to roar
rugissement *m.* roar
ruissellement *m.* gush, stream
rumeur *f.* clamor, noise

S

sable *m.* sand
sabot *m.* wooden shoe; hoof; whipping top; (*pop.*) inferior workman
sac *m.* bag, haversack, knapsack
saccadé broken, jerky
sacré blessed; cursed
sacrementel, -le sacramental, ritualistic
sacristie *f.* sacristy, vestry
sage wise; discreet, well-behaved, chaste
sage-femme *f.* midwife

sagesse *f.* wisdom; decency, chastity, good behavior
saigner to bleed
saillie *f.* projection; **en —,** standing out
saillir to stand out, jut out
sain sound, healthy; **— et sauf,** safe and sound
saint *adj. & n.* saintly, holy, saint
sainteté *f.* sanctity
saisir to seize, catch
saisissant striking, impressive
saison *f.* season
sale dirty
saleté *f.* dirtiness; vile saying or act
salir to dirty
salle *f.* hall, room; **— de police,** guard-house, lockup; **— à manger,** dining room
saluer to salute, bow to
salut *m.* salvation
salutaire salutary, beneficial
sang *m.* blood
sanglant bleeding, bloody, bloodshot
sangle *f.* strap; **lit de —,** camp bed
sangler to strap, belt, incase tightly
sanglot *m.* sob
sangloter to sob
sanguin full-blooded
sanguinolent stained in blood
santé *f.* health
sapin *m.* fir (tree or wood)
sarment *m.* vine twig
sarrasin *adj. & n.* Saracen
satisfait satisfied
sauf except, save, subject to
saule *m.* willow
saumon *m.* salmon; **— clair,** light salmon color
saut *m.* jump, leap
sauter to jump, leap, hop; **faire — la coupe,** to cheat at cards; **cela saute aux yeux,** that is obvious
sautiller to hop
sautoir *m.* cross; **en —,** crosswise, hung like an order or decoration
sauvage wild, untamed, shy; savage
sauver to save; **se —,** to escape
sauveur *m.* saver, deliverer
savant learned; skilful, masterly
saveur *f.* savor, zest
savoir *m.* knowledge, talents, skill
savon *m.* soap
scarabée *m.* scarab, beetle
scélérat *m.* scoundrel
scène *f.* scene; stage
scénique of the stage, scenic, theatrical
science *f.* knowledge, learning, science
scier to saw
scintillement *m.* sparkling
scintiller to sparkle
scolastique *f.* scholasticism (medieval theology and logic)
scorbutique *adj. & n.* afflicted with scurvy
scruter to scrutinize, search closely
sculpté carved, sculptured
séance *f.* sitting; **— tenante,** then and there, on the spot
séant *m.*: **se mettre sur son —,** to sit up
sébile *f.* wooden bowl
sec, sèche dry; thin, sharp, curt
sécher to dry, dry up
secouer to shake
secourable helpful, willing to help
secours *m.* help
secousse *f.* shock, concussion, shaking, jolt
secrétaire *m.* secretary
séduire to seduce; to charm, captivate
seigneur *m.* lord; noble
sein *m.* breast, bosom
séjour *m.* stay, sojourn, abode
selon according to, after
semaine *f.* week; week's wages
semblable similar, like; *m.* kind, fellow-creature
semblablement likewise, also
semelle *f.* sole (of shoe)
semer to sow, scatter, strew
semestre *m.* six months
sens *m.* meaning, sense; direction; **en — inverse,** in the contrary direction
sensé sensible

sensibilité *f.* sensitiveness, tender-heartedness
senteur *f.* fragrance, odor
sentier *m.* path
sentiment *m.* feeling, sentiment, thought
sentir to feel; to understand, realize; to smell, smell of
sépulture *f.* burial
série *f.* series; run (billiards)
sérieu-x, -se serious; important, of consideration; *m.* seriousness; **prendre au —,** to take seriously
serment *m.* vow
serre-file *m.* file closer
serre-papier (serre-papiers) *m.* paper holder, paper weight
serrer to press, press together, hold close, squeeze; to oppress (the heart); to put away (clothes); to shake (hands); **— les rangs,** to close ranks
serrure *f.* lock
servir to serve; to provide, furnish; **— de,** to act as; **— à,** to serve to, be useful for; **se — de,** to use
serviteur *m.* servant
seuil *m.* threshold
seulement only; even
sévir to rage (of pestilence, war)
siècle *m.* age, century
siège *m.* seat
siéger to throne, sit in state
siffler to whistle, (*pop.*) to drink off
silencieu-x, -se silent
sillonner to furrow
simplicité *f.* simpleness, simple-heartedness, simplicity
singe *m.* monkey
singuli-er, -ère singular
sinon if not, except, unless
sitôt as soon, so soon as
sobriquet *m.* nickname
socle *m.* pedestal
sœur *f.* sister
soi-disant so-called, supposed
soie *f.* silk
soif *f.* thirst; **avoir —,** to be thirsty
soin *m.* care; **prendre, avoir — de,** to take care of
soir *m.* evening
soirée *f.* evening, evening party
sol *m.* earth, ground
soldat *m.* soldier
soleil *m.* sun
soleillé sunny, bathed in sunshine
solennel, -le solemn
solitaire *m.* recluse, hermit
sommaire summary
somme *f.* sum
sommeil *m.* sleep
sommeiller to doze
sommet *m.* summit
somptueu-x, -se sumptuous, magnificent
son *m.* sound
songe *m.* dream
songer to dream, meditate, think
sonner to ring, resound; to strike (clocks); **neuf heures sonnantes,** on the stroke of nine
sonnette *f.* bell
sonore resounding, sounding, sonorous
sort *m.* lot, fate; **tirer au —,** to draw lots
sorte *f.* sort, kind; **de la —,** in this way; **en — que,** so that
sortie *f.* exit
sot, -te stupid
sou *m.* penny; **n'avoir pas le —,** to be penniless
souche *f.* stump, stock
soucier (se) to care; **se — bien de** (ironical) to care nothing for
soudain sudden; suddenly
souffle *m.* breath, blowing
souffler to breathe, blow, blow out
souffrance *f.* suffering
souffrant unwell
souffrir to suffer; to permit
souhaiter to wish, wish for; **— la fête à quelqu'un,** to wish someone a happy birthday (with a gift)
souiller to soil
soûl full; (*pop.*) drunk; **en avoir tout son —,** to have one's fill
soulagement *m.* relief, solace
soulager to relieve, comfort
soulever to lift, lift up, raise; **— le cœur,** to sicken, disgust
soupçonner to suspect

souper to eat supper
souper *m.* supper
soupir *m.* sigh
soupirer to sigh
souple supple, flexible, yielding
souquenille *f.* smock
sourcil *m.* eyebrow
sourd deaf; dull, muffled
sourdement dully, indistinctly, with a hollow voice
sourire to smile
sourire *m.* smile
souris *f.* mouse
sournois sly
souscripteur *m.* subscriber
souscription *f.* subscription
sous-officier *m.* non-commissioned officer; **sous-off,** "non-com"
sous-préfecture *f.* subprefecture, second administrative city of a department
soustraire (se) to escape, withdraw
soutane *f.* cassock; (figuratively) the cloth, ecclesiastical profession
soutenir to support, uphold
souvenir (se) to remember
souvenir *m.* memory
souvent often
souverain sovereign, supreme
spécieu-x, -se specious; plausible
spectacle *m.* spectacle; performance, show
spirituel, -le spiritual; refined; witty
squelette *m.* skeleton
station *f.* station; stop, stage, pause; — **d'eau,** watering place
statuer to decree, ordain
stèle *f.* stele, sculptured and painted monolithic monument
sténographier to take down in shorthand
subir to undergo, experience
subit sudden
subsister to subsist; to hold good, last
sucre *m.* sugar
sud *m.* south
suer to sweat
sueur *f.* sweat
suffire to suffice
suffisant sufficient
suintement *m.* ooze
suisse *m.* beadle, church guard
suite *f.* rest, sequel, continuation; following; **tout de —,** at once
suivre to follow; **ne pas se —,** to lack consecutiveness; **suivant,** according to
sujet *m.* subject; individual; **bon —,** well-behaved person; **pendule à —,** clock with carved or painted figures for ornament
supplier to beg, beseech, implore
supporter to support, endure
supposer to suppose; **à — que,** supposing
suppôt *m.* agent, tool
supprimer to suppress, omit
suprême supreme; last, final
sûr sure, certain; safe
suranné antiquated, out-of-date
sûreté *f.* safety; **agent de —,** policeman
surette *f.* surette (acidulous yellow berry)
surgir to rise up, start up
surmener to overwork, overtax
surnager to float on the surface
surnaturellement supernaturally, preternaturally
surnom *m.* surname
surplis *m.* surplice
surprendre to surprise
sursaut *m.* start, jump; **en —,** with a start; **faire, avoir un —** to start, jump
surveiller to watch over
survenir to come up, arrive suddenly
survivant *m.* survivor
survivre to survive
susciter to give rise to, stir up
suspendre to hang, suspend
sveltesse *f.* elegance, grace
sympathie *f.* sympathy; **harmony,** fellow-feeling, liking
syncope *f.* fainting spell
syringe *f.* burial cave

T

tabac *m.* tobacco
tabagie *f.* smoking room
tabatière *f.* snuff-box; — **à surprises,** jack-in-the-box
tableau *m.* picture, painting; blackboard
tablette *f.* shelf
tablier *m.* apron
tache *f.* spot, blot
tâche *f.* task; **prendre à — de faire,** to make it one's business to do
tacher to spot; to taint, stain
tâcher to try
taille *f.* shape; waist; height
tailler to cut, shape, carve
taire (se) to be silent, become silent
talon *m.* heel
talus *m.* bank, embankment
tambour *m.* drum
tambouriner to drum; to drum up, advertise
tandis que whereas, while (contrast)
tant as much, so much; — **que,** as long as
tantôt now; presently; just now
tapage *m.* disturbance, noise
taper to strike, tap, hit, stamp
tapis *m.* carpet; cloth (for billiard table)
tapisserie *f.* tapestry, hangings, upholstery
tapissier *m.* upholsterer
tard late; **tôt ou —,** sooner or later
tarder to delay, be late
tardigrade slow moving
tas *m.* heap, mass, bunch
tasser to heap up; to press down; **se — dans** to press into, crowd into
tâtonnement *m.* groping
tau *m.* heraldic instrument shaped like T, carried by Egyptian deities
taudis *m.* hovel, hole
taureau *m.* bull
taxe *f.* tax, charge
teint dyed
teinte *f.* tint, shade
témoigner to testify; to display
témoin *m.* witness
tempe *f.* temple (of the head)
tempête *f.* storm, tempest
temporal temporal, of the temple (head)
tenailles *f. pl.* pincers
tendre to hold out, hand; — **l'oreille** to listen intently
tendresse *f.* tenderness, love
tendu tense, strained
ténèbres *f. pl.* darkness, gloom
ténébreu-x -se dark, gloomy; of the shadows
tenir to hold, keep, have, withstand; — **de** partake of the nature of, resemble; — **à** want very much, insist upon; — **en place** keep still; **tiens!** well! that's interesting; **se —** to bear one's self; **s'en — à** to rely on, rest content with; **ne pas savoir à quoi s'en — sur** not to know what to make of, how much value to place in
tentative *f.* attempt, effort
tenter to try; to tempt
tenue *f.* bearing; dress; **grande —** full dress; **petite —** undress
terni dull, stained, tarnished
terrain *m.* ground, plot, piece of land, field (of combat)
terrassement *m.* earthworks
terrasser to fell, floor; to beat; to dismay, throw into consternation
terre *f.* land, earth; — **rouge,** red earthenware
terrestre earthly; **Paradis —** Earthly Paradise, Garden of Eden
testament *m.* will, testament
textuellement word for word
thabeb *m.* sandal
thérapeute *m.* healer, doctor
tic *m.* tic, twitching
tiède tepid, mild
tiédeur *f.* tepidity, mildness
tige *f.* stalk, stem; rod
tigre *m.* tiger; — **à cinq griffes** five franc piece
timbre *m.* bell; quality, tone (of the voice)
tir *m.* shooting gallery
tirailleur *m.* skirmisher

tire *f.* tug, jerk; swift stroke (of a wing)
tirer to pull, draw; to put out (tongue); to fire, shoot off; to handle, use (**épée, pistolet**); **se —,** to extricate one's self; **se — d'affaire,** to get along, get out of difficulty
tireur *m.* marksman
tiroir *m.* drawer
titre *m.* title; **à — de,** by right of, as
toile *f.* cloth, fabric; **— d'araignée,** spider web; **— cirée,** oilcloth
toit *m.* roof
tombe *f.* grave
tombeau *m.* tomb
tombée *f.* fall
tombereau *m.* wagon, truck
ton *m.* tone; color, shade
tonneau *m.* cask
tordre to twist; **se —,** to writhe
torse *m.* trunk, body
tort *m.* wrong; **à — et à travers,** at random; **avoir —,** to be wrong
tortueu-x, -se tortuous, winding
tôt early; **— ou tard,** sooner or later
toucher to touch; to receive (money)
touffe *f.* tuft, bunch
touffu leafy, bushy, thick
toujours always; still
toupie *f.* spinning top
tour *m.* turn, twist; round, circuit; circlet; trick, feat; **— à —,** by turns
tourbillon *m.* whirl, eddy, tempest
tournailler to turn, revolve
tournée *f.* tour, circuit, round
tourner to turn; **— bien,** to turn out well; **se —,** to turn around, turn
tourniquet *m.* turnstile; kind of game (like roulette)
tournoyer to turn round and round, eddy
tournure *f.* figure, turn
tourterelle *f.* turtle-dove
toutefois however, just the same
toux *f.* cough
traduire to translate
trafiquant *m.* tradesman, merchant
trahir to betray, reveal
train *m.* train; course; rate, gait, way; **être en — de faire,** to be in course of doing; **grand — de vie,** high style of living
traîner to draw, drag, drag about, train, trail; **se —,** to lag, drag one's self about
traire to milk
trait *m.* stroke, dash; feature; draught; guise; **tout d'un —,** all at once; **respirer à longs —s,** to take deep breaths
traité *m.* treatise
traiter to treat
trajet *m.* trip, passage
trame *f.* woof
tranche *f.* slice
tranquille quiet, calm, at peace
transe *f.* fright, apprehension
transmuer to transmute, transform
transparent *m.* transparency (painting or design through which light is intended to shine)
trapu thick-set
traquer to track down, hem in
travail *m.* work
travailler to work
travers *m.* breadth; flank; **à —,** through, across; **au —,** through (suggesting obstacle); **de —,** awry, aslant; **en —,** across, crosswise; **à tort et à —,** at random
traverser to cross
travesti disguised; **bal —,** masquerade ball
trébucher to stumble
treillage *m.* trellis, fence
treillis *m.* lattice
trembloter to flicker, quaver
tremper to dip, soak, drench
trépas *m.* decease, demise, death
trépassé *adj. & n.* deceased
trépigner to stamp
tressaillir to start, thrill, quiver
tresse *f.* plait, braid
tréteau *m.* trestle, wooden horse
tricorne *m.* three-cornered hat
trille *m.* trill

tringlo *m.* (*pop.*) soldier in the service of supplies
triste sad, wretched
tristesse *f.* sorrow, sadness
tromper to deceive; **se —**, to be mistaken, make a mistake
tronc *m.* trunk (of a tree); chest, poor box
trône *m.* throne
trophée *m.* trophy, group of arms
trottoir *m.* sidewalk
trou *m.* hole
trouble turbid, muddy; confused
trouble *m.* agitation, confusion, distress
troubler to disturb, agitate
trouée *f.* opening, gap, pass
trouer to bore, perforate
troupeau *m.* flock, herd
trousseau *m.* bunch (of keys)
tuer to kill
tuerie *f.* slaughter, killing
tunique *f.* tunic, military blouse or coat
tuyau *m.* pipe, flue
typographe *m.* printer, typesetter

U

ulcérer to ulcerate; to wound deeply
uni united; smooth
unique single, one, only
unir to unite, combine
usage *m.* use; custom
user to wear out, wear down, wear
utile useful

V

vacarme *m.* uproar, tumult
vache *f.* cow
vachère *f.* milkmaid, cowherd
vacillant tottering, vacillating
vaciller to waver, stagger
vague *f.* wave, surge
vaguement vaguely
vaguemestre *m.* post-sergeant
vaincre to conquer, vanquish
vainqueur *m.* victor
vaisseau *m.* vessel
valet *m.* valet, footman; **— de ferme,** farmhand
valeur *f.* value
valoir to be worth; to result in, yield; **cela vaut la peine de,** it is worth while to
valseu-r, -se *m.* & *f.* waltzer, dancing partner
vaniteu-x, -se vain, vainglorious
vanné threshed; (*pop.*) worn out
vanter to vaunt, praise
vase *f.* mud
veille *f.* watching, wakefulness; day (night) before
veiller to watch over, watch, guard
veiné veined
vélin *m.* vellum
velouté velvety; hung in velvet
vendange *f.* vintage, grape-gathering
vendanger to gather grapes
vendangeur *m.* grape-gatherer
vendeu-r, -se *m.* & *f.* seller
vendre to sell
venelle *f.* alley, lane
venger to avenge
véniel, -le venial, not mortal (of sins)
vent *m.* wind
vente *f.* sale
ventre *m.* belly, body; **— à terre** at top speed; **couché à plat —,** lying flat on the stomach
verdi turned green, greenish
vérité *f.* truth
vermoulu worm-eaten
vernir to varnish, polish
vernis *m.* varnish, polish
verre *m.* glass, tumbler
verroterie *f.* glass work
verrue *f.* wart
vers *m.* verse
versement *m.* payment, deposit
verser to pour; to pay
vert green
vert-de-grisé covered with verdigris (greenish rust on copper)
vertige *m.* dizziness; madness
vertigineu-x, -se dizzy, causing dizziness
vertu *f.* virtue
verve *f.* animation, dash; humor, sprightliness
veste *f.* coat, jacket